天才と異才の日本科学史

後藤秀機

天才と異才の日本科学史

目次

第Ⅰ部　日本科学の夜明け

第Ⅰ部　日本科学の夜明け

第1章　国家戦略と理科学

福沢諭吉、物理と出会う

諭吉はオヤッと思った[1]。洪庵先生が借りて来たオランダ語訳の最新の物理の本が、今までとだいぶ違ったことを言っている。従来は、たとえば、エレキテル（電気）といえば、平賀源内がオランダ製の摩擦発電機で初めてエレキテルを発生させたとか、異なった金物をつなぐとその間でエレキテルが発生するとか、エレキテルでカエルの足がピクピクする、あるいは、西洋にはエレキテルを発する魚がいて触るとビリビリするなど、摩訶不思議な有象無象として羅列されていた。

ところが、その本によると、イギリスのファラデーが、摩擦電気も動物電気も静電気も電気分解も、すべてイオン（電気を帯びた粒）が起こす出来事として統一的に説明していた。エレキテルはもう玩具や手品のような話ではなく、学問に発展していた。

諭吉は塾頭だったので、塾生を集め二晩徹夜で筆写させる。その本は先生が顧問をしていた筑前の大名黒田美濃守が八〇両で購入した貴重なもので、国許に出立される三日目には返さねばならなかった。安政四年（一八五七）頃のことである。

緒方洪庵の適塾（大坂）はオランダ語や医学や科学を学ぶ蘭学塾であったが、福沢諭吉は、血を見ると気分が悪くなって、主流である医学の勉強をあきらめた。

　そのかわり、オランダ語以外では化学の勉強に力を入れていた。アンモニアを漏らしてたびたびご近所から苦情を言われたり、硫酸を頭から浴びたりもしている[2]。

　このように、日本人は医学と化学はよく勉強していたが、物理学はどうだろうか。イギリスのニュートンが『プリンキピア』を著し古典力学を集大成したが、一般には関心をひいていない。

　しかし、諭吉は見抜いた。物理は「物の理」「物の性質」あるいは「物の道理」を解明する分野だが、森羅万象の法則性に至る、西洋学問の王者である。

福沢諭吉

　それからもう一つ、彼は物理が性に合った。以前、中津藩の家老の息子と合わず高島秋帆の塾（長崎）を離れている。咸臨丸で渡米する際は勝海舟とうまくいかなかった。物理の世界では、身分の上下と関係なく、有無を言わさず黒白を付ける。

　諭吉は、後に慶應義塾の入学生に

物理を通して西洋の物の考え方を学ばせた。文系の専門課程に進むにも物理学を修得している事を必須とした[3]。

サイエンスプロデューサー諭吉

明治元年（一八六八）、福沢諭吉は『訓蒙窮理図解』、今の言葉になおせば「図解物理入門」と称する本を出版した。この本は「窮理熱」と呼ばれる出版ブームに火をつけ、以後数十冊の物理入門書の刊行が続いた。果ては習字や落語の本まで「窮理」とタイトルに加えられた。

日本では物理を朱子学から採り、「窮理」と呼んでいたが、実際には地学や天文も含んでいたから、『訓蒙窮理図解』は日本初の科学入門書ということになる。この本は、明治五年（一八七二）教科書が間に合わなかった当時の小学校で理科の教科書として使われた。

政府が「窮理」から「物理」にかえると、諭吉も『物理学の要用』を出版する。彼は物理学を学ばせるため、息子の捨次郎をマサチューセッツ工科大学へ留学させている。

一方、日本は有史以来中国からすべてを学んできた。その大国中国がアヘン戦争でイギリスに蹂躙された。諭吉はもちろん、松代の佐久間象山、長州の吉田松陰や高杉晋作、土佐の坂本龍馬も大きな衝撃を受ける。

漢学は思想性には優れていても、時代の役に立たぬ。一刻も早くサイヤンス（物理など実学のこと）を学び、日本も黒船（軍艦のこと）を持たなければならない。

ところで、当時朝鮮は中国との間の緩衝国であった。それゆえ、彼は慶應義塾に朝鮮の若者を受け入れ朝鮮を近代化しようとしている。しかし、諭吉の弟子たちによる近代化運動は中国の干渉によってうちくだかれる（甲申事変）。

彼は一転して「脱亜入欧」をとなえた。アジアの同胞を助ける余裕など日本にはない。彼らを同胞と考えるのではなく、西洋の列強と同じように処置するしかない。言いかえれば、わが国も帝国列強の植民地争いに加わらないかぎり、日本自身が植民地にされるであろう。

この考えは内外から現在も批判される。しかし、我が国をとりまく現実に対し、ヒューマニストの彼が、燃え上がるようなアイデアリストよりも冷え冷えとしたリアリストであることをえらんだ。

そのために、武装を支える物理学が必要であった。物理に注目したのは、諭吉にとってそんな已むに已まれぬ事情もあった。

漱石を訪ねてきた化学者

夏目漱石は中学時代、数学の成績が抜群だった。彼の答案が今も東北大の図書館に残っているが、現代の優等生でも一目置くほどの整った解答である。周囲は当然理工科に進むと考えていた。

第一高等学校（略称一高、現在の東京大学教養学部）では同級生の米山保三郎から進路希望を聞かれて、建築家を志望していると答えた。しかし、米山からは一言で退けられてしまう[4]。

「一朝一夕にセントポールの大伽藍を日本人が作れると思うかい？」

やっぱり文学者になろうと思い直した。

漱石は英文科を出て第一回文部省派遣英文学留学生になっている。ところが、ロンドンで彼の英語は通じないし聞いてもわからない。コクニーと称する訛りの強い方言であるから当然であったが、彼は悩む。この程度の英語力で文学をやって意味があるのだろうか。神経衰弱に陥り、ロンドンで一時行方不明になる。

明治三四年（一九〇一）五月、同期の留学生で池田菊苗という人物がロンドンの下宿を訪ねてきた。彼は欧米レベルから見ても化学者というにふさわしい日本人第一号になる人物である。ドイツから帰国の際、あのファラデーの王立研究所を視察しようと、宿の手配を漱石に頼んでいた。二人は気が合って、下宿を移るまでの二カ月ほど毎日話し込む。久しぶりに日本語を思う存分話して漱石の心は柔らかくふくらんだ。日記[5]には今の言葉に直せば次のように述べている。

「(私たちは) 始終話しばかりして勉強しないからいけない。近いうちに同氏は宿を替わる、僕も替わる」

「夜、池田氏と互いに理想の美人を説明した。二人ともえらく詳しく説明したあと、現在の妻と比較した。ほとんど比較不能なほど遠く離れていて、二人で大笑いした」

漱石は第五高等学校（現在の熊本大学）から教師の身分で洋行していた。熊本の彼の教え子に寺田寅彦がいた。寺田は後に日本を代表する物理学者になる。漱石は東大の彼の研究室を参考に、後に物理教師を描いている。『吾輩は猫である』の水島寒月や『三四郎』の野々宮宗八は寺田寅彦がモデルであると言われている。彼はロンドンから寺田に手紙をよこした。

「今日の新聞で原子理論に関する講演を読みました。私も科学がやりたくなりました」

漱石は昔憧れた理科系に羨望さえ感じる。英文学は幽霊みたいだ。初期の著作「文学論」の中で述べている。

「英文学も、しっかりした方法論の下に研究すべきだ」

そして、吐露する。

「とにかく、やめたきは教師、やりたきは創作」

漱石は帰国後英文学を捨て、自分の文章を発信し始めた。それは百年を超え永く海外でも生き続けている。ピアノの巨匠グレン・グールド（カナダ）は『草枕』の美しい文章に打たれた。その英訳を彼自身が朗読した録音が残っている。脳卒中により昭和五七年（一九八二）、五〇歳で急逝したが、死の枕元には漱石のその一冊が置かれてあった。

伊藤博文がケルヴィン卿に頼んだこと

国を開くにあたり、日本は西洋の技術や学問を学び、自前のインフラを整えようと精魂を傾けた。その態度は、他の東アジアの国と対照的だった。

中国の西太后はドイツの業者から賄賂を受け取り電力配線をまかせた。朝鮮でも、女君である貞純王后金氏が一族の利益を重視し、前帝の改革路線を潰して国を停滞させている。

日本はなけなしの外貨を注ぎ込み懸命に欧米から学ぼうとしたが、なぜ日本だけ技術や知識の吸収に集中することができたのか。

第一に、産業を興し国力をつける欲求が極めて大きかった。明治四年（一八七一）、岩倉具視の遣欧使節団が出発したが、目的は不平等条約の改定にあった。ところが、判で押したように欧米から相手にされない。彼らの圧倒的な国力を見せつけられ、我が国も一人前の国家体制そして国力を獲得しない限り対等には扱われないと痛感した。

第二に軍事的目的が切実だった。日本が開国した前後、西洋各国は競って清国、越南、印度、呂宋、ジャガタラ、バタビアなどを蹂躙していた。我が国だけはハリネズミのようになってでも独立を守らねばならぬ。

第三は、目的というよりも原因になる。それは日本の権力構造が中国や朝鮮の独裁者と異なり、明治天皇と藩閥というように制度的に有機構造を成していたことである。

第四は、権力の座にあった中国や朝鮮の王朝は儒教によってがんじがらめになっていたが、日本のサムライは戦を有利にする合理的科学的な判断力も身につけていた。彼らは漢学より洋学に一〇〇パーセント関心が向いていた。

遣欧使節団の一員であった伊藤博文（工部卿）は西洋の技術を入れるため出発前に手を打っている。知り合いのイギリス人に工学者の推薦を頼んでいた。その依頼はグラスゴー大学（スコットランド）のケルヴィン卿（ウイリアム・トムソン教授）という物理学のビッグネームに伝えられた[6]。

彼の名前を冠された熱力学の大原理は現代の学生も最初に習う。熱力学というのは蒸気機関の原理であり、スコットランドの物理学者たちは工学の基礎として物理の教育にも力を入れていた。さらに、ケルヴィン卿自身、ジャイロを開発したり多くの特許を持ち、技術者セレブでもあった。

ところで、イギリスは連合王国であって、北の異邦スコットランドは併合されるにあたって血塗られた歴史がある。しかし、幾多の新技術を生み出し、産業革命を先導した。蒸気エンジン、電話、舗装道路、自転車、タイヤ、石炭ガス、ライフル銃、さらに、後のペニシリンも麻酔薬もテレビも、すべてスコットランドで誕生している。[7]

そこから多くの科学者や技術者が極東の島国を訪れたのは奇跡的であった。しかも、ケルヴィン卿を含め欧米の教授たちは日本という辺境の国を見下すようなことはなかった。

グラスゴー大学が公表している現在の校史の中には日本への派遣が誇らかに説明され、技術者たちの功績をたたえている。さらに、彼らは後に東大からの留学生を受け入れ、肌の色のちがう若者を息子のようにかわいがった。

このようにして、明治新政府は法律、語学、鉱山学、建築、冶金学、化学、医学、軍事等々、あらゆる分野で猛スピードで新知識を移入したが、理工科の中では国威国力にてっとりばやく直結する技術が重視された。科学は技術を習得させるための手段であり基礎的な教養にすぎなかった。

肥後もっこす北里柴三郎

北里柴三郎は熊本弁でいう「肥後もっこす」だった。「強情」という意味に近い。士族の家出身の母によりサムライの教育を受けてはいたが、実は平民であることに満たされぬ思いがあった。そんなわけで、最初、軍人か政治家を目指している。

家族の強い勧めで熊本の医学校（現在の熊本大学医学部）に入ったが、医者になろうとしたわけではない。しかし、オランダ人医師のマンスフェルトから顕微鏡を覗かせてもらって生命の美しさに打たれ、医師の道もかなりのものと思った。

東京帝国大学医学部を出ても、町医者になる気などない。我こそは日本の医学を先導しようと内務省に勤め、緒方正規（第二期生）の紹介でドイツに留学する。ドイツの細菌学が世界を圧倒的にリードしていたからである。

緒方と北里は熊本で同級だったが、一途な北里（第五期生）は心酔したマンスフェルトの助手をやっていて三年も遅れる。[8] 緒方はそんな彼に細菌培養のやり方を教え、ドイツのレフレル教授への留学を斡旋した。ドイツに到着後、北里は世界のトップ、ロベルト・コッホの研究室（ベルリン大学）で研究するチャンスをつかむ。

初対面でコッホの感想は、

「東洋人にしてはドイツ語を上手に話すね」

だった。

マンスフェルトの通訳をしていたのが役に立った。オランダ語は、広義のドイツ語の一方言とされるほど近縁の言語である。ドイツ語の腕前は確かだった。

彼はコッホの下で破傷風菌を突き止めようとする。ヨーロッパの研究者はこの難題に皆失敗していた。普通、病原菌を見つけるには、コッホの定めた三つのステップを踏んでゆく。第一に、患者の身体からその病原菌の候補を見つけ出す。

破傷風菌の場合、このステップはすでにクリアされていた。第二に、その細菌の培養、すなわち、育てて増やす。北里はベルリンの陸軍病院から患者の膿をもらってきて菌を育てることから取りかかった。

シャーレの中に敷いたゼラチンの表面に問題の菌をぬりつけた。それを、体温程度に保った孵卵器（昔の氷を入れる木製冷蔵庫とそっくり）の中に置いておくと、普通は二、三日で表面に乳白色のポツポツが発生してくる。これは細菌が増えたもので、培養成功だ。

しかし、破傷風菌に限って、どうやってもポツポツができない。北里もヨーロッパの研究者と同じ第二のステップでつまずいた。同僚たちは、辺境からやってきた北里を冷ややかに見ている。コッホだけが彼を励ました。

ある日偶然、ゼラチンの中にかすかに点状のものが見えた。そこで、ゼラチンの下まで注射針を刺し膿を注射してみた。意外なことに、深く注射するほど点々が増えた。

破傷風菌は空気が嫌いなのではないか。

彼は試しにシャーレに水素を吹きかけ、空気をすべて押し出しながら育ててみた。何度か水素爆発事故を起こしたが、空気のない条件を作れば無数のポツポツが出現した。

このようにして第二のステップに成功し、第三の段階に進む。彼はポツポツを削り取ってウサギやネズミに植えた。動物はケイレンして死んだ。破傷風患者とそっくりだ。三つ目のステップにも成功したのである。

しかし、北里はそれにとどまらず、治療法にも挑戦する。その戦術は奇妙だった。麻薬には激しい作用があるが、微量なら作用が出ない。微量から少しずつ薬を増やしてゆけば、慣れてしまう。同じことが細菌の毒素でも起こるのではないか。

微量の破傷風毒素を動物に毎日打ったが、確かに症状は出ない。後で、その動物の血液から抗毒素血清を抽出した。破傷風にかかった別の動物にこの抗毒素血清を注射したら、その動物は死なずに済んだ。この手法は人間にも有効だ。現在の免疫療法を編み出したのである。

森鷗外の忠告

コッホは北里柴三郎を見直す。さっそく次の課題であるジフテリアに挑戦させた。同僚のベーリングが協力する。ジフテリア菌は嫌気性菌ではないから破傷風より簡単だった。抗毒素血清を作るのにも成功しジフテリアを征服した。しかし、論文で著者の先頭をベーリングに譲っている。

それにしても彼の働きぶりはすさまじかった。ベーリングもゲルマン魂でがんばる人だったが北里はその比ではなかった。訪問した日本人に、コッホが真面目な顔をして聞いた。

「日本人はいつ寝るんですか」

学生の時、北里は「ケンカ北里」と呼ばれ、仲間を率いて、範囲外の試験問題を出した外科のシュルツ教授を辞任の瀬戸際まで追い込んだ。ドイツ人たちもサムライの裂帛の気合に気圧される。

やがて、ヨーロッパ中でこのスーパー東洋人の名前が知られるようになった。コッホ研究室で最初の年の記念写真では、彼は一番後ろに写っている。大きなドイツ人の肩越しに背伸びして四角い顔だけ出している。しかし、この頃になるとどこでも最前列の中央に座るよう勧められた。

日本では、衛生学講座教授になっていた緒方が、患者の血液の中に脚気菌を発見したと主張していた。

北里は脚気菌など存在しない確証を得た。国際雑誌に発表したが、緒方が恩人であるだけに母国日本に伝えたものか悩む。レフレルが忠告する。

「科学者である以上、情によって学問的態度を変えてはいけない」

北里は『中外医事新報』に数編の論文を送る。緒方も反論する。先に帰国していた森鷗外は、緒方や帝大を刺激しないよう忠告の手紙を北里によこした。

留学期間が終わりに近づき、コッホは北里をもう少し置いてくれるよう、西園寺公望（駐独公使）に依頼する。明治天皇の耳に入り、結核対策のためもあって、新たな留学資金を下賜された。

コッホがツベルクリンを発表していたのが影響した。日本政府はこの新しい薬が我が国の結核を駆逐すると考えた。留学期間は延長され、北里は合わせて六年間ドイツで活躍することができた。

この時、北里は日本の細菌学を世界の最先端に引き上げていた。開国からたった二〇年である。我が国はこれ以後、物理、薬学、測地学、化学と、西洋に追いついていく。

北里は次々と未知の細菌を発見し、ノーベル賞の最有力候補になっていた。さらに、ケンブリッジ大学に新設された細菌学研究所の所長として誘われる。アメリカからも、中には一億を超える高給でロックフェラーやペンシルベニア大学など複数の施設から正教授にとの打診があった。[9]

北里は祖国を第一にして、欧米からの招きを丁重に断った。明治二五年（一八九二）、日本に戻ることにしたが、内務省に帰任できない。母校帝大（現在の東京大学）との関係が最悪の状態になっていたからである。

緒方との論争に関し、帝大の幹部は、師弟の道を解せざるものと北里を批判していた。北里は、学問と私情を取り違えてはいけないと反論している。

一方、研究拠点のない北里を心配する人が内務省にもいた。衛生局長の長与専斎である。民間なら北里を生かせるかもしれない。適塾で親しかった福沢諭吉に相談したところ、即答を得る。

「北里先生をこちらによこしてください。これほどの逸材を冷遇するのは日本の恥です」

諭吉は海外の新聞を読んでいて、北里の国際的な活躍をよく知っていた。私財を割いて、港区芝に伝染病研究所（略称「伝研」）と彼の住まいを用意する。

諭吉自身はいつもの通り、「学者を援助するのは俺の道楽だから」と言っていたが、それをはるかに超えていた。知り合いの森村市左衛門に頼み、財界からの多額の寄付で設備や実験器具を整えさせた上で、明治二五年（一八九二）末に伝研をオープンさせた。

この翌年、福沢諭吉は、長与専斎の企画に基づき、現在の港区白金の自分の土地に医療施設も作っている。土筆ヶ岡養生園といって結核の治療を目的にしていた。結核が脚気と並ぶ国民病であった。

この一〇年前、コッホが結核菌を発見した同じ年、諭吉には次のような文章が残っている。

「肺病（結核のこと）、らい病、梅毒、てんきょう（精神疾患のこと）等の諸病は、親子相伝え兄弟姉妹その質を共にしてこれを免かるること難し」

すなわち、結核を遺伝病と考えていたのである。しかし、結核は細菌病であって空気感染するものであるから、日本でも人口爆発および都市化も相まって猖獗を極める。

諭吉も結核の感染はコッホのツベルクリンで予防できると考えるようになっていた。プロデューサー諭吉、オペレーター北里柴三郎、プランナー長与専斎、サポーター森村市左衛門のチームが、結核に立ち向かった。北里の有名を頼って、海外からも患者が集まる。ここからペニシリン（抗生物質）が出現するまでの約半世紀、患者も医者も悲痛な戦いを続けることになる。

一方、この時、官学と政府は結核に対して冷淡であった。[10] 東大は肺病内科を設置したが、研究コースは存在せず、あたかも結核患者は北里に行けとの態度であった。お国はハンセン病と同じように、苦しむ患者を民間に投げ出した。

一九〇一年、第一回ノーベル賞がベーリングに決まる。受賞理由は「ジフテリアに対する血清療法の研究」となっていた。ジフテリアの仕事なら北里とベーリングは同格だった。それ以前の業績を考えれば、北里の方がずっと上だ。

しかし、ベーリングはヨーロッパで政治的に動いていた。彼はノーベル賞を手に入れてから、北里を誉めはじめた。

伝染病研究所には日本中から俊秀が集まった。所員の志賀潔が赤痢菌を発見する。その志賀に会うため、サイモン・フレクスナー（ペンシルベニア大学）が見学に訪れた。フレクスナーに、職員の野口英世が話しかけ、アメリカ留学のチャンスをつかむ。

伝染病研究所は世界第一級の研究成果を次々と発表し、国と帝大から目をつけられた。伝染病対策は国にとって焦眉の急だが、それが一民間研究所で行われているのは国の威信に関わる。北里のほうも、お国を大事に考えていたから伝研を内務省に移管するなら大賛成だった。

しかし、文部省は帝大への移管を考えていた。そうなったら研究はがんじがらめになる。北里は国会で移管反対の演説をした。さらに政友会に働きかけ、衆議院で「移管は不当」との決議を出させた。

大正三年（一九一四）国は抜き打ちで行政命令を出し伝研を文部省に編入した。研究員は即座に一人残らず辞職届を叩き付ける。[8]

北里と福沢諭吉はさっそく現在の港区白金に北里研究所を作り、彼らをそのまま受け入れた。さらに土筆ヶ岡養生園も合併させる。三田の慶應義塾の近くに、医学の一大研究施設が実現した。これらは後に北里大学に発展してゆく。

国民科学研究所を作ろう

大正二年（一九一三）六月二三日、当時は築地にあったレストラン・精養軒に一〇〇名を超える大物財界人が集まっていた。日本人離れした恰幅（かっぷく）の良い白髪の紳士が演壇に上がり話し始めた。この紳士は高峰譲吉（たかみねじょうきち）といい、アメリカから一時帰国していた。会場には農商務大臣を始め、三井など財界の主だったところも顔をそろえていた。この時の座長は実業家渋沢栄一。彼は、第一国立銀行、日本郵船、東京証券取引所、王子製紙、東京海上火災、秩父セメント、時事通信社と、お国の屋台骨（やたいぼね）を作っていた。

会合の趣旨は、高峰の提唱する日本初の民間研究所の創設である。[11] それまで、科学研究はすべて国立の施設で行われてきた。高峰の主張は、国家から独立した私立の研究所を作ろうという呼びかけであった。儲（もう）けることに直接結びつかない基礎研究を主眼とする。

実際、欧米では民間研究所が純粋科学の研究を力強く推し進めていた。高峰が紹介したカイザー・ウィルヘルム研究所（現在のマックス・プランク研究所、ドイツ）以外に、アメリカでもロックフェラー研究所（現在のロックフェラー大学、ニューヨーク）がスタートしていた。

高峰は二〇〇〇万円の基金を提案する。しかし、これは財界にとっても荷が重すぎた。政府に補助金を求めるしかない。渋沢栄一から宜しくと言われ、時の首相大隈重信がつぶやいた。

「困った人に頼まれたものだ」

大正四年（一九一五）、大隈は早稲田の私邸に関係者を集め具体策を練った。総予算を半分に切り詰め、その内五〇〇万円を政府、残りの五〇〇万円を民間が負担することに決める。翌年、三井と三菱がそれぞれ五〇万円の負担を申し出た。五〇万円というのは現在の価値にして、約一億円に相当する。民間からの寄金はすぐに二〇〇万円を超えた。

研究所の名前であるが、高峰が考えていた「国民科学研究所」から予算の関係で「国民化学研究所」と、一時縮小の方向にあった。産業に直結する分野に的を絞ろうとしていたのである。設立委員が、高峰も池田菊苗も鈴木梅太郎も長井長義もすべて化学者であったという理由もある。[12] 我が国では物理よりも化学（＝舎密）の方が開国前からよく発達していた。しかし、設立が間近になると、長岡半太郎（第3章）の協力を仰ぎ物理部門を加えて名称を「理化学研究所」（略称「理研」）とすることに決定した。

アメリカに渡った高峰譲吉

高峰譲吉は慶応元年（一八六五）、加賀（現在の石川県）で教育を受けた。彼は鹿鳴館（ろくめいかん）時代、英語教育の黄金期に英語を習得する。加えて、金沢でイギリス人オズボーンから英語と科学を習った。自由に彼と話し、教えられる。

「日本もイギリスも共に小さな島国だが、イギリスは蒸気機関を始めとする科学の実用化に成功しこれだけ大きく強くなった」

加賀藩は優秀な高峰を長崎に遊学させる。その後、現在の東大工学部の前身、工部大学校を卒業し、前述の工部グラスゴーに三年間留学している。帰国後は農商務省に就職した。そこで発酵について研究し日本の麹菌（こうじ）がきわめて優れていることに気づく。

明治一七年（一八八四）、アメリカのニューオルリーンズで万国博が開催された。高峰は日本館の職員として派遣されるが、その日本館に足繁く通って来る人が二人いた。一人はラフカディオ・ハーンといって、ニューヨークの新聞社から派遣された特派員で、市内バーボン・ストリートの五一六番地に住んでいた。彼はこの博覧会での縁で日本に招かれ、六年後松江中学（現在の島根県立松江北高校）の英語教師として赴任し、作家小泉八雲（やくも）に変身する。

もう一人はヒッチ夫人といった。彼女の夫はバーボン・ストリートに程近い繁華街フレンチクォーターの造幣局に勤めていた。彼女は茶の湯を甚く気に入った。高峰が案内しているうちに家に招待され、美しいその娘キャロラインと恋に落ちた。彼女は高峰より一二歳若く未だ一八だった。実をいうと、夫人が高峰を見込んで恋の筋立てを仕組んでいた。

万博の閉幕が近づき彼は再びヒッチ家を訪ねた。結婚を申し入れたが、ヒッチ大佐は父親らしく微妙な表情を作った。しかし、夫人が加勢してくれて結婚にこぎつける。日本最初の国際結婚だった。

高峰は万国博で他国の展示館も熱心に視察していた。特に燐鉱石に興味を引かれる。これで肥料が作れる。燐酸肥料を製造し日本の農業を発展させたい。帰国してすぐに渋沢栄一に働きかけた。

彼は渋沢と共に「東京人造肥料会社」を設立し、農商務省を辞めてその社長となった。[13]

高峰夫妻は深川に住んだ。現在の江東区大島一丁目である。[12] キャロラインはアメリカでは考えられないようなみすぼらしい住まいで家を守った。

昔から日本で肥料というと人糞を意味した。東京人造肥料会社は、日本初の配合肥料を売り出した。[12] しかも、燐酸、カリ、窒素すべてを含むものだったから、大当たりした。資本金は一〇〇倍に増え「大日本人造肥料株式会社」に成長する。日産化学工業の前身である。

間もなくヒッチ夫人から電報が届く。

「ウイスキー会社があなたの発酵法に興味を示しているから、至急アメリカに戻ってほしい」

彼女はずっとアメリカの会社に働きかけていた。渋沢が幾分不快を示したものの高峰は円満にアメリカに出発する。

彼はまずウイスキー作りに挑戦したが、アメリカでは大麦やトウモロコシからウイスキーを作るのでその収穫に半年をかける。発酵にも六日を要した。対して、高峰は材料として穀物の廃棄物を利用した上に、日本の麹による発酵でわずか二日でウイスキーができた。

日本は、味噌（みそ）、醤油（しょうゆ）、酒など発酵にかけては世界有数の伝統がある。高峰は母国のノウハウを利用したともいえる。アメリカで高峰の会社だけが一人勝ちした。

しかし、何者かが高峰の工場に放火し全焼する。彼は全財産を失った。地元の新聞は、犯人は敗れたモルト工場の経営者と伝えていた。だが、彼は追及しなかった。その国の人を不幸にしたり恨まれるような仕事はだめだ。皆が幸せになるようなことをしよう。

明治二七年（一八九四）、高峰はシカゴに引っ越し、新しいアイデアを求めて研究に集中する。豊かな家で育てられたキャロラインが陶器の下絵を描いて家計を支えた。

新三共胃腸薬

まもなく、麹カビの中から強力な消化酵素を見つける。彼は大根おろしと一緒に餅を食べると消化が良いことから気づいた。大根や私たちの消化液にも同類の消化酵素が含まれている。

彼の抽出したものは通常の五〇〇倍も強力で、ハーバード大学から激賞される。自分の名前を入れてタカジアスターゼと名づけた。「新三共胃腸薬」、現在は「第一三共胃腸薬」としてお世話になっている人は多い。

高峰は、「パーク・デービス」という製薬会社にその製造販売を任せた。しかし、日本における取り扱いだけは三共商店にやらせる。祖国に西洋式の製薬会社を育てようとしたのである。後に、北里柴三郎、鈴木梅太郎、池田菊苗、高木（たかぎ）兼寛（かねひろ）等斯界（しかい）のオールスターをそろえて現在の第一三共株式会社を整え、彼自身請われて社長を務めている。

彼の特許は一四に上った。高峰は住まいをニューヨークに移す。好敵手のエジソンもニューヨーク州に工場を構（かま）えていた。

　そんな時、日本とロシアが朝鮮半島で一触即発になり、金子堅太郎がアメリカを味方にすべくやってきた。高峰は金子を連れて説得に歩き、セオドア・ルーズベルト大統領にも会わせた。ある時はニューヨークの大新聞の一面全段抜きで日本の宣伝を打ったが、タイトルは「日本における諸科学の驚くべき発達」。アメリカが徐々にその顔を日本の方に向ける。

　一方、日銀副総裁の高橋是清（これきよ）は同盟国イギリスで戦費の調達に苦労していた。偶然パーティーで紹介されたユダヤ人金融家が国債を全部買ってくれるという。ロシアが国内のユダヤ人に対し待遇を一向に改善しようとしなかったので、彼らはロシア政府に対し反感を抱いていた。

　このことがきっかけになり、アメリカでもユダヤ系資本家が国債を買ってくれた。アメリカでは目標額五〇〇〇万ドルの五倍に達する戦費を得る。

　日本はロシアとの戦争に突入し、陸でも海でも大勝利を収める。その間も、日露はニューヨークで国債の販売競争を繰り広げたが、ロスチャイルドなどユダヤ系財閥がロシア国債を購入することはなかった。

　それまで欧米の人たちは日本を知らなかった。多分中国の属国であろう小さな島国が極東の奥に隠れていた。そんな幼子のような国が熊（ロシア）の息の根を止めたので、世界が大興奮する。

彼は世界的企業家に

テレビで、タレントがよく叫んでいる。

「アドレナリンが出まくった！」

ストレスや緊急非常の時は、頼りになる物質――アドレナリンが私たちの身体の中で分泌される。このホルモンを発見したのは日本人である。

高峰譲吉が世界ではじめて副腎からこの「アドレナリン」の抽出に成功した。名前の頭の「アドレナ」とは副腎という意味だ。副腎は親指ほどの大きさで、私たちの腎臓の上にチョコンと三角帽子のように載っている。労働や闘いといったストレスの時にこのホルモンを出し、心臓や血管の働きを促進増強する。

アドレナリンは同時に血管を縮ませ出血を止める。止まりかけている心臓も復活させる。当時は戦争の時代ゆえ世界中で注目を浴びた。高峰は今回もその販売権をパーク・デービス社に与える（現在でも、同社のホームページは高峰譲吉の貢献を讃えている）。ただし、日本だけは再び三共株式会社に扱わせている。

それ以前は世界中の研究室がアドレナリンを抽出できなかったし、まして化学構造となると諸説紛々だった。すごい作用があるのはわかっていたが、謎に包まれていた。

高峰譲吉はその化学構造も明らかにする。最初にアメリカ薬学会雑誌に発表し、次いでヨーロッパでも公表した。彼が発見者であることは明らかだった。

しかし、重要な薬だけに世界中が国際コンクールのように競争を演じていた。特に、ジョンズ・ホプキンス大学のジョン・エーベル教授は手ごわかった。自分が先にこの副腎物質を発見したのに高峰が質問に来て盗んだと主張する。[14] 名前も、高峰の「アドレナリン」を使わず、「エピネフリン」と名づけた。

発見したのはどちらか、裁判になった。まずアメリカ国内で「エピネフリン」が勝つ。エーベルがアメリカ薬理学会の大御所であったからだ。

結局、「エピネフリン」が一般名（国際的な正式名）となる。高峰の「アドレナリン」は、現在もファイザーと第一三共の商品名にしかすぎない。

ヨーロッパは明治三六年（一九〇三）、エーベルの提出したアドレナリンの化学式は間違いで高峰の方が正しいことを認め、アドレナリンという名前を今も使っている。

後世、アドレナリンに続き、副腎皮質のホルモンやインスリン、さらに、ホルモン療法、サザランドによるホルモンの作用メカニズム、脳のペプチドホルモンなどの大発見が報告され、その度にノーベル賞が与えられてきた。

しかし、ホルモンというものの最初の発見者は高峰譲吉だ。北里柴三郎に続き、彼もノーベル賞に十分過ぎるほどの業績をあげていた。

高峰は発酵や消化薬など技術分野だけでなく、科学上の大発見をしたということになる。彼は科学と技術の関係に関し、理研設立の集まりで次のように指摘している。「日本人の通弊として、ややもすれば成功を急ぎすぎ、ただちに応用の道を開き、結果を得ようとする。それでは理化学研究の目的を達成することはできない。どうしても純正理化学の研究という基礎を固めねばならない」[14]

高峰は醸造業、化学肥料、医薬品など、ことごとく成功をおさめた。一九世紀のアメリカで、電化のエジソン、自動車のフォード、フィルムのコダックと並ぶ大富豪になった。大正一一年（一九二二）心臓病で亡くなった時、ニューヨークタイムズは長文の追悼記事と社説で彼の死を悼んだ。

ニューヨーク市の地下鉄四番線は、ヤンキースタジアムを通って郊外の北ブロンクスに向かって走る。マンハッタンの中心から三十分ほどで終点のウッドローン駅だ。駅前から広がるウッドローンセメタリーは、小川、滝、芝生、石橋、銀杏や楓を配し、世界で最も美しい公園墓地といわれる。

野口英世やピューリツアー賞のピューリツアーなど多くの有名人が眠っているが、ジャズファンなら、マイルス・デービスやデューク・エリントンのお墓が必見だろう。そんな墓石だけの区画が並ぶ中で、一際立派な石造りの建屋がある。その中で高峰譲吉とキャロラインが眠っている。

第2章　医者でもなく科学者でもなく

病気を診ずして病人を診よ

日本人は昔から脚気に苦しんで来た。特に上流階級の人たちがこの病気で倒れている。後白河法皇、徳川家光、徳川家綱、徳川綱吉らはのきなみ脚気に苦しんだ。幕末、篤姫が嫁いだ将軍徳川家定も、その次の家茂とその正室である皇女和宮も脚気で亡くなっている。

地方の武士が参勤交代で江戸に出ると脚気になり、国許に戻るとすぐ治った。それゆえ「江戸わずらい」と呼ばれる。

脚気に罹ると足腰が立たなくなり歩けなくなる。さらに進むと、衝心といって心臓も動かなくなる、死病であった。

明治から大正にかけ、二万人以上の人が脚気で毎年亡くなっている。当時の人口は現在の半分しかなかったから、割合で言えば現代の自殺者より倍の人たちが毎年亡くなっていたことになる。断然トップの国民病であった。

この病気は中国やインドネシア、日本に特有だった。ところで、日本は開国後ドイツから西洋医学を学んだ。そのドイツの医学者たちは、不潔な東洋で何か特殊な細菌にでも感染したのだろうと言う。当時はペストやコレラといった細菌感染が人類を滅亡させそうな勢いだった。脚気もそんな疫病の一種と多くの医師は思った。

実際、インドネシアの宗主国オランダで、脚気菌を発見したとの報告が出る。北里柴三郎は留学先のドイツでその脚気菌なるものを培養してみた。

顕微鏡の中に見えたのはありふれたブドウ球菌であった。この細菌は不注意でよく紛れ込む細菌だ。北里は報告者であるペーケルハーリング博士を国際雑誌で批判する。しかし、それがきっかけで、二人は親友になった。

日本人同士となるとこうはいかない。自分の研究を批判されると、すぐに「面子(めんつ)をつぶされた」とか、「恥をかかされた」と感じる。日本人は冷静客観的に科学的議論ができず、死ぬまで闘う。

オランダからは、もう一つ全く違う主張があった。インドネシアに渡ったクリスチャン・エイクマンの論文だ。餌から玄米を抜くと、鶏がすぐ歩けなくなる。何か栄養が欠けたためと思われる。玄米の成分に脚気の予防物質があると彼は主張した。

そんなところに、日本からも海軍軍医の高木兼寛が大きな貢献をする。

高木は、イギリスに脚気などないことが気になる。航海中の食事をイギリス式のパン食に切り替えてみた。とたんに脚気がなくなる。しかし、日本の水兵さんはパンが嫌いだ。

明治一六年（一八八三）、軍艦龍驤（りゅうじょう）がニュージーランド遠征から帰ってきた時、三七八名の乗組員の内、一六九名が脚気になり二三名が亡くなっていた。高木は航海日誌を調べる。港に寄ると症状が治まっていた。港で食べる食事のせいではなかろうか。

翌年、彼は軍艦筑波を使って、食事の効果を調べる。[15] パン小麦ではないが、大麦すなわち麦飯を食べさせた。副食物もたっぷり摂（と）らせ、龍驤と同じ日程で太平洋を航海させる。世界初の疫学実験である。

春、そして夏が過ぎても報（しら）せは来ない。秋になってようやくハワイから至急報が届く。

「ビャウシャ、イチニンモナシ、アンシンアレ」

三三三名乗り込んで、脚気になった者はゼロであった。

かくして、海軍は麦飯、陸軍は米飯となった。海軍は陸軍より二〇年早く恐怖の国民病から脱出し、以後、脚気で一人の犠牲者も出していない。高木のこの鮮やかな業績は現在も世界的に有名だ。

高木は日本初の私立医科大学である慈恵会医科大学を創設するが、現在、新橋にある大学病院の玄関には彼の筆になる戒めが、大きなベージュ色の石灰岩に彫ってある。

「病気を診ずして、病人を診よ」

イギリス医学は研究よりも治療中心だった。高木にとっても患者を救うことが第一で、真理の追究など二の次だった。

よろめく兵隊

二〇世紀に入り、ロシアは中国の遼東半島までシベリア鉄道を南下させる。福沢諭吉が恐れたように、小国日本は自らの独立も危ないと感じた。政府は、諭吉も主張していた日英同盟をまず結んだ後、明治三七年（一九〇四）、日露戦争に突入する。

日露とはいうが、ロシア側にはドイツとフランスが同盟し、日本にはアメリカとイギリスがついた。人類初の世界戦争であり、第零次世界大戦とも呼ばれている。

戦争が始まるとたった一回の戦いで三〇〇〇とか四〇〇〇の犠牲者数を報告され、日本の大本営は一桁(けた)違うのではないかと思った。

前線に機関銃や巨大な大砲が出現し、兵士たちが一瞬で大量の肉塊になっていた。一〇年後の第一次世界大戦では、飛行機や毒ガスも加わり、人間の大量消費が進む。それが新しい時代の戦争だった。

ところで、旅順戦での戦死者が一万五四〇〇名なのに対し、日露戦争の間、二万七八〇〇名が脚気によって病死している。戦死にも比肩(ひけん)できる数の病死者を出したのは、陸軍軍医のトップ森鷗外が高木からの忠告をはねつけていたからである。

陸軍も平時の食事は各部隊に任せていたので脚気は出なかった。一方、兵たちは刑務所のような臭い麦飯を嫌がった。命をささげるんだから「銀シャリ」ぐらい食わせろ。なにしろホカホカの白飯（しろめし）なら甘くて美味（うま）くて、おかずなしで何杯でも食べられる。日露戦争で陸軍医務局は前戦に兵隊憧れの白米を送った。ところが、日本を発（た）つ時は元気だったのに、兵隊たちは戦地に入ったとたん脚気にかかる。

ロシア兵も目撃した。突撃してくる日本兵がまるで酔っているように脚がふらついていた。後に、日露戦争で日本将兵を最も多く殺したのは、ロシアの将軍ではなく鷗外だといわれた。

森鷗外

日清戦争の時、寺内正毅（てらうちまさたけ）は、運輸通信長官として兵站（へいたん）の最高責任者であった。彼は脚気対策として麦を送れと提案したが、森鷗外に握り潰されていた。寺内自身がその後脚気にかかる。それが、麦飯を食べたら治ってしまった。日露戦争も終盤になり、寺内が陸軍大臣として鷗外の頭越しに麦飯を導入した。

日露戦争は技術の戦いだった

サムライたちは、情報戦、造兵学、外交戦、戦費調達、軍陣医学など、考えられるあらゆる局面で戦争の準備を注意深く進めていた。

爆薬については、下瀬雅允（しもせまさちか）が下瀬火薬を発明した。ロシア側の使う黒色火薬というのは、木炭も含む旧式のもので、製造中の爆発を防ぐため水分を二割も含ませていた。そのために爆発力が弱く、しかも名前通り黒煙が上がるので、視界が遮られて速射が効かない。

当時ピクリン酸のほうが強力とわかってはいたが、変性しやすかった。下瀬はワックスを混ぜて変性を抑え、装填量を増やしたので、爆発力がケタ違いに大きくなった。対馬海戦直後のロシア艦の姿に世界は驚愕（きょうがく）する。甲板が崩れ焼き尽くされていた。下瀬火薬が当たると四方に広く飛散し高熱の気化ガスによって猛烈な火災を起こして手がつけられない。世界中の海軍が探ってきたが、帝国海軍は下瀬火薬の作り方を極秘とした。

伊集院（いじゅういん）五郎海軍大将は高性能の信管を発明している。ロシア海軍は古い信管を使っていたので、多くは不発弾であった。

さらに、有坂成章（ありさかなりあきら）海軍中将の速射砲・有坂砲が破壊力、速射性ともにロシアを凌駕（りょうが）した。

軍艦のエンジンも宮原二郎が小型安価で強力な新型を発明し、日本側は高速艦隊になっている。

無線通信では従来の三六式無線機が大幅に改良された。マルコーニの発明から三年、海軍は第二高等学校（現在の東北大学）から木村駿吉教授を迎え、無線到達距離三七〇キロという世界記録を達成した。その電源としても、島津源蔵（島津製作所）が最高性能の蓄電池を発明している。

日本に向かったバルチック艦隊はアフリカの喜望峰を回る大遠征である上に、日本の同盟国のイギリスから港々でボイコットされ、味方のフランスからも助けてもらえず、士気が著しく落ちていた。指揮官のロジェストヴェンスキーは敗れる予感がした。一度日本を通り越してウラジオストクまで航海し、態勢を立て直して戦いを挑むしかない。

日本としてはその前に叩くのが断然有利だ。しかし、東郷平八郎は彼らが北の津軽海峡あるいは宗谷海峡あるいは対馬沖を通るか、鎮海湾（韓国）で判断に迷っていた。その石炭輸送船六隻が艦隊からわかれ上海に突然現れた。石炭の供給が必要ないということは、敵は最短経路を取るのだ。東郷側は出発直前に進路を北から対馬沖に変更する。相手を待ち伏せし一昼夜で壊滅させた[16]。

バルチック艦隊は総トン数にして日本の倍を超える大艦隊だった。それにもかかわらず、実力は完全に逆転しており、戦う前から勝敗は決していた。

宮沢賢治と盛岡の百姓学者

日露戦争の後になるが、高木に続くもう一人の英雄が日本に出現する。農学者の鈴木梅太郎である。彼は若い時、一人一人を治す医者ではなく、化学者になって薬を発明し人類全体を救おうと考えた。東大農学部を主席で卒業し、全学を代表して答辞を読んだ。

ドイツに留学中、彼は知り合いの日本人から言われる。

「どうも、君を見ながら食事をすると食欲が減退する」

鈴木も言い返した[17]。

「こちらもご同様だ。君と一緒だと食事がまずい」

日本人はドイツ人に比べ、同じ人類と思えないほど貧相に見えたのだ。

鈴木は当時最新のトピックスであるたんぱく質およびそれを構成するアミノ酸の化学を身に付けた。一方、鈴木の先輩である池田菊苗（第1章）も物理化学の最新理論をドイツで学んだ。

しかし、二人共これら最先端の化学を捨てる。象牙の塔の最新理論よりも日本人として大事な仕事があった。食事を改善し同胞の貧弱な外見や体位を向上させよう。櫻井錠二などを除き、草創期の日本の化学者のうち意外と多くが、泥臭いけれどお国のためになる化学、すなわち食品化学や工業化学や薬品化学の方向に歩み始める。

鈴木は講演会で麦飯が白米とは異なったたんぱく質を含んでいると報告した。その会に高木も参加していて、その新しいたんぱく質を追求してほしいと発言している。

日本の科学者はたんぱく質というものを初めて知った。西洋人は毎日のように肉すなわちたんぱく質を食べるから筋肉もたくましい。貧弱な日本人ではこれから戦争をやるのも難しい。政府は次々と手を打った。最初に牛乳を奨励し、都内に千ヵ所以上の牧場ができた。岩手にも民営の小岩井農場が開かれた。しかし、日本人は牛乳を好きになれず、未だに消費量が伸びない。

政府は次に魚を食べさせようとする。新たに漁港を造り魚を運ぶために鉄道を引いた。しかし、多くの国民は海から離れて住んでおり新鮮な魚を口にするなど有り得ないことだった。卵も、よほどの重病人でもなければ口に入らない時代である。

たんぱく質は日本人の急所だった。高木と鈴木が、脚気を「たんぱく質の問題だ」と考えたのも当然だった。

明治三五年（一九〇二）、初の高等農林学校が設置される。その地は、北海道でも九州でもなく東北地方だった。東北地方となれば、現在も国立施設はすべて盟主仙台に置く。しかし、高等農林学校は盛岡に誕生した。現在の岩手大学農学部である。なお、政府は東北農業試験場も盛岡に設置している。

多くの日本人にとって仙台と盛岡は同じようなものと感じる。しかし、盛岡から大都会仙台に出るのは当時一日仕事だった。仙台に比べたら、盛岡は比較にならぬほど寒い。岩手はひっきりなしに冷害に見舞われ、農民は娘を東京に身売りしていた。

政府は盛岡に日本最高、否、世界最高レベルの科学者である鈴木を送り込んだ。鈴木はまずエイクマンの報告を確かめてみた。鶏に白米の餌を与えると確かに歩けなくなった。その鶏に米ぬかを与えると回復する。明治四三年(一九一〇)、ついに彼は米ぬかから脚気に効く成分を抽出する。

名前はオリザニン。これは稲の学名に由来する。しかし、海外向けのドイツ語に訳した要約には、抗脚気因子の栄養という大事な記述がどうしたわけか抜けている。欧米は特殊な性質の化学物質と受けとり、注意を払わなかった。

それにしても、岩手の若者にとって日本随一の高等農林に入ることは誇らしいことだった。今でもその歴史に憧れて岩手大学農学部には全国から受験生が集まる。大正四年(一九一五)、花巻から宮沢賢治が後の農芸化学科にトップの成績で入学してきた。宮沢は級長そして特待生を続け、東大農学部兼任になった鈴木の講話を熱心に聴講している。

その後、鈴木はオリザニンで特許を取り三共から売り出した。しかし、栄養食品では世間は見向きもしない。医薬として認めてもらうには臨床試験が必要だ。鈴木は、脚気の患者に投与するよう医師に頼んだ。

ある医師は二人の患者に投与してみた。一人は三日で治った。もう一人はずっと重い状態だったが、数日で快方に向かい完治する前に退院してしまった。しかし、院長はその主治医に厳命する。以後、得体の知れぬオリザニンなど使わぬように。

ある日、一人の学生が友達の肩を借りて鈴木の授業に現れた。自分一人では歩けないようだった。早速オリザニンを与える。数日後、その学生は鈴木の自宅にお礼にきた。四キロを歩いてきて、元気にまた帰っていった。

ある青年は、汽車で静岡に向かっている時心臓の発作に見舞われた。小田原で下車し入院する。同郷の鈴木（静岡出身）は電報をもらい、オリザニンを持たせた。やはり数日で治ったが、そこの院長もオリザニンが効いたとは認めなかった。

また、鈴木の研究生が散髪中、店主が心臓発作で苦しみだす。偶然持っていたオリザニンを飲ませたところ三〇分で楽になった。

オリザニンが効くとの証拠は集まったが、東大医学部の反応は冷ややかだった。医学部長の青山胤通（たねみち）は記者から感想を聞かれ、答えている。

「鈴木の薬など馬鹿げた話だ。いわしの頭も信心からだ。そんなもので治るなら、小便を飲んでも治る」

医者でもない鈴木らが治せるなど、医者のプライドが許さなかった。
青山はある時鈴木に面と向かって言う。
「君が脚気の原因を見つけたと言ってる人がいたが、そんなのはうそだろうと言ってやったよ」[17]
鈴木の味方といったら、高木兼寛と北里柴三郎と池田菊苗くらいだった。[18]

奇病人智を超える

同じ頃、アメリカのフンクも脚気に効くと称する物質を報告している。彼は、この物質を「ビタミン」と呼んだ。「ビタ」は「生命に必須」という意味である。この後、ビタミンの仲間が次々と発見され、ビタミンA、C、D、E、K、Uなどが登場する。脚気に効く物質は現在ビタミンB_1とされている。

しかし、フンクの物質は本当のビタミンB_1ではなかった。オリザニンの方がビタミンB_1だったが、鈴木も高木もオリザニンは身体の材料になるたんぱく質のようなものと考えていた。

現在では、ビタミンとは酵素を助ける機能物質であることが明らかになっている。ここで酵素とは身体の中の化学反応を進めるものだが、ビタミンB_1はその酵素を助けてエネルギーを生み出す。

したがって、神経もビタミンB_1がないと働けなくなる。医者は患者の膝小僧(ひざこぞう)の下を叩いて膝蓋腱(しつがいけん)反射を調べるが、脚気だと神経が働かず脚が跳ね上がらない。

フレデリック・ホプキンズ教授（ケンブリッジ大学）は、旧来の三大栄養以外に、特殊な微量物質が生命に必須であると主張し、ビタミンと呼んだ。一九二九年、エイクマンとホプキンズにノーベル賞が与えられる。

鈴木は研究成果をほとんど日本語で発表していたから、海外では全く知られていなかった。それにしても、なぜ鈴木はノーベル賞候補者にさえ挙げられなかったのか。今では、その原因も明らかになっている。実は、日本からの援護射撃がなかった。

東大からは医学部長が慣例に従い推薦されていた。それでなくても、東大医学部にとって農学部にノーベル賞を取られるのは許せなかった。昭和二年（一九二七）、農学部は鈴木を推(お)したが、医学部は鈴木のライバルであるホプキンズの方を推薦している。

ところで、森鷗外は、ドイツの権威による、「脚気は感染病である」という考えを信じていた。鷗外を含む多くの秀才はしばしば権威や教科書を絶対視する。患者の訴えが権威や教科書のいうことに反していれば何かの間違いとして否定拒絶する。

しかし、真の科学者や医者であれば、自然現象や患者の言い分の方に注意を払う。自分で実験観察したり、患者との会話に時間をとる。

鷗外は机にかじりついて勉強するのが好きだ。他の誰よりも知識が豊富で最新の海外情報にも通じているが、実験など好きになれず、身体が動かない研究者だった。

こういったタイプは日本でも欧米でも今も昔もよく見かける。頭が良いから頭だけで解決しようとするし、小さな事なら解決する時もある。

鷗外も北里柴三郎もドイツに留学し、同じコッホ研究室に滞在していたことがある。北里は幾多の大発見をしたが、鷗外は、留学中唯一「ビイルの利尿作用について」という論文程度しかない。

彼は小説家としての方が有名だ。しかし、「事実は小説より奇なり」。自然は秀才の考えやあらゆる人智をはるかに超えている。

横車を押す鷗外

鷗外は、「百姓学者が何を言うか」と、鈴木梅太郎を激しくやっつけた。[19] これは単に農学部を馬鹿にしただけではない。鈴木は静岡の農家出身で、百姓出身の百姓の学部の教授だった。

明治二一年（一八八八）、高木は政府から日本初の博士号を与えられ、明治三八年（一九〇五）には男爵に叙される。

これに対しても、鷗外は「麦飯博士」、「麦飯男爵」と揶揄（やゆ）した。しかし彼自身は医学の博士号をもらうのが大変遅れた。

生来、鷗外には他人を攻撃せずにいられない癖がある。留学中は、ドイツのナウマン博士とやりあった。ナウマンは東京大学の地質学教室初代教授で、日本に地質学を導入した。ナウマン象の化石発見でも有名だ。

明治一九年（一八八六）、ドレスデンにおけるナウマンの帰国講演の会場に鷗外の姿があった。ナウマンは受け狙いで口をすべらせる。

「外国から蒸気船を購入したが、日本人船員はその止め方を知らなかった」

短気な鷗外はカチンと来て、すぐに喧嘩口調で反駁する。

祖国をバカにされたからというならある程度理解もできる。しかし、その後も誌上で国際的に執拗な論争を仕かけたのは、いささか常軌を逸していた。

彼は帰国後、和漢方医を攻撃した。さらに、理想主義を掲げる坪内逍遥等との文学論争は広く知られている。ついには、明治、大正という命名が気に入らない。鷗外は来るべき新しい時代の元号を考え始める。

麦飯が見直され脚気は急速に日本から姿を消した。緒方正規も自分の間違いを認める。しかし、鷗外だけは脚気菌の流行が去ったからだとうそぶく。しかし、次のようにこぼしてもいる。

「陸軍の中で余は孤立した」

彼は最後まで自分の非を認めようとしなかったが、遺言の中で自分に対する叙勲を拒否している。あるいは、取り返しのつかない自分の誤ちが頭をよぎったのかも知れない。

乃木夫婦の最期(さいご)

森鷗外と乃木希典(まれすけ)は、どちらも数万の将兵を殺した、日露戦争の二大責任者である。しかし、乃木の態度は鷗外とはまったく違っていた。彼はよく講演を頼まれた。話を始める前に、「私が乃木希典であります。皆さんのお父さんお兄さんを殺した乃木であります」と言って、深く頭(こうべ)を垂れる。彼は泣いていた。

一方、明治天皇は脚気に苦しんでいた。海軍の治療法を希望するが、侍医団が拒絶し病状が悪化した。天皇は彼らを遠ざけるが、明治四五年（一九一二）に亡くなった。西南戦争で軍旗を奪われ乃木は心に深い傷を負っている。自決の機会を待ちながら憂き世をすごしてきた。彼は大葬の日に追腹を切り、夫人の静子もそれに従った。若い人は、極端に時代遅れと感じた。芥川龍之介や志賀直哉や武者小路(むしゃのこうじ)実篤(さねあつ)のように野蛮として軽蔑した人も多い。

乃木殉死の号外に接し、鷗外の脳裏には彼とすごした日々が走馬灯のように走る。陸軍の留学生として若き日を共にドイツで過ごした。善通寺（香川）の第十一師団附属の病院を視察した時も、師団長だった乃木と久しぶりにゆっくり話した。

日清戦争の時は余裕があり、戦地で一緒に連歌を詠(よ)んだこともある。しかし、日露戦争で乃木は満州軍総司令部の天才児玉源太郎総参謀長に指揮権を一時奪われた。[20] 児玉は同じ長州の出身で乃木にとって後輩だった。

児玉は旅順要塞正面から二〇三高地を主攻点に変え、日本から運んだ海岸砲の巨大な二八サンチ砲を味方撃(う)ちも恐れず撃ち続けさせた。[21] 結局五日で落とし、指揮権は乃木に戻された。

明治維新の激しい奔流がサムライの気風など流し去ったと、鷗外は思っていた。確かに、軍を退いて後、乃木は学習院の院長として一見優しい教育者になっていた。しかし、その乃木が妻を従え猛々(たけだけ)しく腹を切った。サムライはすぐ傍で生きていた。

鷗外はあくる日、乃木の自決が事実であることを確認してから、彼をモデルに三日で「興津弥五右衛門(おきつやごえもん)の遺書」を書き上げ中央公論社に送った。そこでは、古い封建時代の道徳観と近代合理主義とを対照して描いている。この作品を手始めに、鷗外は歴史小説の世界を開く。

鷗外自身は軍人でもなければ、医師でも科学者でもなかった。乃木や高木や鈴木のような、何かを具体的に生み出すというよりも、彼はそんな実業の人たちから遠く離れ、独り安全な高みから頭の中で考えた虚構の世界を綴(つづ)った。

乃木のほうは、武人として益々崇められ、トルコでは自分の息子にNogiと命名する人さえ出現する。彼の葬儀には多数の外国人が参列し「世界葬」と表現された。

ハナミズキが咲いて

旅順戦後、乃木はロシア側のステッセル将軍の希望により水師営で会見した。各国から多くの将校が集まり、ビッグニュースとして全世界に報道される。そこには場違いなほど若いアメリカ人が観戦武官の父親に随行していた。陸軍士官学校を卒業したばかりのダグラス・マッカーサーである。彼も固唾を飲んで乃木を見詰めていた。一切の虚飾を去った乃木の面魂は東洋の哲人を想わせた。

　マッカーサーは東京を空襲する際、乃木邸を避けさせている。連合国軍総司令官として厚木に降り立つと、すぐにその保護を指示した。日本を離任する時は、都の公園(現在は港区営)になっていた旧乃木邸を訪ねる。アメリカハナミズキの苗木を植えて深々と頭を垂れた。水師営の会見からもう四〇年経過していた。

　乃木はドイツから帰ってすぐにこの屋敷を建てた。そのデザインは、彼が出入りしていたドイツ連隊本部そっくりの半地下式の真四角で、墨色に塗ってある。

　彼は留学中、造兵学すなわち最新の軍事工学の習得などいっこうに関心を示さず、もっぱらゲルマン魂にほれ込んだ。戦の勝敗を決するのは精神である。そんな主張が、彼の屋敷には十分に表現されている。

突撃一本槍の精神は留学によって強まった。しかし、旅順要塞の攻防で倒れても倒れても兵を進めたのは彼の限界ゆえだったとの指摘もある。

乃木公園では、黒々とした大木の間であのハナミズキが背高く育ち、鮮やかな緑を広げている。乃木夫妻の亡くなった九月が近づくと、自決現場になった上の部屋の窓に白い清楚(せいそ)な花を届ける。

脚気の話に戻ると、その原因はビタミンB不足だった。このビタミンは豚肉に豊富に含まれているが、日本人は仏教の教えで肉を食べなかった。ニンニクも良いのだが臭い。マナーとして、武士や神職がニンニクを食べることはなかった。

鈴木梅太郎は日露戦争を振り返って次のように述べている。[17]

「日露戦争はビタミン戦争だった。ロシア軍は壊血病で次々と兵士が死んでいた。我が陸軍は戦死者に比肩できるほど脚気(かっけ)による病死者が出た。ロシア側には大豆があった。それでモヤシでも作っていれば、ロシア側はビタミンCを摂(と)れて日本は負けたかも知れない」

日本もロシアも、人類がいまだ知り得なかった栄養の欠乏により、共に押しつぶされそうになっていたのである。

第3章　白虎隊を生き延び物理学者に

維新最後の決戦

明治元年（一八六八）旧暦八月二二日昼過ぎ、官軍の先鋒が猪苗代湖畔に姿を現した。秋霖がつかの間途切れて越後街道は蒸し暑く、陽炎が立っていた。街道の北側には孤峰磐梯山がそびえ、中腹からゆるやかなスロープを描いて猪苗代湖に滑り落ちる。湖面にはキラキラとさざ波が広がり、対岸は靄で少しかすんでいた。

先鋒の後には兵三〇〇〇と無数の馬や大砲が従い、西の会津を目指していた。会津藩主松平容保は京都守護職として多くの尊皇攘夷派を取り締まったが、鳥羽伏見の戦いに敗れて朝敵となり、会津に戻った。奥羽越列藩同盟を束ねて最後の決戦に備えていたのである。

湖畔から五キロほど進んだ戸ノ口原には八〇〇の会津軍が雑木と灌木の間に隠れていた。その中に白虎隊の少年たちもいた。ここで、会津藩の本隊と初めての戦闘が起こるが、旧装備の会津軍は敗れる。

白虎隊の二〇名が、鶴ヶ城への退却を始める。彼らは六キロほど進み飯盛山の南面に出たが、そこからはお城が望めた。しかし、隊長が行方不明で、食事もできず休みもなくがんばり続けてきた一五歳前後の少年らに判断力は残っていない。城下に上がる煙を見て落城と思った。

彼らは藩士の子弟に伝わる「什の掟」を叩き込まれていたが、その最後は「ならぬものはならぬ」である。お城が落ちた以上、自分たちも最後だ。互いに向き合い刺し違えた。

官軍は遂に滝沢峠（鶴ヶ城まで三キロ）に達する。それを見届けて一人の少年が走り出した。斥候の山川健次郎で、お城に知らせるためだった。城内では彼の二人の姉と八歳になる妹の咲子（後の捨松）が山本八重（後の新島八重）らと共に籠城戦に備えていた。

砲撃を受けて半壊した鶴ヶ城天守閣（東面）

しかし、鶴ヶ城は落ち、健次郎は猪苗代の収容所に囚われる。

一方、薩長と会津若松藩には、江戸の学問所で一緒に学んだ知り合いが多数いた。彼らは相談し、将来を担う人材として会津藩から山川健次郎と小川亮を選ぶ。

二人は新潟に逃がされた。山川は後に、前原一誠（長州藩）の尽力により、妹の山川捨松と共にアメリカに留学するチャンスを与えられる。

彼は、物理を学ぼうと決めた。なぜなら、会津藩の鉄砲や姉たちの薙刀では、近代装備の薩長にまったく歯が立たなかった。心の拠り所だった鶴ヶ城にも大砲で多数の大きな穴が空き、勇壮にそり返っていた天守閣の軒はボロ屑のように垂れ下がった。

福沢諭吉のいうとおり、国の命運は物理的な武器で決まる。それなのに、藩校の日新館（福島県立会津高校の前身）では舎密（化学）のみで、新しい科学に触れることはなかった。

山川は諭吉の本、殊に『西洋旅案内』を熱心に読んで洋行に備えた。

明治四年（一八七一）正月、山川の乗った船は横浜を出てサンフランシスコを目指した。出航以来一週間たち二週間たち、どちらを向いても陸が見えない。

会津の盆地で育った少年が、地球はほとんど海で出来ていることを実感した。人間は大海に浮かぶ小さな木っ端の上でひしめきあっている。

単調な風景にさすがにウンザリした頃、船長が船客に告げた。

「明日早朝、僚船と行き交う。日本に手紙を出したい人は渡すように」

広漠たる太平洋上で二つの船が一定の時間に出会うなど、彼はとても信じられなかった。

しかし、その夜突然の汽笛に飛び起きる。暗い中を船員たちが小舟を降ろしていた。海上で郵便袋を交換しているのを見て、科学の力を再び思い知らされる。

逆賊の兄妹

サンフランシスコに着き、彼は大陸横断鉄道で東海岸のコネチカット州に向かう。そこはニューヨーク州とマサチューセッツ州に挟まれた、小さいけれどアメリカ独立に関わった誇り高い州だった。

留学生の中に勝ち組である薩長の留学生も含まれていたが、彼らは自分たちだけで集まり、せっかくのアメリカから学ぼうともしない。結果、彼らの多くが進級できず途中帰国していた。

山川は付き添って来た黒田清隆（薩摩藩）から、「お前は会津藩のために死ぬ気でガンバレ」と、活を入れられる。

彼は英語を身に付けるために、わざわざはるか北の高校に入った。日本人のいない所で英語だけで生活しようとしたのである。

しかし、数学に問題があった。藩校に数学の科目はなく、彼は大学入試でサイン、コサインができなかった。夏休みにマスターするのを条件に、エール大学への入学を許可される。

十カ月遅れで妹の捨松も到着した。[22] 顔を合わせたとたん、泣きついてきた。

「兄さま、兄さま」

しかし、ホームステイした家に同じ一二歳の娘がいた。すぐに元気が出て、町一番のお転婆になる。数カ月後には、兄に対する呼び方が変わっていた。

「ケンジロウ、ケンジロウ」

東洋から来た少女が、クラスの優等生そして級長になる。一月に一度、健次郎がやって来て日本語を教えた。

しかし、妹のほうが、兄の三倍、一二年間の留学になり、日本語をきれいに忘れる。帰国した時、彼女はまるきりネイティブスピーカーだった。その上、派手な美人に成長していて、「鹿鳴館の華」と謳われる。

ある男性が彼女を見初めた。しかし、それは最も不適当な人物だった。大山巌といい、会津戦争のとき薩摩の砲兵大将として鶴ヶ城を砲撃している。城の中には前述の通り捨松らが籠城していた。

その上、彼は男やもめで子供を三人連れていた。当時のジャーナリストの好餌となり、大スキャンダルとして報道される。日本中が反対した。

しかし、彼女は、日本の女性は有力者と結婚しなければ何もできないと感じていた。

結局、大山と結婚したので、当時日本の全女性が彼女を嫌悪した。

時計の針を戻すと、山川は三年間物理学を学び、理学士になって帰国した。東大に勤め、情熱ほとばしる授業で学生を魅了し、物理学で初の日本人教授になった。外見も子供の時の青瓢箪が信じられぬほど、偉丈夫になっていた。さらに人柄が彼を東大のトップに押し上げる。

その後、何度も総長職に推され、在任期間は一二年弱に及んだが、これは東大の歴代総長でも最長である。

山川健次郎

足尾鉱毒事件・日本最初で最大の公害

山川の物理学者としての業績は、日本で初めて放電ランプやレントゲン線を実験したことである。しかし、社会に発言し行動したほうがむしろ目立つ。たとえば、足尾鉱山（栃木）で鉱毒事件が起こった時、彼は自分たちこそこれを解明する責務があると判断した。東大の専門家を動員して原因究明に奔走する。

栃木県の足尾地区では渡良瀬川のアユの大量死や禿山が目立つようになり、稲の立

ち枯れによって廃村になったところもでてきた。

ついに被害は下流の江戸川（千葉県）にまで拡大し、推計だが鉱毒による死者は一〇〇〇名にのぼる。明治時代に日本は最初にして最大の公害問題に直面した。

明治二四年（一八九一）、農学部の古在由直は農芸化学の専門家として汚水の中に銅など各種金属がふくまれていることを証明したが、見張りの目をぬすんでサンプルを集めるのは命懸けであった。専門家として対策もアドバイスしたが、銅は日本の主要輸出品であり、国力増強の大方針から大きな巻き返しも起こっている。古河鉱業や警察が強烈な妨害をした。

栃木選出の田中正造議員は天皇直訴を謀り、農民は蜂起し、学生たちはデモで街に出た。困難な中で山川と古在も御用学者らに対抗し、科学者の立場をつらぬく。

山川は三帝大以外にも、現在の九州工業大学、武蔵大学、東北大学、東京理科大学の開設を指導した。

九州工大を創設の時は自ら北九州の戸畑に赴任し、直接教授陣にくわわった。その第一回の入学試験では、まだ日本では誰も見たことも聞いたこともない aeroplane（飛行機）を英語の問題に出している。彼自身が朗々と英文を読みあげたが、受験生には皆目見当もつかず、全員首をかしげながら yellow plane（黄色い平面）と答案につづった。

明治四四年（一九一一）には門司駅の構内主任清水正次郎が自殺した。担当区内で脱線事故を起こし、明治天皇を三時間足止めした責任をとったのだった。清水を顕彰しようとする動きが起こる。言い出したのは、玄洋社なる、後に日本右翼の源流になる団体だった。山川は九州帝大総長として福岡日日新聞紙上で堂々と反論した。[23]

「一命を捨てるほどの重大事であるか」

勇気の要る意見表明だったが、彼は自分の命を少しも惜しまなかった。

また、当時御真影すなわち明治天皇の写真を火事の中から救い出そうとして学校関係者が焼け死ぬといった事件があった。山川は、不合理な精神主義には百害あって一利も無しと、そんな風潮を批判した。

さらに、千里眼事件では大学の専門家を集めて公開実験を行い、超能力者三船千鶴子らのインチキを見破った。千鶴子は自殺したが、近年日米で流行ったホラー映画「貞子」のモデルである。

永遠の会津

彼は小石川のあばら家に住み、質素倹約は徹底していた。周りの者は地位相応の家を勧めたが、頑として受け入れない。白虎隊のことが頭を離れなかったのである。

会津戦争の時、健次郎の従兄弟の飯沼貞吉は数え年一五を一六と偽って白虎隊に入っていた[23]。飯盛山で刺し違えた時、貞吉の相方が頸動脈を外した。貞吉は通りがかりの老婆に虫の息のところを助けられる。後に唯一の生き残りとして最期の様子を伝え、日本人の涙を誘った。

山本八重から熱心に鉄砲の撃ち方を習っていた伊東悌次郎も、戸籍を書き直して隊に加わり命をささげていた。山川は戦争が始まってからすべてを知り、自分が恥ずかしくなった。家老職の家柄である彼は満一五歳に達していないと称して、除隊になっていたのである。

会津藩には海も水軍もない。それにもかかわらず、日新館には日本最古の立派な水練場があった。そこを一列に顔面蒼白で必死に泳いでいた仲間たちの顔が目に浮かぶ。もう奴らはいない。

しかし、戦が終わっても彼らを埋葬することは禁じられ現場にそのまま曝されていた。官軍によって辱められた遺骸をカラスが啄んでいたが、親も手を出せなかった。二ヵ月後、人目につかない北側に放り込まれ罪人塚になった。

せめて、お城が見える山の南側にお墓を並べてやりたい。山川は粘り強く運動した[24]。その工事が始まったが、朝日新聞に載った執拗な批判に繰り返し反論しなければならなかった。

飯沼貞吉は電信技師になり、東北、北海道、朝鮮で電信設備の建設に力を尽くした[25]。

彼はその後も山川と手紙のやり取りをしていたが、最後の勤務地になった仙台に終の棲家を構え、再び会津に足を踏み入れることはなかった。

会津では一人だけ生き残ったひきょう者と謗られ、そのことを深く恥じていた。その後、山川が移した一九基のお墓とはほんのちょっとだけ離して彼の分骨も埋葬された。仲間二〇人がようやくそろった。

現在、お墓の前には多くの参拝客がたたずんで説明を聞き、毎日線香の煙が絶えない。

長岡半太郎の留学

ある年、東大に目立つ秀才が入学する。大村（長崎県）出身の長岡半太郎といい、特に英語とドイツ語が優秀だった。彼は最初に東京英語学校に入り、父親の転勤で大阪英語学校を卒業したが、英語教育の黄金期に教育を受けていた。その上大変な努力家で、山川はアメリカ帰りなのに正直に告白した。

「この男にはかなわん」

なお、大学に入ったばかりでドイツ語がで

長岡半太郎

きるというのは不思議に思えるが、長岡は、大学の予備コースで第二外国語もみっちり勉強した世代であった。

ところで、長岡半太郎の父親は治三郎（じさぶろう）といい、勤皇側の大立者（おおだてもの）だった。息子には伝統の漢学を厳しく叩き込んでいた。治三郎は第一回派米留学生に選ばれ遣欧使節団と共に洋行している。帰国して、いまだ八歳の息子を上座に座らせた。彼は手をついて謝る。

「アメリカでは漢学など学ぶ者はいなかった」

当たり前である。続けて、

「これからは英語そして洋学をやれ」

しかし、長岡は東大に入ってある疑問にとらわれてしまう。動物として自分たちと全く別種にさえ見える外国人の頭の中が自分たちと同じとは、とても思えない。万葉の昔から大和心を謳（うた）ってきた自分たちに、ギリシャ時代から数千年にわたって築き上げられて来た物理学を研究するだけの能力があるのだろうか。[26]

そこへ、父親から手紙が届いた。

「お前の手紙を見たが、なんとへたくそな字であることか。もう一度漢字を勉強するように」

良い機会なので、彼は一年間休学して中国の文献に取り組んだ。いくつかの重要な研究が東洋でも行われていることを確認し物理に戻る。[27]

山川は長岡をケルヴィン卿のところに留学させるつもりだったが、結局行き先はボルツマン研究室（ウイーン大学）になる。ケルヴィン卿（第1章）はガスの温度や圧力や体積の性質を明らかにしたが、ボルツマン教授はそれらをガスを構成する無数の分子の統計的ふるまいで説明した。いわゆる統計力学を構築したのである。さらに、彼は原子の存在を予言し量子力学への入り口を指し示した。

当時、ジョゼフ・トムソン（ケンブリッジ大学、ラザフォード［第II部第4章］の師）が電子を発見したばかりだった。電子はマイナスで、陽子はプラスの電気を持つ素粒子だ。ボルツマンのいう原子は通常複数で同数の電子と陽子でできあがっており、両者は電気的に打ち消し合い原子は全体として中性になる。しかし、電子と陽子がどのような形で原子の中に存在しているのだろうか。

トムソンは原子をブドウパンのように考えていた。陽子というパンの中にブドウのように電子が散らばっている。ケルヴィン卿も同じモデルを考えていた。

サムライ科学者の系譜

長岡は明治三七年（一九〇四）に帰国すると、自分も原子物理学の研究に参戦した。彼は原子が土星のようなものと考えた。電子が土星の輪のように陽子の周りを廻っている。彼の発表はちょうど日露戦争の年ということもあったのか、欧米の物理学者から注目を浴び、後に実験で証明される（第II部第4章）。日本の物理学は維新以来三七年、原子物理学で世界レベルに達した。

原子はその後不思議な性質を次々と現したが、古典物理では説明できないそんな現象をどう理解したものか。原子を支配する基本法則がきっとあるはずだ。世界の理論物理学者は、長岡の模型に基づいて量子力学を構築していく。

そこでは原子のようなとてつもなく小さな世界を扱い、日常世界とはかけ離れた結論が出てきた。それは年取った科学者の理解を超えており、山川は研究から離れていく。

彼は学長になってからますます研究から離れる。弟子の長岡は、研究しない師を面と向かって批判した。山川は弟子の批判を冷静に受け止め、その後学士院会員などいくつかの名誉職を辞退している。

ところで、師弟関係は放牧型と軍隊型とに分けることがある。放牧型の教授は少数派だが、弟子に自由に好きな研究をさせる。弟子が教授の研究に協力しないことなど気にしない。

そんな教授は細かい指導をしないが、意外と弟子が伸びることがある。山川は放牧型だった。湯川秀樹（第III部第9章）も吉田健介（第V部第16章）もこのタイプだ。

対照的に、軍隊型の教授は厳しく弟子を鍛える。弟子を使って業績を積み重ねる。多くの教授は軍隊型でいこうとする。本人は管理職を嫌がらない。長岡は典型的な軍隊型だった。彼は管理職になるのを原則断ったが、最後は頼まれていくつもの大学の学長を歴任することになる。

そんな長岡を南部陽一郎（第Ⅴ部第16章）は敬遠している。南部は放牧型だった。同じく放牧型の湯川秀樹は長岡には目をかけられたが、軍隊型の八木秀次（ひでつぐ）（第Ⅲ部第9章）を敬遠している。朝永（ともなが）振一郎（第Ⅲ部第9章、第12章）は意外と軍隊型だった。

なお、朝永の父祖も長岡と同じ大村藩の出である。大村は長崎の入り口ということもあって西洋の事情に近く、維新で活躍する多くのリーダーが行きかった。大村藩は勤皇の立場から倒幕に功をあげ、明治新政府から薩長土佐に次ぐ優遇を受けている。

この頃の物理学者たちを出身地で分けると、福島出身の山川や岩手出身の田中舘愛橘（たなかだてあいきつ）（地球物理学者、東大理学部の第一期生、山川の高弟で長岡半太郎は後輩）のように東北の人たちが日本物理学の種を蒔（ま）いたとも言える。そして、九州・大村の人たちが花を咲かせた。

第Ⅱ部　戦争と科学者

第4章　欧米から敬愛されたある日本人

コペンハーゲン

大正六年（一九一七）、仁科芳雄（にしなよしお）（現在の岡山朝日高校出身）は東京大学の電気工学科四年生になった。指導教授は与謝野晶子（よさのあきこ）の兄にあたる鳳秀太郎（ほうひでたろう）である。鳳教授は「鳳—テブナンの定理」という、電気回路の基本的計算法を発見した人である。現代の電気工学の学生にもお馴染（なじ）みだ。

就職の時期になると、学生たちは成績順に当時の重電五社（①東芝、②日立、③三菱、④富士電機、⑤明電舎）に就職先を振り分けられた。成績トップの仁科は当然東芝に決まる。

重電の技術者は作業服を油まみれにして巨大な発電機や変電器、モーターを作る。これら重電機器はすべての工場を動かすから「産業の母」と呼ばれ国家にとって最重要だった。しかし、仁科には創造性を発揮し知的好奇心が満たされる仕事とは思えなかった。

彼は内定を断り、大学の隣にあった理化学研究所（理研、駒込）の研究生になる。

電気工学の基礎は物理学、特に電磁気学である。この学問は透徹した美しい理論体系を持つ。仁科はこの電磁気学そして物理学に魅了されていた。

理研の研究生のまま、彼は母校の大学院物理学コースに入学を志願する。仁科は卒業時に成績優秀者として天皇から銀時計をもらった、いわゆる恩賜(おんし)の銀時計組だった。そのことは物理学科でも有名で、すぐ入学を許可された。

彼は長岡半太郎の弟子になり原子物理学を三年間鍛えられる。大学院課程を修了し仁科は留学を希望した。長岡はラザフォード教授（ケンブリッジ大学）に推薦状を書く。

ラザフォードという人は、世界の辺境ニュージーランドの農家出身だが、子供の時から優秀でイギリスに渡り「核物理学の開祖」になっていた[28]。

彼は、薄い金箔(きんぱく)にプラスの粒子を当てると大きくそれることを報告した。金の中心にある原子核に衝突し反発力によって大きく跳(は)ねたのだ。ということは、原子核は当てた粒子と同じプラスであることを意味している。

ラザフォードが長岡の土星モデルを証明したのである。一九〇八年、この研究によりノーベル賞を受けている。こんな歴史があって、長岡とラザフォードは親しかった。

仁科は、ケンブリッジで実験物理学の手法を学ぶ。

その時、英仏海峡の向かいのコペンハーゲン（デンマーク）にニールス・ボーアという研究者がいた。彼はラザフォードの弟子で専門は理論物理だった。二年後、ラザフォードは仁科に対し、新しい量子力学を学ぶようにボーアの研究室を紹介してくれた。

第一次世界大戦で、ドイツとイギリスは敵味方にわかれて戦った。もはや両国は自由な研究の楽園ではない。ボーアの独創性と人柄にも魅かれ、ドイツ、イギリス、スウェーデン、スイス、オランダ、ロシア、アメリカ、インド、日本から優秀な若手がデンマークの彼個人の研究所に集まっていた。

仁科芳雄が量子力学に挑戦

仁科は実験から理論へ境界線を軽やかに越える。彼は放射線の作用を理論的に説明しようとした。たとえば、炭素の板にエックス線を照射すると、炭素の電子が飛び出す。その時、当てたエックス線は板の反対側に透過してくるが、暗くなる。

このことは古典物理でも説明できるが、エックス線の色というか、波長が長い方向に変化していた。この点は古典物理では説明できなかった。一九二三年になると、アーサー・コンプトン教授(ワシントン大学)が一応説明に成功し、彼の名前をとってコンプトン散乱と呼ばれるようになる。

彼の説明はこうだ。まず、エックス線は電波の一種で光とも仲間である。エネルギーによって私たちが呼び方を変えるだけだ。電波はその中で最もエネルギーが弱く、次いで光そしてエックス線とエネルギーが強くなる。それよりさらに強いのがガンマ線である。

だから、コンプトンはエックス線も光の一種と考え、その光にアインシュタインのアイデアを当てはめて「粒」と考えた。エックス線の波を「粒」（光子＝量子）と考えれば、あとは炭素の電子とぶつかるのだから、パチンコ玉同士が衝突するのと同じだ。古いニュートン力学で解ける。

実際に解いてみると、光子が電子を跳ね飛ばすから、そのぶん光子の勢いは弱くなった。スピードが落ち、エネルギーが小さくなる。物理的に言えばエネルギーが小さくなるとその波長は長くなる。だから、衝突した後エックス線の波長が長くなるのは当然だった。

なお、光が粒であるというアインシュタインの考えをそれまで物理学者は認めていなかった。しかし、彼の光量子仮説がコンプトン効果をピタリと説明した。光は粒でもあると認めざるをえない。

それでも、理論物理学者はコンプトンの古めかしい解き方に満足できなかった。なぜなら、パチンコ玉の衝突では衝突後の光子や電子の跳ねる方向も速さも衝突前の状態によって一つの値に決まってしまう。現代の高校生にもお馴染みの問題で、古典的なニュートン力学は決定論なのだ。

しかし、実際には一つの方向や一つの速さではなく、その周りに幅を持って飛び出してくる。量子力学の方程式では一般に位置や速度などの解に確率的統計的な幅が出る。だから、量子力学でコンプトン散乱が解ければ、方向や速さの幅を説明できるはずだ。

ボーア研究室で議論になった時、ゴルドン（ドイツ）がこの問題は仁科にやらせようと言い出す。彼は、その三年前に相対論的量子力学に関する基本方程式をクライン（スウェーデン）と共に提出していた。ゴルドンこそ、コンプトン効果を解くのにふさわしいと仁科は思っていた。

同僚には、同じく相対論的量子力学の開拓者であるディラック（イギリス）もいた。仁科は、彼らと相談しながらクライン博士と一緒に計算を進め、有名な「クライン—仁科の式」を導き出す。

人類はこの公式によりエックス線がものに当たった後どんな方向にどんな波長で出てくるか、詳細にその分布や幅を説明できるようになった。言い換えれば、放射線がどのように物質に作用するのか、日本人が式で解き明かしたのである。

現在、理論物理を専攻すると、大学院生のレベルで仁科の解き方を学ぶ。仁科は、日々量子力学が革新されていく現場でその一翼を担い、現在教科書に残る業績を上げた。

その後も、みんなが当たり前のように仁科を助けてくれたし、仁科の方も蒼い眼の後輩を良く指導した。ボーアグループはチームプレーをやっていた。外に反対派が出てくると、チームの全員が一致協力して戦う。そんな時、ボーアもいつもは決して見せない激しい気性を現した。

ボーア研究室に入った時、仁科は日本人であることを強く意識していた。今でも、私たちは外国で働く時、自意識過剰になる。当時日本は発展途上国だったから尚更だった。しかし、ボーアの研究所に国籍は存在しなかった。みんな同じ釜の飯を食った親兄弟だった。

ボーア先生と仲間たち

ある日、仁科芳雄は仲間に漏らした。

「こちらに来る船の中でメニューの内容がわからないから、先頭に並んでいる四、五品を注文していたんだ。だけど、何時もたくさんのスープしか出て来ない。西洋のメニューというのは、最初にスープだけを並べるんだね」

彼らは、小さいが優秀でユーモアあふれる仁科が大好きになった。

仁科が図書館の前でディラックと立ち話をしていた。[29]

仁科「あなたのご本に誤りを見つけましたよ。プラスマイナスが反対になっていました」

ディラック「でも結論の式は間違ってないでしょう」

仁科「その通りです。ということは、二回符号を間違ったことになりますね」

ディラック「いや、二回ではなくて、複数回間違ったということです」

何のことはない。「マイナス×マイナスはプラスになる」という、中学生レベルの話である。

日本の国立大学は外国に留学する教官に対し出張期間を普通二年与えた。その間は出張扱いだから給料も全額出る。理研も大学に準じていたから、通常は二年で帰国する。しかし、仁科は親戚から借金して留学期間を延ばした。結局、ラザフォード研究室での二年を加えれば、大正一〇年（一九二一）から昭和三年（一九二八）までの七年間になった。

日本への帰途、彼はヨーロッパを回る。ホテルに着いたらボーア先生から手紙が届いていた。その中で、先生は、後輩を指導してくれたことを感謝し、日本で必要になった時のために推薦状を同封したこと、そして仲間みんなが仁科によろしくと言っていると結んであった。同封されていた推薦書は仁科を長々と褒めちぎっていた。

仁科は帰国してから日本の大学に就職することを考えていたが、彼には物理学科を出ていないというハンデがあった。ボーアも心配し、理研の所長に手紙を書いている。

帰　国

仁科が帰国した頃、日本で物理学科を持つ大学は東大と京大と東北大の三校だった。しかし、いずれの大学も仁科を引き取らず、彼は理研の職員を続けるしかなかった。間もなく彼は最年少で正所員になる。理研の正所員というのは当時東大の教授を兼任している人が少なくなかった。並みの大学教授よりも格は上だった。

彼は、日本の若手に本場の量子力学の話を聞かせたかった。ボーア先生に来てもらうのがベストだが、極東への講演旅行となると二カ月以上を要する。代わりに、昭和四年（一九二九）九月、ボーア研究室の後輩であるハイゼンベルクとディラックが日本に来てくれた[29]。

理論物理学者は、若い内に才能を現す。ハイゼンベルクはこの四年前に量子力学の基本方程式を作り、三年前に不確定性関係と称する量子力学の原理を提出している。ディラックの方は、この頃から相対性理論を取り入れた量子力学を展開している。その結果を日本で紹介し帰国後に出版した。その教科書が彼の代表作になる。

ハイゼンベルクとディラックは湯川と朝永に意外の感を与えた。エネルギッシュな超エリートを予想していたのに、ハイゼンベルクは明るいスポーツマンタイプで、ボーイスカウトのようだった。ディラックの方は、寡黙(かもく)でいつも思慮深く考えている哲学者の風だった。

しかし、もっと意外だったのは二人があまりに若いことだ。自分たちとそれほど変わらない。実際、この時ハイゼンベルクは二八歳、ディラックは二七歳だった。一方、朝永は二三歳、湯川は二二歳だった。

朝永には、量子力学にもう一つ腑(ふ)に落ちないところがあった。しかし、彼等の講演を聴き、目の前が開ける。ドキドキしたが、思い切ってハイゼンベルクに質問した。彼が気軽に答えてくれてホッとする。

長岡半太郎が講演を締めくくったが、渾名(あだな)通りの「雷親父」が日本の若手を叱(しか)った。[30]

「君たちはノートに書き写しているだけではないか」

彼は常々(つねづね)言っていたのだ。

「ノートを取る奴は馬鹿だ」

ただし、彼の死後数千冊のノートが出て来た。

朝永は長岡先生にいくら怒られても自分としてはどうしようもないと思った。湯川のほうは、心密(ひそ)かに思っていた。

「すぐ二人とも追い抜いてやる」

ハイゼンベルクとディラックの二人は、共に日本で紹介した研究とその発展によりノーベル賞を取る。

湯川と朝永も後にノーベル賞に輝いた。四人自身はこの時何も知らなかったが、彼らの人生は後にまばゆいほどの光芒（こうぼう）を放って深く交錯することになる。

原子核物理の時代へ

仁科が留学したとき、物理の最前線は原子物理学であって、原子の一番外側を回っている電子のふるまいやその電子が引き起こす多彩な現象が次々と解明されていた。

さらに研究は発展し、その中心にある原子核に移っていく。

しかし、原子核は極微の原子の中心にポッンとあってあまりに小さすぎる。見る方法もないし、想像もつかない世界だった。

私たちは道端（みちばた）であやしげな物でも見つけると、まず石でもぶつけてみる。それもなるべく強くぶつけて壊せば中身もわかる。二〇世紀に入って、物理学者も原子核に陽子や電子をぶつけてみた。

電子や陽子は電気を持っているから、プラスとマイナスの高電圧の間で加速してからぶつけた。

この衝突装置は直線加速器と呼ばれているが、より高速を狙ってどんどん超高電圧になり天井をぶち抜いて上に上に巨大化していった。

なお、加速した電子や陽子の流れは人工的な放射線ということになる。現在はこの人工放射線が癌の治療にも使われている。癌細胞を焼き殺すために直線加速器を持つ病院が日本でもめずらしくない。

一九二七年、カリフォルニア大学のアーネスト・ローレンス准教授が新しい加速の方法を思いつく。彼のやり方は直線加速ではなかった。二枚の円盤状に配置した多数の磁石の間で荷電粒子を走らせると、(フレミングの左手の法則によって)内側に内側に引っ張られ、水平面上でぐるぐる回るようになる。その間、進行方向に電圧をかけて何度も引っ張る。こうすれば、グルグル回るあいだに直線加速器よりずっと高速にまで加速できる。

ただし、スピードが速くなると粒子はだんだん外にふられ、蚊取り線香のうずまきのような軌跡になる。一番外側で猛烈なスピードに達したところで原子核にぶつけるのである。一九三三年、ローレンスは学生と一緒に直径七〇センチの円形加速器を作った。サイクロトロンと名づける。

彼の成功を知り、仁科芳雄もサイクロトロンを設計した。学生時代の電気工学の知識が役立つ。仁科は実験理論両方できる、世界で数少ない物理学者になっていた。

昭和一二年(一九三七)、ローレンスと同じ大きさの、日本初のサイクロトロンが完成した。しかし、仁科はもっと大きな加速器を考えていた。[29] 彼の物理グループは次の大型サイクロトロンの建設にとりかかる。日本最初のサイクロトロンは医学者や化学者や生物学者が利用した。

医学や生物学と物理学とは意外と関係が深い。レントゲン博士やキュリー夫人は放射線を人間の手に当てると通り抜けて中の骨が写真に写せることに気づいた。しかし、潰瘍(かいよう)を作るなどひどい副作用も現す。

放射線は人体に有害なのか。それを追究するために生物物理学が生まれ、それが放射線生物学に発展する。後に、放射線影響学とか放射線医学とか保健物理学に分かれてゆく。日本の生物学者や医者も仁科のサイクロトロンを使って、陽子や電子を動物に照射してみた。仁科自身実験し、その結果をボーアに知らせている。

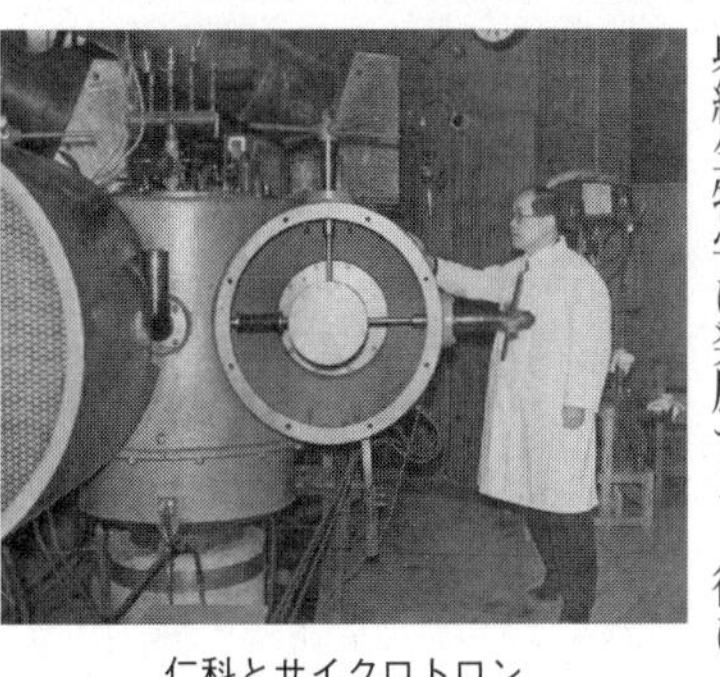
仁科とサイクロトロン

ボーアの父親は世界的な呼吸生理学者だった。現在も医学部生が三年になると生理学の授業で「ボーア効果」というのを学ぶ。私たちの血液の中で赤血球の何割が酸素を結合しているかに関する性質で、彼の父親が発見したものだ。そんなこともあって、ボーアは生命の研究が大事なことをよく理解していた。何度も激励の返事を日本によこす。

なお、ボーアの弟も優秀だった。彼は二歳下でハラルド・ボーアという。兄よりも先に博士号を取り、数学者になって活躍する。その上、サッカーのデンマーク代表としてオリンピックに出場し銀メダルを獲得している。ニールス・ボーア自身もデンマーク随一のゴールキーパーだった。

昭和一五年（一九四〇）、我が国は三国同盟を結び、ヒトラーのドイツおよびムッソリーニのイタリアと運命を共にする。そのニュースを聞いて仁科はつぶやいた。

「とうとう日本も世界のならず者か」

間もなく日本は真珠湾を攻撃し、太平洋戦争を開始する。初期の戦果に日本中が浮かれている時も、仁科の感想は周りと違っていた[26]。

「バカな戦争を始めたものだ。アメリカの本当の力を知らないからこんなことをするんだ。今に大変なことになる」

戦争中、湯川秀樹は次のように主張する。

大東亜戦下、第二回目の新春を迎うるに当って、私共の感懐はまた格別である。一億の国民はみな同じ一つのことを念願し、同じ方向に邁進しつつある。そこには何等の疑惑もあり得ないのである。万人共通の唯一の心構えがあるだけである。今日の科学者のもっとも大いなる責務が、既存の科学技術の成果をできるだけ早く、戦力の増強に活用することにある。現代の戦争が科学技術の戦いであるということも自然を通じて人間と人間と戦う以上はけだし当然のことである。

この書が出版され得る大御代の有難さを、改めて心に銘ずる次第である。

（原文の旧漢字および歴史的仮名遣いを改変抜粋）[31]

第5章　戦争も国境も越えた人たち

本当の父子よりなお

仁科芳雄は何度もボーア先生を日本に招待しようとしていた。ようやく昭和一二年（一九三七）、ボーアとマルグレーテ夫人そして次男のハンスが日本にやって来る。大阪大学で講演の後、そこの助教授だった湯川秀樹が自分の核力理論をボーアに説明した。

原子核はプラスの陽子や電気を持たない中性子が集まっている。プラスとプラスは反発するからバラバラになっても不思議でない。それなのに実際はそうならない。ということは、原子核の中で何らかの引力が働いているはずだ。そこで、湯川は新しい素粒子を仮定し、それが仲介して陽子と中性子とが引き合うようにした。

聞き終わったボーアはまずほめた。

「よくまとまっていますね」

しかし、それはいつもの社交辞令だった。彼は付け加える。

「あなたは新しい粒子が好きなんですか？」

湯川も仁科も凍りつく。実は、この少し前ボーアの弟子ディラックも反粒子を予言していた。それにボーアは批判的だった。彼は実験的根拠もなく理論だけで勝手な粒子を唱えることを嫌っていた。

仁科は即座に自国の若者をかばう。湯川の方は父親から守られているような気がした。湯川は実の父親の前では緊張してしゃべれない。仁科の前では何でも話せると感じた。

ボーア一家はその後仁科の家族と会う。仁科の二人の息子、雄一郎と浩二郎はまだ幼くて元気に駈け回っていた。ハンスが二人の相手をする。やがて、小っちゃな二人の暴君がハンスにまとわりついて離れなくなった。ハンスは背が高く金髪で、仁科の息子たちには見たこともない容貌なのに、二人とも気づいてもいない風だった。

マルグレーテは一四年前のことを思い出していた。仁科はデンマーク語を覚え、自分たち家族にも溶け込んでくれた。長男のクリスチャンとここにいるハンスは仁科になつき、いつも遊んでもらった。

二人とも、彼の容貌が自分たちと違うことなど気にもしないでじゃれついた。子供は、遊んでくれるだけで相手を大好きになる。今度は息子が仁科の子供を遊ばせている。でも、ハンスはあの時のことを覚えているのかしら。

ボーア先生の帰国の日が近づいた。仁科は恩師に告白する。

「私たち日本人は、東洋と西洋の文化が調和できるかどうかいつも疑っていました。心の内で、日本の科学が西欧の水準に達することはとても無理と思っていました。しかし、先生のお話から私たちも科学で一流になれるチャンスはあると考えるようになりました」[29]

この種のコンプレックスは、昔、長岡半太郎も苦しんだものだ。頭の構造が違うとは言わないまでも、国民性や言語などからあるいは日本人は科学に向かないのではないか。現在でも時たま日本人科学者の頭をよぎる問題だ。

仁科は正直に胸の内を明かした。彼にとって学問の父親はボーアだったのだ。一方、ボーアは違った意味でうれしかった。彼はいつも口癖のように言っていた。

「学問は人種の違いとか遺伝とは全く関係がない。差があるとすれば伝統だけである」

ボーアが数カ月にわたる旅程をおえデンマークに帰りつくかつかないうちに、アメリカのアンダーソンが新粒子を発見したとの知らせが入る。湯川とかいう若者が主張していたあれだ。まもなく、その若者を先頭に日本の理論物理学者の隊列が世界の檜舞台に登場する（第Ⅲ部）。ボーアは、次のような手紙を日本によこした。[32]

一九三八年二月五日

仁科さん

イギリスのラザフォード先生が急死しました。私にとってラザフォード先生は留学先の偉大な先生であるだけでなく、私の一生で二度と出会えない父のような存在でした。

こんな時は、今健在の友のことを想うものです。特に、貴方のグループによる宇宙線研究の見事な成果と、湯川の独創的かつ遠大な構想（それは核力の起源に関して予想外に素晴らしい説明を与えてくれそうです）に対して、世界が評価し始めたことをとても嬉しく思います。

湯川の新粒子を、欧米では「ユーコン」と呼んだ。これではカナダにある川の名前になってしまう。湯川本人はユカワのユを採って「ユー粒子」と呼んだが、「粒子」という言葉は素粒子とか重力粒子とか一般名詞あるいは未定のものに使うからこれも不適切だった。

特定の素粒子なら、電子とか陽子とかでわかるように「〇〇子」と呼ぶ。そこで、御大（おんたい）のボーアが「中間子（メソン）」という名前を与え決着した。

一九三〇年代、物理学者は原子核に向かって陽子よりも中性子をぶつけるようになる。中性子なら電気がないからプラスの原子核にもスッと入れる。中性子というのは、いつも宇宙から私たちに降り注いでいる、ありふれた素粒子だ。しかし、その個数は、一センチ四方を一秒に一個通過するくらいで少ない。

科学者はサイクロトロンで加速した陽子をベリリウムという銀白色の金属にぶつけ、中性子を人工的に発生させた。この方法なら一秒に一〇〇〇万個もの中性子を作れる。その中性子を原子核に衝突させると吸収され原子核が重くなる。だから、重い元素に中性子をぶつければ、この世に存在しなかった、未知の新元素を作れるはずだ。原子核物理学者たちは創造主になろうとした。

実際、自然界で一番重いウランに中性子をぶつけたら新元素ができプルトニウムと名づけた。プルトニウムというのは、当時あるかないかもハッキリしなかった惑星、冥王星（めいおうせい）（プルート）にちなんだ名前だった。

こういった人工元素はあわせて超ウラン元素とよばれる。アメリカのローレンス、ドイツの化学者オットー・ハーン、フランスのイレーヌ・キュリー、そして日本の仁科が新元素発見の競争をくり広げる。

ある日、ハーンのグループに奇妙なことが起こった。中性子をぶつけていたら原子核が重くなるどころか軽くなった。ウランが真二つに割れ、バリウムが生じていたのである。バリウムとは胃の透視で飲まされる、あの重い白い液体だ。重さがウランの半分ほど。物理学者たちは、核分裂を利用すると原子爆弾や原子炉が作れることに気づく。人類に与える影響はとてつもなく大きい。ドイツ人のハーンは、一九四四年にこの「核分裂の発見」によりノーベル化学賞に輝くことになる。

一方、ローレンスはすでに直径一メートル半のサイクロトロンを完成し、一九三九年のノーベル賞に輝く。理研のサイクロトロンはそんなレベルからみるといかにも非力だった。そこで、仁科は自分たちのサイクロトロンをそのまま倍に大きくしてみた。全くうごかない。

考え付くところはすべて直してみたが、どうにもならない。昭和一五年（一九四〇）、仁科はローレンスに手紙を出す。

「部下を派遣するのでアドバイスをいただけないか」

研究者の間には仁義がある。ともに真理に立ち向かう人なら、たとえ面識がない異国の科学者にも実験のノウハウやコツをフレンドリーに教えあう。

さらに、ローレンスは仁科の手紙に感心した。東洋人も自分たちと変わらないじゃないか。ローレンスは文面だけで仁科の心や人柄まで感じた。彼にとって仁科は日本人ではない。自分と同じで、国籍は科学、人種は科学者だった。

その上、ローレンスはコンプトンから聞いた。その東洋の研究者はコンプトン散乱を量子力学によって初めて解いた科学者であり、何よりもボーア門下の俊秀であると。

しかし、その時日米関係は最悪だった。アメリカはウラン諮問委員会を編成し原爆開発をスタートしていた。ローレンスはコンプトンとともにその指導者である。大学当局からも敵性国家の人間を研究室に入れないようにとの指示があった。

ローレンスは万策尽きて仁科に返事を出す。

「申し訳ないがどうしても貴意に沿えない」

その手紙が日本に届いた時、仁科の部下はすでに太平洋上をアメリカに向かっていた。

三人の日本人核物理学者が研究所に到着する。ローレンスは板挟みになった。彼自身、日本の中国侵略を快く思ってはいなかった。しかし、国際政治と科学研究は別個の問題だ。たとえ侵略国家でも、学術に力を注ぐことは良いことだ。

彼は、上からのお達しにもかかわらず、研究所の専門家を集め、細かなところまで日本人にアドバイスした[29]。

日本のサイクロトロンには二つ問題があった。一つは、サイクロトロンの真空が悪くなっていた。サイクロトロンは高真空の中で粒子を加速する。ところが、日本のサイクロトロンは鋳物部分から空気が侵入していて、せっかくの陽子や電子が空気にぶつかって散っていたのである。

第二の問題だが、仁科は粒子が加速されるとブレーキがかかることを計算に入れていなかった。一般相対性理論によると光に近い高速になれば粒子は重くなりその分少し遅くなる。ところが、日本の加速器は単純に一定の周波数で半周ごとに機械的に加速電場を切り替えていた。加速のタイミングがずれていたのだ。

三カ月後部下が日本に帰り着いた時、ローレンスから詳しいノウハウが膨大な量で渡されていた。会ったこともないローレンスが示した温かな配慮に、仁科は思わず手を合わせる。

広島・長崎

昭和一八年（一九四三）には、ドイツからの留学生カール・ビルスがスターリングラードの攻防で戦死した。[29]彼は朝永と交換で来日したが戦争のため帰国していた。仁科は彼が偶然残していた黒板の字を消さないようにし、周りの人に繰り返し説明していた。

「ビルスは戦友が傷ついたのを見て危険を顧（かえり）みず助けに行き銃弾に当たって亡くなったそうだ」

ボーア先生と同じく、仁科は異国の若者をとても大事に思っていた。

戦争が激しくなるにつれ、原爆を早く完成するよう軍部から仁科への圧力は強くなった。仁科は最初陸軍にだけ応えていたが、やがて日本全体の責任者にさせられる。しかし、仕事柄、仁科は欧米との力の差を肌で知っている。日本の国力では原爆を作るなど全く不可能だった。この戦争が悲惨な結果に終わらなければ良いがと、それだけが心を重くしていた。

湯川や朝永には研究の邪魔にならない範囲で軍事研究に付き合わせている。自分の技術員に対しても徴兵検査に落ちるよう工夫する。戦後のために人材を温存していた。

広島に新型爆弾が落ちた翌日、陸軍が調査のため仁科を急ぎ飛行機に乗せる。彼は広島に着いて、はたと困った。停電していて使えないだろうと、放射線を計るためのガイガー計数管を持ってこなかったのだ。しかし、奇跡(きせき)のように電気は復旧していた。原爆なら強烈な放射線が発生したはずだ。その放射線の痕跡(こんせき)をガイガー計数管なしで確認できないものか。広島赤十字病院の前を通りかかった。見渡す限り瓦礫(がれき)の中にその病院は立っていた。病院のX線フィルムでわかるかもしれない。

病院ではX線を使って毎日胸のレントゲン写真を撮っている。原爆の放射線も病院のフィルムを感光させたはずだ。重傷患者でごった返す院内を進んだ。仁科はレントゲン室にセットしてあるのを含め新品未使用のフィルムを現像してもらう。全部真っ黒に感光していた。やはり原爆だったのだ。

日本の物理学者たちは予想を裏切られた。世界で原爆を作れる原子物理学者となると、ドイツのユダヤ人を誰でも考える。しかし、ヒトラーはユダヤ人科学者を敵視した。彼らはドイツから追い出され、多くはもう生きてはいまい。したがって、ドイツに原爆を作る能力はない。

残るのは新興大国のアメリカと日本だが、ウランの濃縮は大変な難事だから今次大戦では両国ともに間に合わぬと思った。

日本人物理学者の予想は端から間違っていた。ユダヤ人科学者の多くが生きてアメリカにいた。アメリカの人口は日本の二倍強だが、科学者の数は元々日本の一〇倍ある。そこにレベルの高いユダヤ人科学者がやってきて、日本の一〇〇倍にもなった。言いかえれば、アメリカには一〇〇人の仁科芳雄がいた。原爆開発のマンハッタン計画では、アメリカは日本の三桁上の二万人を従事させている。

日本の科学者はそんな実態を知らなかった。皆、新型爆弾の報道に首を傾げた。

「アメリカはどんな方法でウランを濃縮したんだろう？」

海軍は四日遅れで阪大の浅田常三郎教授を広島に送り込んでいる。市民がみんな強い閃光を見たというので、海軍は当初マグネシウム爆弾と考えていた。しかし、浅田が原爆であったことを確認する。その報告直後、相手の海軍中将からその場で頼まれた。

「これから半年で原爆を作ってください」

浅田は答える。

「物理の者はすでに去年あきらめている。どう考えても無理だと思う」

中将はその場で一時間も泣いていた。

その数日後、新型爆弾が長崎に落とされる。歌手の美輪明宏（後に現在の海星高校を卒業）はその時小学生だった。彼は自宅で被爆したが、マグネシウム爆弾が一万発も爆発したんじゃないかと感じた。

この時、長崎で、一四万人を超える被爆者が出ていたが、その中に一一才の小野田政枝ちゃんがいた。彼女には母親とともに写っている四才の時の写真が残っている。約八〇年前の写真であるが、現在の子どもと何ら変わらない服装で写っている。健康的でかわいい女の子である。

彼女は、救護所に担ぎ込まれ、駆け付けた兄の一敏さんに、「家に連れて帰って」と訴えた。しかし、死も近いことは明らかだった。広島長崎には全国から多数の医師が投入されており、原爆効果のデータを取るように厳命されていた。彼女は間もなく亡くなったが、解剖に協力するよう要請された。結局、政枝ちゃんの遺体は医師に委ねられ、家族に見送られることもなく、処理された。ただし、彼女の内臓の内、肝臓と腎臓だけは、顕微鏡観察のため、薄くスライスされ、ガラス標本になった。敗戦後、日本の軍医学校は、アメリカの調査団（後述）に、全ての標本と一万頁を超える報告書を提出した。七三一部隊（第Ⅱ部第6章）の免責を期待した取引であった。そんな経緯で、政枝ちゃんの「標本」もワシントン近くの米軍の病理研究所に長らく保管されていた。研究が済んだ六〇年後、彼女は五枚の「ガラス標本」になって、ようやく甥の小野田博之さんの手に戻った。[33]

時代を戦時中に戻すと、仁科の部下たちは親方（所員は仁科をそう呼んでいた）のことを心配していた。そんなところに、仁科から小包が届く。開けると銅線などゴミ屑のような物が出てきた。

私たちの身の回りの物も原爆や原子炉の中性子を浴びると、「放射化」といって放射線を出すようになる。教室員が測ったところ、親方の送ってきた物はいずれも強い放射線を出していた。マグネシウム爆弾などではなく、長崎も原爆だったのだ。

仁科は陸軍将校に告げる。

「長崎も原子爆弾だ。この戦争はもう負けだ」

この言葉が大本営を降伏受諾に導いたという。仁科は八月一五日、「戻るように」との至急電を受け取る。その日のうちに東京に着いたが、すぐ全国放送のマイクの前に立たされた。仁科は原子物理学者として全国民に説明する。新型爆弾は原子爆弾であって、とてつもない破壊力を持っていると。

敗戦国調査

戦争が終わって数日、軍部の混乱が理研にも飛び火した。陸軍の将校が押しかけてきて、仁科に身を隠してくれと要求する。これから一緒に原爆を開発し戦争をひっくり返そうと、大まじめに主張した。

米軍が日本に進駐してきた。ある日、東京文理大の玄関で一人のアメリカ兵が騒いでいた。みんな関わりあわないように急ぎ足で次々に通り過ぎる。アメリカ人は叫んでいた。

「プロフェッサー・トモナガ!」

ようやくある教授が出てきて朝永教授の不在を伝える。彼はジープに飛び乗って消えたが、一言依頼していた。

「朝永教授がこの大学におられると聞いてうかがったが、教授が帰られたらよろしく伝えて下さい」

彼は兵隊ではなく、フィリップ・モリソンという軍属の物理学者だった。[29] ローレンスの弟子であり、カリフォルニアで日本人科学者といっしょに働いたこともある。原爆を作るためのマンハッタン計画に従事した後、原爆に関する対日工作もしていた。今回、原爆の効果を調査するために日本を訪れた。

もともとアメリカ軍部にとって広島長崎への原爆投下は実験の意味もあった。建物に対する原爆の効果をハッキリさせるため投下前候補地への空襲を控えている。モリソンはその調査団の一員であった。

一方、生命への効果については、羊などを野外につないでおいて原爆を爆発させデータをとったが、人間に対する殺傷効果は喉から手が出るほどほしいデータだった。

フランスは太平洋のムルロア環礁周辺の住民、ソ連はセミパラチンスクの原爆実験場周辺で癌により亡くなる住民を詳細に調べている。中国は、爆発直後でも通常の軍事行動ができるとの宣伝映画を撮るため、爆心地で騎兵隊を疾駆させ被曝させた。

各国とも自国民がたとえ被爆しても原爆効果のデータを全力で集めた。しかし、そんな機密は決して外に漏らさないし、被曝した患者にさえ説明することはない。

日本の連合国軍総司令部も原爆に関する報道を禁止している。ニューヨークタイムズは次のように報じた。

「アメリカ陸軍の調査団によると被爆一カ月後の広島で放射能は検出されなかった」

実際は、モリソン博士等が強い放射能を検出した旨、報告している。彼は広島や長崎の惨状をその目で見て原爆の罪深さに慄(おのの)いた。アメリカに帰国後、朝永や湯川と共に反核運動を始める。

やがて、米軍による技術調査が日本各地で始まった。カール・コンプトン博士（この時マサチューセッツ工科大学総長）が理研に到着する。カール・コンプトンは、あのアーサー・コンプトンの兄であるから、仁科のことをよく知っていたが、昔の研究の話など口にしない。仁科も調査を受ける側であるから、学問の話はしなかった。コンプトン等は研究棟を一周りし、通り一遍の質問をしただけで去っていった。

ところが、その後でやってきたアメリカ陸軍の実行部隊は有無を言わさずサイクロトロンを引きずり出し、東京湾の深い所に沈めた。原爆を作れるからとの理由だった。

仁科は、サイクロトロンがなくなってガランとした部屋にしゃがみこみ、何時間も床を見つめていた。雄一郎は言う。

「父は家に帰っても何もしゃべらず沈んでいました。あれが父の寿命を縮めた気がします」

サイクロトロンでは一発の原爆もできないことは専門家なら常識だ。コンプトンも報告書でそのような行為は有害であると述べている。ローレンスはその時イギリスにいたが、すぐ陸軍に抗議した。

仁科はローレンスに報告する。

「あなたのご親切により建設することができた六〇インチのサイクロトロンは、不幸にして太平洋の海中深く永遠に沈められてしまいました。私たちのサイクロトロンは、ただ壊されるために生まれてきたのです。なぜなら、戦争のためにほとんど利用することができなかったからです」

野蛮な行為としてアメリカ本国でも大問題になる。マッカーサーは弁明し、本国の陸軍省に責任があると主張した。たしかに、アメリカ本土の原爆開発担当者が科学的根拠もなく出した指示がきっかけになっていた。この愚を繰り返さないために、マッカーサーの顧問として物理学者のハリー・C・ケリー博士が日本に派遣されてくる。

まもなく、理研本体は解散を命じられた。日産などと同様、戦争に協力した新興コンツェルンとして扱われた。実際、戦争中理研は大きく成長し、多数の関連企業を抱えていた。

たとえば、田中角栄は彼一流の心配りと馬力を武器に、田中土建工業と理研化学を指揮している。彼は朝鮮に進出して理研の建物を建設したり、コハク酸など化学薬品を生産していた。現在のリコー、理研ビタミン、岡本ゴム、後の科研製薬も、理研に由来する。

学者の会社経営

理研は純民間会社の科学研究所（略称「科研」）になり、仁科が社長になる。この頃、故郷岡山の姪（めい）が仁科に聞いている。

「叔父（おじ）さんは本当に秀才ですね」

彼は答えた。

「僕は頭が良いのではない。ただ努力しただけだ。人生は努力だ」

会社はビジネス重視になったが、サイクロトロンの再建計画もゆっくりではあるが進む。ローレンスが励ましの手紙をよこした。[32]

仁科教授殿
先生が定期刊行物の入手に困っておられることを知りましたので、『フィジカル・レヴュー』、『現代物理学レヴュー』および『科学装置レヴュー』を一年あるいはそれ以上（国際的な交換ができるようになるまで）お送りするよう手配しました。
ケリー博士は現在日本で物資が不足していると話していました。別便で箱入りのタバコを送ります。貴方が吸われないにしてもタバコの好きな友達や同僚がおられるでしょうから。

敬具
アーネスト・オー・ローレンス
一九四六年一〇月三一日

三つの国際雑誌はいずれも代表的な物理学雑誌であるが、昭和一六年（一九四一）

一月から日本に対し禁輸になっていた。

昭和二四年（一九四九）、コペンハーゲンで国際学術連合会議が開かれた。仁科は日本学術会議を代表し戦後初めて参加する。ボーアが招待していた。総司令部科学技術部長のケリー博士も仁科を尊敬するようになっていて、その財政的支援をとりつけた。

その頃、マルグレーテからも手紙が届いている。[32]

一九五〇年一二月一七日

仁科博士

もしヨーロッパのどこかに来られることがあれば、旅程の最後にコペンハーゲンを含めてくださいね。いついらして滞在して下さっても良いのですよ。

先日、コロンビア大学のラビ教授と夫人が来られ、貴方の二人の息子さんが立派な若者になっておられると仰ってました。お一人は物理学を学んでおられるんですって？　それならしばらくこちらに寄こされませんか。

奥様が健勝に過ごされることを祈っております。私どもはあなたや皆さんのことをいつも思い出しております。

マルグレーテ・ボーア

〝仁科の長男が物理を専攻〟とあるが、次男も物理に進んでいる。その後、長男雄一郎は東北大学金属材料研究所教授、次男浩二郎は名古屋大学原子力工学科教授になった。

一方、ボーアの四男は核の内部運動と構造に関する業績によりノーベル賞を受賞している。ボーア一家は親子でノーベル賞に輝いた。

文中のラビ教授という人は、仁科がボーアのところに留学していた時の仲間である。戦前、日本の核物理学者が相談のためローレンス（カリフォルニア）を訪問した時の話をしたが、その時、ローレンスはコロンビア大学も訪ねるようにアドバイスした。ニューヨークに足をのばした日本人物理学者に、ラビはコロンビア大学のサイクロトロンを見せている。そのおかげで彼らは帰国して設計図を引くことができた。なお、ラビ教授は、この手紙が書かれた翌年仁科の弟子湯川をコロンビア大学に呼んだ。

ここで触れられている仁科夫人は病に伏せがちで、逗子（ずし）の実家（父親は名和（なわ）又八郎（またはちろう）海軍大将で、南北朝時代の武将名和長年（ながとし）の末裔（まつえい））に戻っていた。

苦境

戦前、理研は一〇〇〇名を大きく超える所員を擁していたが、科研になってからは七〇〇名程に減った。それでも、科研はヒット商品を連発する。戦争前日本が開発できなかったペニシリンの市販化にも成功する。電気化学部門はアルマイトを開発した。これはアルミニウムを表面処理して錆びにくくしたもので、弁当箱などとしてよく売れた。

さらに、鈴木梅太郎等はタラの肝油の中にビタミンAが大量に含まれていることを発見し、「理研ビタミン」として売り出した。次いで、オリザニン、ついには合成酒の製造販売で成功している。

ところが、年々決算は悪化し、実際のところ社員とその家族の生活を守るのは並大抵ではなかった。どこからも助けを受けずに研究所が研究と営利を両立させるのは不可能に近かった。

仁科には好きな研究も許されず、ビジネスのことでいつも頭がいっぱいだった。消耗しているのは明らかで、昭和二五年（一九五〇）一一月末、体調不良をうったえる。理研時代に部下だった武見太郎（後に日本医師会会長）の診察を受けた。武見は肝臓癌と思ったが伏せた。[29]

年も押し詰まって、カリフォルニアではライナス・ポーリングがお見舞いを書いていた。[32][34]

仁科芳雄博士殿
御病気だと知って、心配です。良い年をお迎えになるよう、そして一刻も早く回復されるよう心から望んでいます。
二〇年以上も前ですが、コペンハーゲンで一緒だったこと、そしてここパサデナを訪ねて下さったことをしきりに思い出します。楽しかったですね。奥様に宜しくお伝えください。
ライナス・ポーリング

一九五〇―一二―二八

明けて一月一〇日、仁科は息を引き取る。ポーリングからの手紙は間に合わなかった。

なお、彼の病状を心配していた長岡半太郎も同時期倒れている。病に伏したのは仁科の後だったが、彼より一月前に亡くなり仁科には隠されていた。長岡は八五歳の天寿に達していたが、仁科は還暦に届いたばかりだった。

科研は東京郊外の多磨霊園にお墓を用意する。この霊園は中央線の武蔵小金井駅からバスで一〇分ほどの所にある。

仁科の墓は「日本原子物理学の父」にしてはまわりとあまりかわりばえしない。しかし、大きな石塔には吉田茂元首相によって彼の名前が揮毫され、その両脇に自然石の石碑を従えている。右側の石には、武見太郎によって「朝永振一郎　師とともに眠る」と記してある。朝永の分骨が納められているのだ。左側の石は、茅誠司の書によってケリー博士が眠っていることを示している。

ケリーは帰国後、全米科学財団やノースカロライナ大学の理事、日米科学協力委員会の共同議長も務め、日本のために尽くした。一九七六年に亡くなったが、家族のたっての望みで分骨がここに納められている。規則にやかましい都営墓地で、三人が一緒に眠るのは異例だ。

二人は勉強していますか

仁科が逝って四カ月後、突然ローレンスが羽田に降り立つ。すぐ科研を訪ねた。実験室を見たいと言ったが、そこに加速器はない。ローレンスは倉庫の家捜しを始めた。所員は何事かと思ったが、ローレンスは電磁石を見つけて言う。

「これは使えますよ」

それは、前にサイクロトロンを作った時の予備だった。

仁科とローレンスは、製作費を安くあげるために一緒に電磁石を作ったこともある。[34]

だから、仁科研究室の事情もよく知っていた。翌日も、科研で朝永振一郎および加速器の専門家と懇談する。加速器の再建プランを聞き、彼は言った。「そんな大きなものではなく、小さなサイクロトロンでも良いから一刻も早く作って実験にとりかかった方がよいですよ」。

仁科の秘書横山すみが、まだ学生だった仁科の息子二人をローレンスに紹介した。科研を辞する時、ローレンスは彼女にたずねた。[6]

「雄一郎と浩二郎は勉強していますか」

父親が息子の学業を気づかっているみたいだった。

仁科とはカリフォルニアに訪ねてくれて一度会っただけだが、亡き友のためだったら何でもやろうと思っていた。

彼は輝くような笑顔と華やかな雰囲気を振りまく。背が高くて金髪碧眼、カリフォルニアに帰ればスポーツカーを飛ばすが、アメリカの核計画を指揮するトップでもあった。

今回もビキニの水爆実験を視察した後で日本に足をのばした。科研では実験家らしく颯爽と動きまわる。彼はテキパキと工夫のこもったアドバイスを科研の研究者にしていた。

科研を辞去してから、ローレンスはケリー博士のオフィスに電話している。科研に

ローレンスと横山すみ
左から朝永振一郎，阪谷稀一，仁科浩二郎，ローレンス，横山すみ，矢崎為一，田島英三，玉木英彦，杉本朝雄

残されている、使える部品を細々と報告すると共に、サイクロトロン再建のために面倒をみてやってくれとたのんでいた。すみは、仁科にかわり、彼にとって最も大事な人に礼状を出す。[32]

ローレンス先生
　日本をお発ちになってからまだ数時間しか経っていないのに、私共はもう先生の次のご来訪のことを考えています。仁科の子供たち雄一郎と浩二郎も、アメリカにお帰りになったと聞いて本当にがっかりしております。
　どうぞもう一度おいで下さ

い。喜んでいただけるような、いくつかの場所に御案内したいと考えております。もし私が最高司令官のリッジウエー大将だったら、再びお出かけ下さるよう命令を出すでしょうに！

横山すみ

リッジウエー大将というのは、マッカーサーの後任のアメリカ駐留軍総司令官のことである。

ラジオアイソトープ

横山すみという人は敦賀（つるが）（福井県）のお寺に生まれたが、中学生の時父親が長崎の窯業（ようぎょう）試験所に勤めることになり、家族で長崎に引っ越した。

長崎の活水高等女学校から東京の聖心女子専門学校の英文科に進学した。第二外国語のフランス語も好きになり、聖路加病院のシップ社会事業部長の秘書になった時は二カ国語をあやつれるようになっていた。

その後部長が帰国し、仁科研究室にひきぬかれる。仁科には外国からの手紙が多かった。それに対する返事は彼女が書いた。部長の間で仲違（なかたが）いが起こるとそれを上手（うま）くおさめた。

昔、日本では秘書や看護婦が上司の家庭のために働くことも多かった。すみは病気がちな仁科夫人に代わり、息子二人の着る物や食べる物まで面倒をみる。

彼女は研究棟の二階の一〇畳ほどのスペースに疎開用に残っていた畳を敷きつめた。そこに小学生の二人と住み、独身の彼女が母親の役目をはたした。

理研は戦前からサイクロトロンを使って放射性物質を作り、その研究応用への道を開いた。日本における放射性物質の学問も研究者も制度（日本アイソトープ協会）も、仁科芳雄が理研を基地にして育てたのである。

科学研究に放射性物質は欠かせない。病院でも診断や治療のために今やなくてはならない存在だ。

仁科は生前、放射性物質をアメリカから輸入したことがある。戦後もこころみたが、戦略物資にもひとしい放射性物質を手に入れるのは容易でなかった。

放射性物質を輸入するとなると国家機関が扱いそうなものだ。しかし、高度の専門知識が必要なため、科学者が動くしかなかった。仁科はアイソトープを輸入する任意団体を計画する。[29]死の四カ月後、法人がスタートした。横山すみがその日本アイソトープ協会の事務局長代理を務める。

科学研究用の放射性物質は今でもほとんどを海外メーカーから入手する。アメリカとイギリスの二社が圧倒的な数の放射性物質をそろえている。さらに医療用もふくめ、海外メーカーが国際的なネットワークで製造している。

最初は加速器で発生させた中性子でアイソトープを作っていた。しかし、原子炉の中性子の方がはるかに強力だ。ただし、日本の原子炉は発電用か研究教育用にかぎられている。欧米にはアイソトープ生産専用の原子炉がある。高濃縮のウランを燃やす特殊な原子炉である。すみは一人でそういった海外メーカーと交渉した。

メーカーとはいっても相手は科学者出身が多い。彼女は初めての手紙でも科学者の友人のように語りかけた。受け取った相手はフレンドリーな温かさを感じる。彼女の手紙にはすぐ色よい返事がきた。

彼女は飛行機が苦手で外国に行ったことはない。しかし、理研への訪問者はもとより、手紙だけで彼女に魅了された外国人が多かった。コロンビア大学のラビ教授やフランスのアイソトープ関係者も、相手が日本人だと、よく質問した。

「横山さんは元気ですか？」

敦賀の女(ひと)

今でも日本の大学や病院は放射性物質を購入する時、横山すみが切りひらいたルートのお世話になっている。しかし、当時はたびたび問題も起こっている。たとえば、協会で受けとった放射性物質を研究者が電車の網棚(あみだな)に置き忘れ世間を騒がせた（今は納入業者が研究室に直接届ける）。そんな類の厄介事にも彼女は逃げなかった。正面から引き受け、亡きボスの遺志を懸命になって守った。

晩年になっても彼女だけは顧問として毎日協会に顔を出す。しかし、平成四年（一九九二）頃から歩きにくくなった。慶應病院の精密検査でパーキンソン病であることが判明する。武見太郎がアドバイスした。

「飯は山王病院が一番うまいぞ」

入院先は東京大森のその病院になった。

職員に集まってもらって最後の挨拶をする。独身の彼女は、理研時代から信頼していた柴田隆三（技術）に全財産の貯金通帳をあずけ、これからの支払いなど一切をお願いした。その後、療養の目的で韮山温泉病院（静岡）に転院している。

サイクロトロンの話に戻る。戦後初のサイクロトロンは一年で完成した。その後、米軍が破棄した各大学のサイクロトロンを含め、阪大、京大、東大、東北大と建設が続く。これら大学のものにくらべたら、理研で復活したサイクロトロンはまことに小さなものだった。あの東京湾に沈められたものの半分にもならない。しかし、日本のセンターとなり、生物学、医学、農業、そしてトレーサー製造のために奮闘した。

衆議院商工委員長になっていた田中角栄の努力もあり、昭和三三年（一九五八）、理研が復活し、その後東京から埼玉県和光市に移転する。敷地は駒込の五倍、約七万坪に拡大した。

平成一五年（二〇〇三）にはそこに二四〇〇トンの巨大なサイクロトロンが完成する。ローレンスが再建に心をくだいてくれた、あの小さなサイクロトロンは新しい理研の庭の片隅に展示され、今木々に囲まれて静かに休息している。

平成一〇年（一九九八）一一月八日、横山すみが亡くなる。柴田は彼女から受け取っていたリストにしたがって死去をしらせた。最初に韮山にかけつけたのは仁科雄一郎だった。

柴田は退院の手続きをしてから、彼女の亡骸（なきがら）を敦賀までエスコートする。実家は長姉が守っていた。二組の姉夫婦と東京の関係者があつまり、父母の眠る市内の平和浄苑に葬られた。

第6章　野口英世を抱きしめて

人生の罠（わな）

政子へ
　愚かにして気弱なる夫を怒る事勿（なか）れ
　吾　吾が罪を知る。敗れてゆく自分を
　罵り給うな。困難なる此（この）冬を　どうか
　どうか頑張って呉れ

政子へ　子供たちへ
　愚かなる夫　卑怯なる父を
　憐れんで　最后迄　生き抜いて
　呉れ

政子へ

方眼紙の上に涙が落ち、一〇行ほどの叫びが蒼く滲んだ。[35]

港区白金台の東京帝国大学伝染病研究所で岡本啓助教授は涙も拭かず窓の方に目をやる。五月の大空襲で東京は一木一草に至るまで焼き払われ、伝研からは目黒駅の辺りまで望めた。戦争に負けるとは、こういうことだったのか。

米兵が間もなくこの伝研にもやってくる。自分たちは断罪されるだろう。同僚が恐怖を感じるのはもっともだ。

先ほどの集まりでは、同僚たちからきびしくつるし上げられた。[6] 彼らを軍の研究に引き込んだのは確かに自分だ。自身も人体実験に手を汚した。あの中国人にも愛しい家族がいたであろう。本当に取り返しがつかない。

教授がせっかく軍医学校の誘いを断ってくれたのに、自分から地獄の扉を開けた。義兄に誘われたとはいえ、すべての責任は自分にある。判断を誤った、精神の弱い自分にある。中国でのことは、家族にも話せない。

自分のやったことは白日の下に曝される。いや、そんなことよりやはり責任を取ろう。母は自分の死を知ってどう思われるだろうか。でも、必ず察してくれるはずだ。北里柴三郎や野口英世にあこがれ懸命にこの道を歩いてきた。どこから道を踏み間違えたのか。

医者の自裁にはためらいも失敗もない。彼は消毒用アルコールを薄めて一気に飲みほし、ゆっくり確実にガス栓をひねった。

敗戦直後から軍人の自決が相次いでいた。阿南惟幾陸軍大臣は、終戦前日、御前会議で降伏受諾の聖断をあおぎ、ただちに責任を取ろうと決める。

天皇は陸軍をおさえて国民を守ろうとしていた。しかし、陸軍将校グループが結束してクーデターに動く。彼らは本土決戦に持ち込むため、まず阿南を辞職させ内閣をつぶそうとした。しかし、阿南は仁王立ちで叫んだ。

「どうしてもやるというなら、俺の屍を越えて行け」

旧東京帝国大学伝染病研究所
現存。白い玄関の向かって左側の半地下1階が岡本助教授の研究室だった。その玄関の上の2階が田宮所長室。

乃木将軍を尊敬する阿南は、その夜乃木にならって介錯も借りず割腹自刃した。

翌朝、将校グループは、近衛師団本部（現在の東京国立近代美術館分室）を強襲した。クーデターに協力しようとしない森赳第一師団長に発砲し次いで軍刀で止めをさす。そのあと彼らは宮城占拠にも天皇の国民向け放送阻止にも失敗し、皇居の芝生の上で自決した。

近衛師団本部の講堂には、阿南とその二人の将校の柩が並べられる。日本の一番長い一日が終わった。

杉山元陸軍大将は戦争中捕虜を殺すなど無茶苦茶だったが、戦争が終わるとのらりくらり日々をすごしていた。妻に諭され、部下にピストルの使い方をきき、ようやく胸を撃ち抜いたのは岡本の死の翌日だった。夫人の方は、夫の死を確認した後、胸を突く。国防婦人会を主導した責任をとったのだ。

東京裁判では唯一の文民広田弘毅（元首相、元外相）が死刑判決を受けている。外交官だった彼は戦争を避けるべく孤軍奮闘していたが、法廷では一切弁明をしなかった。

妻静子は夫の意をすぐに察知した。何度か独り言のようにつぶやく。

「お父様を楽にして差し上げることができるのよ」

あの世で夫を迎えられるように毒を仰いだ。彼女は玄洋社（第I部第3章）社員の娘であった[36]。

元首相の近衛文麿も年末に服毒自殺している。

東條英機は、天皇の名の下に何万もの兵隊に自死を強制している。

「生きて虜囚の辱めを受けず」

九月一一日、アメリカの憲兵が逮捕に来た時、彼は自室に戻りピストルで腹を撃った。しかし、助け起こした朝日新聞の記者に話すことができた。

「一発で死にたかった。時間を要したことを遺憾(いかん)に思う」

すぐに回復し、アメリカ軍に捕らわれる。

武人のトップが腹などを撃って自決すらできなかった。国民とマスコミは彼を軽蔑した。

その三日後、九月一五日の新聞一面は、二人の医学者の自決を写真つきで報じている。橋田邦彦前文部大臣と小泉親彦(ちかひこ)前厚生大臣だ。二人は東大医学部の同級生で、共に近衛、東條の内閣で閣僚を務めていた。

橋田は東大の生理学教授から文部大臣になっている。岡本も橋田の授業を受けたことがある。橋田は連合軍司令部から戦犯容疑者のリストに挙げられていた。九月一四日、住所地を管轄する警察の署長が自宅に訪ねてきた。彼はトイレで青酸カリを飲み、玄関に出てきたところで、「アー」と呻(うめ)いてのけぞった。署長の腕の中で絶命する。[35]

小泉の方は陸軍軍医学校に勤め、毒ガスなど化学兵器の開発指導にあたったが、進駐軍から出頭を求められた直後に自刃した。

サイエンスエリート

二〇世紀最後の年、朝日新聞社は好きな日本人科学者の人気投票を募(つの)ったが、野口英世が圧倒的な一番人気だった。故郷会津の小学生は誰でも「野口英世の歌」を歌える。福島県の大概の小学生は猪苗代湖畔にある野口英世記念館をおとずれる。東北の、たとえば仙台からでも連日小学生がバスをつらねて見学に来ている。

岡本助教授も野口英世にあこがれ日本細菌学のフロントランナーになった。彼自身コレラ菌に関しては日本のナンバーワンになる。私も大学院時代細菌の研究をやったことがある。岡本の論文を読んでみたくて図書館に向かった。

しかし、戦争中の和雑誌など今さら誰も読まない。その粗末な雑誌は書棚にも並べられず、暗い書庫の奥の簀の子の上に積まれていた。半世紀を越えて一度も開かれることなく、ほこりだらけの黄色く変色した雑誌を開けると、初々しいほどの岡本助教授が紙背から立ち現れ、生真面目に自分の研究を説明し始めた。

彼は金沢一中（現在の金沢泉丘高校）から東京の青山学院に進んでいる。次いで、東大の医学部に進学した。典型的な秀才コースだが、決してガリ勉ではなかった。どのクラスメートにも、優しい思い出を残している。

卒業後、大学の伝染病研究所の助手として細菌学の研究をスタートする。日本トップクラスの田宮猛雄研究室（第二研究部）に所属した。

一方、日本陸軍は戦争中、世界最大規模の細菌戦研究を行っている。その中枢は陸軍軍医学校（新宿区戸山。現在の国立感染症研究所。早大文学部に隣接）の防疫研究室にあった。その実働部隊は旧満州（現中国東北部）ハルビン郊外の七三一部隊を筆頭に、中国とシンガポールに全部で五つあった。七三一部隊は昭和一一年（一九三六）にスタートし、研究だけでなく人体実験もやったし作戦にも出動した。各部隊とも日本全国から研究者を募り、従事者は一〇〇〇名を超える大部隊だった。

その源淵は京都大学にある。京大出身の陸軍軍医石井四郎（現在の県立千葉高校出身）がこの秘密部隊を作った。彼は医学部を首席で卒業し、母校で若い研究者を募る。病理学講座からは石川太刀雄丸（たちおまる）助教授が七三一部隊に赴いた。石川日出鶴丸（ひでつるまる）教授（第Ⅲ部第8章）の子息だ。

石川助教授は中国で、中国人やロシア人スパイに色々な細菌や毒物を試した。彼らは特移扱いといって裁判なしで送られてきた。憲兵も警官も、彼らが二度と生きて戻れないことは知っている。

石川はペスト、コレラ、破傷風（はしょうふう）、赤痢、チフスなど約二〇種の細菌を試した。毒物も考えられる限りテストしている。[37] このようにして、八〇〇人を犠牲にして八〇〇〇枚のスライド標本を作製した。死体は証拠が残らぬようボイラーで骨も灰になるまで焼かれた。旧満州のある知識階層は、息子が政治思想犯として日本の憲兵に引っ張られたが、半世紀経っても消息を求め続けていた。

博士論文

日本の医学部には生理学講座が二つあって教授が二人いる。生理学で扱う分野は、脳神経、循環、呼吸、体温、消化、筋肉、ホルモン、生殖、尿、感覚など大変広い。二人の教授が手分けして教えるのである。京大の石川日出鶴丸教授は二人目の教授として正路倫之助(しょうじりんのすけ)を招いた。

石川は脳神経が専門だが、正路の方はたとえばパラシュートで飛行機から飛び出してどのくらい耐えられるかとか寒冷の中シャツだけでどれくらい働けるか、といった軍陣医学が専門だった。現在は環境生理学と名前を変えている。

正路教授は、石井の求めに応じて助教授の吉村寿人(ひさと)を満州(七三一部隊)に派遣する。吉村は子供に凍傷の実験を行った。戦後批判されると反論する。

「細菌実験と違って命を奪ったわけではない」

研究者は、大学を移ると新しい教室員に、以前自分が取り組んでいた研究をやらせることが多い。それが部下の博士論文にもなる。吉村助教授は戦後京都府立医大に栄転し、満州のデータを基に何人もの医学博士を作った。

戦後、ジャーナリストが七三一部隊での活動について吉村を追及すると、「私も一度は正路先生の指示を断ったんだが、言うことを聞けないなら破門するとまで言われた」と弁明している。

何度か批判されたが吉村に反省はなく、居直るだけだった。業績としては、彼は日本で初めてガラス電極を実用化し色々な体液のpHを測定した。戦後、日本生理学会の幹部になり、京都府立医大の学長にまで上り詰めている。

なお、正路教授は後に吉村に謝罪している。

「嫌がる君を無理やり満州へ送り、君や君のご家族を追い詰めたことは、自分の大変な誤りだった」

話を戦前に戻すと、豪放磊落な石井四郎は医学界のボスたちに気に入られた。積極的に取り入って京大の荒木寅三郎学長（医化学）のお嬢さんと結婚した。彼は部下を連れ七三一部隊で撮影した映画を持って各地の医学部を回っている。母校の京大は特に熱狂的に歓迎してくれた。教官の一人は興奮のあまり口走る。

「医科は兵科でなければならない。人を殺すことを考えなければならない！」

当時京大の大学院生だった日野原重明（元聖路加病院理事長）も石井の映画を観ている。捕虜に腸チフス、ペスト、コレラなど、伝染病の病原体を感染させてから死亡するまでを記録したものであったが、見るに忍びない映像に鳥肌が立った[38]。

石井は、東大にもリクルートに行った。小泉親彦が紹介の労をとっていた。特に伝研所長の田宮猛雄教授の下には岡本助教授がいた。コレラ菌の専門家であるからぜひほしい。しかし、田宮からは軽くあしらわれる。

後に日本医師会会長を務める田宮と石井とでは器が違いすぎた。田宮猛雄の弟博は戦後光合成の研究により、生物学界の重鎮になっている。息子の信雄（後に東北大教授）も蛇毒の研究で生化学の権威になった。田宮一族は学界におけるエリート中のエリートであり、物欲しげにうさんくさい話に乗るような学者ではなかった。

それでも、石井には意外なルートがあった。右腕ともいうべき部下の増田知貞が、岡本と同じ金沢一中出身で、岡本の姉と四回目の結婚をしていたのだ。

石井に代わり、増田が岡本助教授に近づく。一方、岡本にとって増田は中学の先輩であり姉の嫁ぎ先でもある。自分から義兄の話を聞き、専門の話ができて楽しかった。増田を信用し緻密な彼を尊敬するようになる。

戦争に組み込まれ

当時、医師に限らず科学者の多くが軍の研究に従事していた。理研の仁科芳雄は陸軍の第七研究所に組み込まれた。そこで彼は原子爆弾の開発を指導し「ニ号研究」を進めた。このニ号は仁科の「ニ」である。

ウラン鉱石も山から掘り出しただけでは色々な不純物を含んでいる。まず鉱石からウランだけを取り出す。具体的には、フッ素と化合させて六弗化ウランの形で抽出する。しかし、フッ素で装置がボロボロになり、日本ではウランとしては一五〇グラムしか作れなかった。

第4章で説明したとおり、爆発させるには微量成分であるウラン二三五（核分裂できる）を濃縮する必要がある。しかし、元は九九パーセント以上が爆発しないウラン二三八であり、わずかに軽いウラン二三五だけを分離濃縮するのは極めて難しい。

しかも、日本では理研と大学とを合わせて、濃縮に直接たずさわる研究者は数人にすぎなかった。そのほとんどが学生である上に停電のためなかなか進まない。結局出来たのは切手一枚ほどで、それは濃縮されていなかった。

一方、海軍は原爆開発を荒勝文策教授（京大）に依頼した。その下で、湯川秀樹は最低どれくらいの量のウラン二三五が必要か、いわゆる臨界量を理論的に算出していた。

海軍は関東では朝永振一郎を含む東大と東京文理大（後に東京教育大、現在の筑波大）の物理学者を集める。こちらのグループは島田（静岡）でレーダー開発に従事したが、世界中がその特殊な電波を人を焼き殺す武器と思っていた。物理学者さえもが訳もわからず「殺人光線」とか「怪力光線」などと噂していた。

レーダーはマイクロウエーブ（極超短波）と称する電波を発射するが、世界的第一人者である八木秀次（東北大）は、世間に対して「殺人光線」といった与太話をハッキリ否定している。

確かに電子レンジのような狭い空間ならマイクロウエーブで食品を熱することができる。しかし、レーダーは電波を外に放つから照射されても人間が感じることさえできない。

マイクロウエーブはマグネトロンと称する真空管で発生させる。しかし、マイクロウエーブはパワーが弱いので、導波管という金属製の筒の中をロスなく発信アンテナまで導かねばならない。となると、導波管に最適の形状があると思われる。

朝永はドイツのハイゼンベルク教授のところに留学したが、戦争がはじまり二年ほどで帰国していた。

島田にいた朝永の所に、ハイゼンベルク先生からUボートで論文が送られてくる。量子力学で使われるS行列に関するものであった。朝永はその数学手法を利用して導波管をどんな形にしたら良いか明らかにすることができた。

なお、朝永はマグネトロンが電波を効率良く出すための条件も完全に把握する。これは現在電子レンジに使われているので、みんな「チン」する時に朝永のお世話になっている。

余談だが、二〇年後に朝永はアメリカのシュウィンガーらと共にノーベル賞をもらう(第Ⅲ部第12章)が、戦争中シュウィンガーもマグネトロンの動作条件を数学的に解いていた。

なお、陸軍も関西でレーダーの研究を進めている。東京から関西の宝塚に疎開していた第五技術研究所が中心だった。マグネトロンを発明した岡部金次郎（阪大）や伏見康治（こうじ）（阪大）ら関西の研究者を集めたが、東大をくりあげ卒業で軍に召集された南部陽一郎（第Ⅴ部）の顔も見られた。

しかし、陸軍のレーダー研究は海軍に比べてさらに遅れていた。南部はS行列の論文を朝永の所から盗み出すよう命令される。しかし、南部が朝永に依頼するだけでその論文は送られてきた。

ようやくレーダーまがいができた。宝塚の丘の上から沖合いの船に向かってマイクロウエーブを発射した。その船には太い金属の棒がのせられていた。マイクロウエーブは反射されて戻ってくるか。船の上の金属棒は肉眼でハッキリ見えるのに、彼らのレーダーには何も映らなかった。

抵抗

細菌戦部隊の話に戻ろう。七三一部隊ではたとえば、水だけでどれくらい生き延びられるか実験した。「マルタ」（中国人捕虜をこう呼んでいた）は水道水だと四五日生きたが、ミネラルを含まない蒸留水では三三日で死んだ[35]。

また、池田苗夫という軍医中佐がいたが、彼は満州北部で日本にはない風土病を見出した。その伝染病に石井が「流行性出血熱」と命名する。中佐は、患者の血液を中国人に接種して流行性出血熱を発症させた。

後にその論文で新潟大学から学位を得る。戦後大阪で開業したが、自分の特許のようにこの病気に関して誇らし気に雑誌に投稿している。その際、過去の研究場所を「元関東軍防疫給水部」と躊躇なく記した。

しかし、満州の七三一部隊だけでは中国はあまりに広大だ。石井は昭和一二年（一九三七）、国民政府の首都であった南京に、支隊である中支那防疫給水部（栄第一六四四部隊）を置いた。

岡本助教授が初めてこの通称「多摩部隊」を訪れたのは昭和一五年（一九四〇）である。増田が部隊長になっており、岡本は姉の嫁ぎ先に同行したというわけだが、実験協力も兼ねていた。

作戦で使うには細菌を人工的に増やさねばならない。次いで、その細菌に十分な毒性があるか調べるため、中国人に無理やり飲ませている。

岡本は一番仲の良かった、すぐ上の姉章子にはすべてを話した。増田に嫁いだ姉には何もしゃべっていないが、その姉も薄々気づいていた。

岡本の方はそんな仕事と手を切りたかった。しかし、陸軍はそれを許さない。協力しないなら、二等兵として前線に送ると脅した。

実際、当時は懲罰召集により多くの重要人物が前線に送られている。特に、東條英機は自分に反対する大物を七〇人も前線に送って報復した。

こんな科学者がいた

戦争当時、満州、台湾、中国、インドネシアなど日本が侵略した国の中心的な医学部は日本人が牛耳っていた。そして、現地の学生と多くの日本人学生をも教育していた。

北京大学の横山正松（医学部生理学講座）は、昭和一九年（一九四四）助手から副教授に昇進する。消化器が専門で、腹窓法と称する観察方法で世界的な業績を上げていた。[39] それまでお腹の中の様子は知るよしもなかったが、犬の腹に手術してセルロイドの窓を縫い付け、腸の動きを外から観察分析できるようにした。

昭和二〇年（一九四五）二月一〇日、命令により北支那防疫給水部北京分隊に入隊したところ、部隊長の西村英二大佐が現れて依頼する。[40]

「先生の腹窓法で腹部貫通銃創について研究してくれませんか」

当時、戦死の最大の原因は腹を撃たれて腸の中の消化物が起こす腹膜炎であった。そこで、捕虜の中国人の腹を撃って、腹膜炎にならぬような治療を考えろとの軍務命令だった。

この数日前に突然横山に召集令状が届いていた。横山は怪訝な気持ちに襲われたが、彼の言葉で飲み込めた。西村がすべてを仕組んでいたのだ。

しかし、横山は他の医師とは違っていた。新潟の小千谷の農家に生まれ、毎年父親が収穫の半分を地主に奪われるのを見て育った。彼は即座に西村の命令を断る。

「せっかくのお話ではありますが、私は全くの基礎の研究者ですからそのような臨床のお役に立つとはとても思えません」

西村の顔から一瞬で血の気が引いた。

「違命は怖いぞ！」

彼はそう言い捨て、ドアを蹴って出ていった。数日して改めて命令をうけたが、その出頭先は最初に告げられていた北支那防疫給水部（甲第一八五五部隊、北京市天壇公園脇）からはるかに離れた、最前線の河南省（中支）に変わっていた。

懲罰召集になってしまったが、軍法会議にかけられなかっただけでも幸運だった。妻子の顔を見るのに一晩だけ帰宅をゆるされる。

終戦を迎えた時、妻と生まれたばかりの娘は一〇〇〇キロ離れた北京にいた。彼は家族に向かって歩きはじめる。しかし、軍服のままでは危ないといわれ、チャイナ服に変装した。

秋は駆け足で去り、厳寒の中国大陸をどこまでも歩き続ける。[41] 行く先々で病人を手当てし食べ物をもらった。彼の診療は温かく丁寧だった。ある村では長老が彼を引きとめる。

「嫁を三人用意するから留まってください」[40]

四ヵ月経った一二月一〇日、北京にたどり着いた。妻子と感激の再会を果たして二週間後、在留日本人全員が集結させられる。帰国部隊が編成され、横山は部隊長になった。

天津からアメリカの戦車揚陸艦（LST）に乗りこみ、九州をめざす。船は強襲上陸用の平底構造ゆえ揺れがひどかった。さらに、結核で亡くなる人が多く、彼はその水葬を指揮して毎日クタクタになる。厳寒の北京を出発してから五ヵ月、佐世保に上陸した時はすでに初夏の気配がしていた。

しかし、航海中に感染したらしく、すぐに結核の隔離病棟に入れられる。ようやく退院し、福島県立女子医専（現在の福島県立医大）の生理学教授に就任した。

久しぶりに研究にもどり、腸の中のアウエルバッハ神経叢が腸の蠕動運動を引き起こすメカニズムを明らかにし、ドイツに招かれる。

彼はフランクフルトの町を和服で歩いた。車が彼のそばで速度を落とし、運転手が手を振りながら声をかける。

「ヤーパナー（日本人）！　ヤーパナー（日本人）！」

彼はドイツの学会にも袴と草履であらわれ、学会長がそのサムライの衣裳を喜んで握手を繰りかえした。

しかし、研究室では同僚との酒の付き合いに困っていた。横山は日本では酒を飲まなかったが、ドイツ人と付き合って飲兵衛に変貌する。毎夜飲んで研究室にもどり、実験机の上を片付けて横になった。しかし、朝目を覚ますと必ず机から落ちていた。

ウッド教授はたたえる。[42]

「腸管の神経生理学は横山先生が始めたものです」

定年になってから彼は意識して研究をふやした。戦争と結核とその後の病弱でずいぶん時間を無駄にした。それを取り返したいと思っていた。

医学部の若手は普通、三〇歳前に博士号を取って留学する。それなのに、六六歳になった横山がアメリカ、次いでフランスに留学した。

パリでは講演を頼まれ、フランス語で話すと言いだす。しかし、医者だからフランス語は達者でない。研究室の若くて美しい娘が面倒を見ることになった。二人は部屋にこもったきり一週間出てこない。

当日、横山の講演は圧倒的な人気で、パリジャンが口笛を吹きスタンディングオベーションをした。頼んだ教授も大喜びで横山を誉める。

「先生のフランス語はよく分かりましたよ」

彼の返事はこうだった。

「イヤー。僕は日本語も新潟訛(なま)りの東北弁だから発音が変でねー。それより、クリスチーヌと毎日朝から晩まで一緒に勉強したのが楽しかったなー」

しかし、横山にとっては、フランス人もドイツ人も、新潟の田んぼで背中を丸めて働くおばあさんも、同じ人間だった。中国人もアメリカ人も含めてみんな、横山のそんな人間性を愛した。

日本の生理学研究所（愛知県岡崎市）は、申請が通れば大学を定年になった教授でもその研究所を利用して研究を続けられる。横山も申請したが、専任の教官たちは横山の業績と豪傑ぶりに一目置いていたから彼の申請は通った。年寄りの横山は目立ったが、若い研究者から尊敬され人気があった。

福島時代の教え子の一人が結婚によりフランスの研究者になっていた。その人がある時、研究所のラウンジで先生を見かけた。先生はいつまでたってもテレビの前を離れない。彼は先生をからかった。

「ずいぶん長いことテレビを見てらっしゃいますね」

横山も切り返す[43]。

「ワッハッハ。フランス人に野球や阪神タイガースのことが分かってたまるか！」

平成二五年（二〇一三）六月、横山が亡くなってから二〇年経過していたが、妻であるムツの耳にふと夫の言葉が聞こえた。彼は、死ぬまで妻にだけくりかえし漏らしていた。

「俺は一人も人を殺さなくてよかった」

生前は医師としての感想の一つにしか聞こえなかったが、それは夫の一生で、最大の誇りであり安堵（あんど）だった。

人体実験と戦争責任

昭和一九年（一九四四）春、岡本は多摩部隊に最後の出張をし、三人の犠牲者を出す。帰国後、いつになく家族に当たった。かと思うと、ひどく落ち込んだりした。それでも陸軍は次の指示を出す。米軍が日本本土に上陸したら細菌をばら撒（ま）け。石井のアイデアだった。石井は中国で細菌の散布作戦を実行しすでに多くの市民を犠牲にしていた。

今回の作戦では日本人が確実に巻き込まれる。しかし、軍隊にとって作戦のためには自国民の生命など二の次である。実際、梅津美治郎（うめづよしじろう）参謀総長がこの作戦を止めたが、その理由は次の通り軍人第一だった。

「お前たちは犬死するな」

岡本は最後の手段で海軍に逃げ込む。その嘱託（しょくたく）になれば陸軍も手を出せない。しかし、すぐ終戦になった。

増田は日本に帰り着き、先に帰国していた石井四郎に会う。石井に青酸カリを渡し、一家で心中するよう迫った。増田はその後故郷の千葉に隠れる。石井は米軍の追及をあざむくために自らの葬式を出した。

岡本は、増田に相談しても意味はないと思った。孤独な決断に追い込まれてゆく。朝、玄関で田宮夫人が教授に彼の訃報を知らせた。教授はかすかにつぶやく。

「かわいそうなことをしたな……」

岡本の妻政子は、夫がなぜ死を選んだか理解していた。彼の葬儀は行われなかった。日本の盟友ドイツは戦争の責任をとり自己を全否定した。ドイツ国民一人一人が自分の存在理由を失った。半世紀を経ても底知れぬ喪失感に苦しむ。日本は政治家も天皇も官僚も教員も公式に責任を認めることはなかった。

昭和二七年（一九五二）、日本学術会議で若い医学者が戦争責任を総括するよう動議を提出した。学術会議会員で責任者の戸田正三（衛生学）が答える。

「軍事研究などというのはまったく意味のないものです。将来そのようなことをいう者が出てきた時は、そんな馬鹿なことは止めろと言ってやります。どうぞご安心ください」

しかし、この戸田正三こそ石井四郎の指導教授であり、京大医学部長として度々満州に足を運び七三一部隊への最大の医師供給源になっていた。公職追放が解けると、彼は金沢大学学長を四期務め、その間に大学研究者の票を集めて学術会議の会員になっていた。

敗戦濃厚となった段階で、軍部は防疫給水の全五部隊に命じている。証拠になるようなものはただちにすべて焼却するよう。しかし、石川太刀雄丸は自分が作成したスライド標本を密(ひそ)かに日本に持ち帰り、九州某地の山中に埋めた[37]。

彼は金沢大の細菌学教授に栄転する。授業では、伝染病に感染させた後の患者の変化をこと細かに説明した。それは満州でとった自分のデータだった。

学生も気づく。これは治療せずに観察した経過だ。教授は倫理的に麻痺(まひ)している。医学と医師に敬意とあこがれを持って医学部に入ったのに、その裏にどす黒い残酷なものがあった。しかし、石川の方はそんな学生の気持ちに気づくこともなく講義を続けた。

石井や増田そして内藤良一軍医大佐らが彼のスライドを取引に利用した。米ソで取り合いになったが、結局アメリカに標本を渡すのと引き換えに日本の関係者は全員罪をまぬがれる。

ただし、標本の説明がお粗末で、何のサンプルか全くわからない。そこで、米軍は石川に、一枚一枚英語で説明を付けさせた。東京裁判では、事情を知らない中国側のデビッド・サットン検事が多摩部隊を訴追しようとした。しかし、アメリカによって闇に葬られる。

製薬会社ミドリ十字の秘密

内藤は戦後抜け目なく行動している。細菌戦部隊の黒い過去はアメリカと取引して闇に葬った。戦争が終わった以上、これからは民間会社で仕事をするしかない。彼は血液銀行（日本ブラッドバンク）を発足させ輸血用血液を扱うことにした。増田ら七三一部隊の関係者三名を取締役に、厚生省薬務局長および連合国軍総司令部の関係者を顧問にした。

これが後に製薬会社のミドリ十字に変身する。人を殺す生業の人たちが薬を作り始めた。内藤自身が発明した非加熱装置が後に肝炎やエイズ血液製剤の問題を引き起こす。他にもフィブリノゲン製剤によるC型肝炎など薬害事件で多くの国民を苦しめた。

ある時、厚生省がミドリ十字に対し役人を天下りさせるよう要請してきた。拒絶したところ、申請していた認可案件を即座にはねつけられた。やむなく天下りを受け入れ、その後業界では最大の天下り先になる。ついには薬務局長が天下って社長になった。一九八八年には医療用アイソトープの販売で違反を犯す。

ミドリ十字は厚生省と密着し、反社会的な性格を徹底した。役員が有罪判決を受けても、なお犯罪を繰り返す。C型肝炎問題でも裁判所の仲裁裁定を逃れようと必死だった。厚生省は厚生労働省に変わったが、ついにはその舛添要一大臣までもが異例の会社批判をした。

ミドリ十字は吸収合併を重ね現在は田辺三菱となっている。平成二二年（二〇一〇）四月一四日、田辺三菱とその子会社バイファが薬事法違反により製造販売の業務停止命令を受ける。新製品の承認申請用データがいくつも改竄されていた。彼らは血清アルブミン製剤「メドウェイ」の副作用が弱くなるよう、薬を薄めて試験していた。

さらに、品質不適合となったサンプルを別のものと差し替えて再試験していたし、都合の良い試験成績を流用してデータを捏造していた。初代社長はミドリ十字の時から「メドウェイ」の開発担当だった。その初代と二代目の社長はこれらインチキな試験をわかっていながら黙認した。

謝罪会見でも、当時の田辺三菱社長は決まり文句と軽く一礼で済ませ、同社のコンプライアンス無視の体質は業界でも定評になった。

多磨霊園にて

岡本だけが最大の責任を取った。命をささげてから二七年経ち、ようやく法事が行われる。岡本が世を去った時、長女は一〇歳、次女は四歳だったので、事情は理解していた。しかし、母親は、一歳の長男に父親は事故死と教えていた。

長男は成人の日に真実を知らされたが、すでに東大の医学部に入っており父親と同じ道を歩む。

法事には多くの伝研の研究者も参列していたが、彼らも少なからず陸軍の研究に関係し、人体実験のデータを手に入れていたし、軍医学校から委託研究費ももらっていた。軍から強制されたというより自分たちから進んで研究協力していたことに気づく。

ただし、伝研という一研究所が国策的役割を担うのは問題が多いと進駐軍は考えた。抗血清は民間で生産することになる。

伝染病対策に関しては、昭和二二年（一九四七）伝研とは別に国立の予防衛生研究所を設置し、伝研職員の半数はそちらに移籍した。建物としては、昭和六四年（一九八九）、厚生省が管理していた旧陸軍軍医学校の跡（新宿区戸山）を利用することに決まる。石井の本拠地である。感染症を怖がる住民から反対運動が起こった。

伝研の研究部門は東京大学附属医科学研究所と名称を変えた。現在も、煉瓦造りの本館が岡本の時代と変わらず威容を誇っている。生命科学に関する日本有数の研究所に成長し、遺伝子研究など最先端を突っ走る。

ところで、昭和初期まで東京の人たちは青山や雑司ヶ谷や谷中など、江戸時代からの墓地を使っていた。いよいよ手狭になり、東京都は専門家に欧米を視察させ、郊外の武蔵小金井のほど近くに日本最大の公園墓地を造る。現在の多磨霊園である。

中央線沿線ではあったが、当時、飯田橋から汽車が数時間に一本走る時代だった。作ってはみたが、そんな不便な墓地では誰も使わない。昭和九年（一九三四）、東郷平八郎がその多磨霊園に葬られてからようやく人気がでる。

父の京太郎が東郷と同じ年に亡くなり、岡本はその時分譲されていた二一区に岡本家の墓地を購（あがな）っていた。現在も名義は変更されていないから、持ち主は岡本啓のままだ。彼の区の隣二二区には仁科芳雄が眠っている。

平成二〇年（二〇〇八）三月三〇日、多磨霊園は満開の桜があでやかな光をそこかしこに点じていた。春のお彼岸で、岡本の墓も落ち敷いていた松葉が子供たちによって片づけられ、美しい花が供えられていた。

岡本が世を去った時は、夫婦がそろっていても大変な時期である。妻の政子は国語の教師になり、独りで子供たちそして義理の母を守った。三〇年間がんばり続け、昭和五〇年（一九七五）九月一〇日に亡くなる。一番心を許していた義姉章子らが眠るこの塚におもむいた。

岡本がこの世を去ってから約八〇年経つ。長い歳月が人の営為も、思いも、記憶も、すべて静かに確実に流し去った。今は、背丈ほどの南天の木が寄り添い、松が大きな枝をただ優しく彼らの上にさしかけている。

第7章　二人でウニの卵見つめ

進駐軍への書き置き

アメリカ東海岸のニューヨーク。その北にマサチューセッツ州がある。この州はエリートが集まるアメリカの要（かなめ）であり、ハーバード大学とマサチューセッツ工科大学はアメリカにおける知の重心と言ってもよい。

　そのマサチューセッツ州はエビが跳（は）ねたような形で大西洋に突き出している。その突き出た半島、名前をケープコッドというが、訳せば「タラ岬」となる。北極海からのラブラドル寒流が流れ、タラがよく獲（と）れる。夏も涼しく、平成二五年（二〇一三）八月十日、その年もオバマ大統領一家が夏休みで半島の付け根にあるチャパキディック島マーサズ・ヴィニヤードに向かった。

　ケネディー一族の別荘もこの近くにあったが、大統領の末弟エドワードがチャパキディック島で運転中、橋から落ちて秘書を水死させ政治生命を絶たれた。大統領の息子で最後の跡継（あとつ）ぎケネディー・ジュニアもセスナ機を操縦して別荘に向かう途中、沖合いに墜落して亡くなっている。

そんな悲劇も秘めてはいるが、絵葉書のような景色が続く。青い入り江にヨットが停泊し、岬の向こうを白い雲が行く。夏休みの海辺は子供たちが唇を紫にして、カブトガニの殻を集めるのに夢中だ。米粒のようなかわいいのから立派なものまで、彼等の自慢のコレクションである。

やはり、半島の付け根の辺り、チャパキディック島に面してウッズホールという町がある。ここの海洋生物学研究所（略称MBL）は、世界の医学・生物学者の聖地だ。

もともと生物学者は海の原始的な生き物をよく使う。陸の温血動物は血液の流れが止まるとすぐ死ぬが、海産動物の臓器は切り出されても数時間は働き続ける。その上、その神経や筋肉の細胞が大きく、その内部を研究するのにも適している。

MBLは、規模はもとより実験動物の供給とか設備の点でも世界一めぐまれている。シーズンの夏ともなると、申請が通った各国からのゲストが集まり研究者の楽園になる。野口英世も昔ここで研究したことがある。彼は毎夏ここで日本の留学生に会うのを楽しみにしていた。

下村脩（おさむ）（第Ⅳ部第14章）はMBLの名誉教授であり、ノーベル賞受賞の記者会見もここで行った。MBLで研究しノーベル賞を受賞した研究者は、世界中で五〇人をはるかに超える。

その図書室の壁に、古びた一枚の手紙が額に入れて掲げてある。筆と墨を使った英語の手紙だが、内容としては次のようになる。

ここは、六〇年以上の歴史を有する臨海生物学実験所である。貴官らが東海岸から来たのであれば、何名かは、ウッズホール、マウントデザート、あるいは、トーチュガスという名前を聞いたことがあろう。貴官らが西海岸から来たのであれば、パシフィックグローブ、あるいは、ピュージェット海峡生物学研究所をご存知かもしれない。

ここは、そんな実験所の一つである。

我々の平和な研究が再開できるよう、この研究所を丁寧に扱われたい。貴官らが、兵器や軍事設備を破棄することは了解する。しかし、日本の学徒のために、研究装置は救われんことを。ここでの任務を終了次第、大学に通知されたい。我々が、この科学の故郷に再び帰って来られるように。

最後に去る者より

(原文は英語)

東京大学三崎臨海実験所（油壺）正面裏海岸側から撮影。團勝磨の晩年の研究室は2階右側の端から2番目の部屋であった。左側の円筒形の部屋は学生実習室で，採光のため窓際に顕微鏡を並べて観察した。

この手紙はアメリカ海軍第二潜水艦隊パークス大佐が一九四五年八月三〇日、三浦半島にある東京大学の三崎臨海実験所（油壺）で見つけた。手紙の筆者は、團勝磨助教授（現在の青山学院高等部出身）である。

昭和二〇年（一九四五）三月、最後の抵抗線であった硫黄島が栗林忠道司令官の必死の奮闘にもかかわらず米軍の手に落ちた。軍は本土決戦を覚悟する。首都防衛のため東京湾の入り口、房総半島および三浦半島で特攻作戦を準備した。

三浦半島側では油壺湾に四三隻の特殊潜航艇が集められた。特殊潜航艇というのは一人乗りの人間魚雷のことで、アメリカの艦艇に体当たりする。東大の実験所が海軍に接収されそのための本部となった。

しかし、突撃する前に終戦になり、三浦半島の西側に沿って平塚から江ノ島沖合いを経て葉山、三崎まで、アメリカの戦艦が一列に並んだ。すべて大砲を陸に向け威嚇していた。この不気味な光景は、重光葵外相と梅津美治郎参謀総長が降伏文書に調印するまで続く。

八月三〇日、マッカーサー将軍が厚木に降り立ったその日、進駐軍の将校が実験所にやってきた。留守番をしていた名物技師「重さん」は、留学経験のある團助教授に立会いを頼む。初交渉は、進駐軍将校三名プラス通訳対日本側将校二名プラス團助教授となった。進駐軍側の、広島訛り（なま）の二世がまず叫ぶ[44]。

「潜航艇の鍵を渡せ！」

それに対し、日本側も言い返す。

「まずアスパラガスとビールを召し上がれ！」

日本海軍は微笑ましい接待を準備したものの、お互いに怯（おび）えるばかりで相手の言うことが耳に入らない。

ようやく両者が了解したのは、昼過ぎに六五名から成る米軍の本隊がやって来て武装解除することだった。取りあえず交渉が終わり、團は相手の将校に歩み寄って、

「ここは本来海洋生物の研究所ですから、武器以外は大事に扱うべきですね」

と話しかけた。

相手は無意識にうなずいていたが、團が自然な英語を話していることに気がつきギョッとする。

午後の混乱を恐れ、團助教授は海軍が残していた筆と墨で米軍への手紙をしたためた。どうせ破り捨てられるだろうとは思ったが、二階正面のドアに張って外に出る。

しかし、横須賀の自宅に帰るのも大変だった。国道一三四号線が城ヶ島（じょうがしま）から鎌倉へ北上しているが、アメリカ兵による暴行も報道され、その主要道に車も人影もない。強い日差しの中、彼はひたすら自転車を漕（こ）ぐ。

向こうから、進駐軍のトラックが走ってきた。團の前で停車し米兵が團のところに走り寄って訊いた。

「油壺の実験所はどう行くのか？」

團の説明に感謝しトラックが動き出してから兵士の大声が聞こえた。

「おまえは何でそんなに上手に英語がしゃべれるんだ？」

米兵たちが実験所の階段を上がって行くと、ハトロン紙の手紙がドアのガラスに張ってあった。三カ月後、その毛筆書きの文章がアメリカの週刊誌『タイム』と『ライフ』、そして年が開けた正月、『アメリカン・サイエンティスト』の表紙を飾る。「ゴート人（野蛮な侵略者）への訴え」といったタイトルが付けられ、世界の人々の目を引く。

アメリカの街角では、團の親友たちもその風変わりな表紙に目を止めた。團がよくおかしていた英語の間違いを二カ所見つけ、その文章は彼が書いたこと、そして彼とジーンが生きていると確信する。

團勝磨の青春

團は東大の学部生の時、細胞に関する一冊の洋書を読み感銘を受けた。その著者であるハイルブラン教授（ペンシルベニア大学）に生まれて初めて英語の手紙を書き、大学院への入学が許される。昭和五年（一九三〇）一〇月三〇日、今まで子供の見送りには顔を見せなかった父親の琢磨が忙しい中を横浜港まで来てくれた。どことなく精気のないのが気になる。

しかし、彼が出発した時アメリカの新学期はとうに始まっていた。ハイルブラン教授は、東洋人留学生が九月の新学年が始まっても姿を見せずやきもきした。團の方はアメリカの大学も四月から始まるものと思っていた。アメリカ西海岸のグランドキャニオンをのんびり観光旅行していた。それを聞いて教授は天を仰いで嘆息した。

ペンシルベニアで彼は原形質の研究に明け暮れる。原形質とは細胞の中身のことだ。その研究にはよく海産動物が使われる。だから、夏のシーズンになると研究室全員がMBLに引っ越す。

そこは北のリゾート地だから蒸し暑い都会の大学院生たちは大喜びだ。フィラデルフィアやニューヨークの教授たちの中にはウッズホールに別荘を購入し、論文を読みながらゆっくり夏休みをすごす人もいる。

團も、キラキラした青春の日をMBLですごした。ある時、大学院仲間の女子学生ジーン・クラークが團に物理を教えてくれという。ハイルブランの研究室では、原形質の硬さや粘性などを研究する。物理学が必要なのだ。

一方、欧米の生物や医学部の女子学生は物理を苦手とする人が多い。ジーンも、大学院生なのに学部の物理をフーフー言って勉強していた。

丁寧に教えてやったところ、次の試験で満点を取る。團は彼女をからかった。[44]

「その程度で満点が取れるとは、アメリカの物理も大したことないな」

團は、元気でカラッとしている彼女を内心良いなと思っていた。彼女の方も屈託のないサムライの子を好ましく思った。親しくなったところで、團の方から恋のゲームを仕かける。二人の間で結婚の話が出たが、彼は言った。

「僕たちの祖国は多分戦争になるから、君は日本に来ても幸せになれるとは思えない」

彼女は答える。

「アメリカで平凡な人生なんて送る気はないの。日本に行って、アメリカ人の誰もできない、自分の人生を作りたい。戦争になっても牢屋に入れば良いんでしょ」

血盟団事件

昭和七年（一九三二）のことだった。團の下宿先に日本から至急の連絡が入った。父親の團琢磨が暗殺された。日蓮上人を信奉するグループ血盟団が起こしたものだった。その指導者は井上日召（にっしょう）と言い、大洗町（茨城県）にあった立正護国堂（現在は日蓮宗東光山護国寺）を本拠に活動していた。

護国寺というと、東京大塚にある真言宗のお寺がよく知られている。名前でわかるとおり、日本の仏教は宗派によらず、日本伝来の時から千年以上にわたり、もっぱら国家の装置であった。

とりわけ、日蓮上人は政治色が濃く、法華経を以って国を守るよう主張した。元寇に戦く鎌倉幕府に対し、「立正安国論」を建白する。そのことで酷い迫害を受けたが、彼の熱と激しさが七〇〇年を越え生き続けていた。

しかし、同時にその教えと裏腹の排他主義、政治主義、行動主義、そして個人の心を離れた組織信仰も広く深く日本人に広がり、国体思想やナショナリズムやテロリズムにも根拠を与えた。

右翼の北一輝、軍部エリートの石原莞爾そして宮沢賢治も、日蓮上人あるいは法華経を熱烈に信仰していた。日蓮という名前の発する妖気が多くの人たちを虜にする。日召が主張する「一人一殺」「一殺多生」もその延長線上にあった。

軍と新興宗教の狂気とが共鳴する。実際、團を撃ったピストルは海軍が血盟団に手渡したものであった。

これにも実は海軍による大きな筋書きがあった。日本改造計画と称し、犬養毅、若槻礼次郎、幣原喜重郎、西園寺公望、牧野伸顕ら要人二十余名の暗殺を含むクーデター計画である。日召は海軍のテロに組み入れられていた。

海軍急進派の青年将校たちは、團琢磨と井上準之助の暗殺後五・一五事件に突入する。この一連の事件を号砲に、軍部が暴走を速めた。

團琢磨に話を戻すと、彼は開国時福岡藩から留学生としてアメリカに派遣されている。明治四年（一八七一）一四歳の時、横浜から日本唯一の外輪客船アメリカ丸に乗り込んだ。第Ⅰ部第1章でも触れたが、そこには伊藤博文、木戸孝允、大久保利通など岩倉具視使節団と、随行員および日本政府からの第一回留学生も乗り合わせていた。留学生は中江兆民、金子堅太郎、團琢磨、牧野伸顕、長岡治三郎（第Ⅰ部第3章）、長与専斎、新島襄（通訳）、大島圭介、朝永甚次郎（朝永振一郎の祖父）を含む、四〇名を超える珠玉のような若者たちであり、この出立は日本の船出であった。

船上には、後に津田塾を創る女子留学生、津田梅子や山川捨松（第Ⅰ部第3章）らの顔もあった。彼女らは将来日本婦人の模範となるよう宮内省から申し渡されていたが、未だ八歳かそこらの幼い娘たちだった。見物人は陰口を叩いていた。

「あんないたいけな娘をアメリカに送るなんて、親の顔を見てやりたいよ。さぞかし鬼のような顔だろうけど」

團琢磨はサンフランシスコから大陸を横断し、ボストン中学からマサチューセッツ工科大学を卒業する。国営三池炭鉱に勤めた日本初の鉱山技術者であった。この会社は後に売り渡され、民間の三井三池炭鉱となる。彼は広くわが国の工業化を指導し、三井財閥の理事長にまで上り詰めた。[45]

　血盟団に襲われた時、彼は国際連盟から派遣されてきた満州調査団に対応し、懸命の努力をしていた。亡くなる前日は、調査団一行を東京劇場に案内している。団長のリットン卿は團の暗殺を知らされて言った。

「團男爵は大変お疲れで、背負いきれない荷を負っておられるように見えました」

　この頃のテロ犠牲者の写真を見ると、遺体の多くが蜂の巣にされた上に、軍刀で大きく切り裂かれている。日本の指導層は震え上がり、井上に減刑次いで大赦を与え仮釈放した。さらに、時の首相近衛文麿は日召を自宅に住まわせ血盟団を取り込もうとした。

　アメリカの團勝磨はそんな日本に幻滅する。[46] だからといって、すべてが終わってから帰国するのは卑怯だ。なるべく早く帰国しよう。日本は、この強大なアメリカに敗れるだろう。その時こそ、愛する祖国のために一身をささげたい。もし日本が勝ったら黙って祖国を離れよう。團のように、当時の在米日本人は負ける側にいるべきだと考え全員日本に帰国している。

東洋に嫁いで

昭和一二年（一九三七）、團がジーンを連れて神戸に着いた時、兄の伊能が迎えてくれたが、一族は青い目の花嫁に反対していた。しかし、東京で家族会議が開かれ、彼らは初対面のほんの一瞬でジーンの人柄がわかる。勝磨の母親芳子は、異国で頼るところもない彼女を不憫に思い、本人には通じないが次のように言いながらかわいがった。[15]

「仁子ちゃんは私が守らねば」

ジーンが相手の日本語をわからない時、原則「ハイ」と答えるように躾けられた。したがって、英語のできない義母が、パーマにもデパートにもジーンを頻繁に連れだした。芳子は一年で亡くなるが、ジーンは義母のそんな心遣いに後々まで感謝している。

夫婦に子供ができた頃、すでに戦争ははじまっていた。政府は米の代わりに芋やとうもろこしで食料を確保しようとした。それでも、どこの家も足りず、親たちは自分の分をけずって子供に食べさせていた。

昭和一八年（一九四三）、ジーンがアイデアを出す。

「ヤギをそだててその乳を子供たちにのませましょう」

彼は意地悪な質問をした。[44]

「そのヤギの餌はどうするの？」

彼女はだまってしまった。

しかし、すぐに六本木の後藤洋花店（明治創業の老舗。高級フローリストとして現存）と一人で交渉をはじめる。残って捨てる花束があったらいただきたい。彼女は六本木と住まいの原宿のあいだを自転車を漕ぎ頻繁に花をはこんだ。

ある時、團が庭先にいたジーンを呼んだ。近くのヤギが紅白のカーネーションをくわえたままふりかえる。派手過ぎの蝶ネクタイをつけたようなヤギがキョトンと團をみつめた。彼女はこまったように笑いをかみころした。

臨海実験所の教官になったが、油壺は遠すぎる。三浦半島に住まいをさがし、横須賀の漁村長井の丘の上に、古いががっちりした家を手に入れた。天気が良いと、彼は庭の芝生の上で足を投げ出し、相模湾の向こうにそびえる富士山をながめていた。

新婚旅行中の團夫妻

長井の神様

やがて、戦局が厳しくなり海軍が彼の住まいに目をつける。相模湾の監視に最適なのだ。一部を接収し、團を管理下に置く。だが、自由でとらわれない彼の行動の一々が、海軍には不都合だった。戦争の最終局面が近づくと、兵隊の間では「團を殺せ」との声が出た。

ジーンの方もスパイと警戒され、特高（現在の公安警察）につきまとわれる。しかし、手紙でアメリカの知り合いが日本を批判すると彼女は懸命に日本を擁護していた。戦争が終わった。帝国海軍に代わり、占領軍が入ってきた。横須賀の消防署はまだ立ちなおっていない。火事があると、近所の人は合言葉のように言う。

「早く團さんの奥さんに……」

彼女は占領軍の消防車を出動させた。

街角では子供たちがアメリカ兵にガムやチョコレートをおねだりしていたが、ジーンは、そんな子供たちを見かけると叱った。

町民が日本海軍に貸していた武山地区は進駐軍に移管されただけで、さらに将校用の宅地として丘の上の農地も差し出せと言ってきた。

町民は征服者にただ縮こまったが、おとなしいジーンが怒り出し、マッカーサー将軍側近のディラー少将に掛け合う。反対署名を集めるようにとのアドバイスに従い彼女は長井の一軒一軒を回り、進駐軍は引き下がった。

しかし、彼女が一番心を痛めたのは近所でたくさん見る母子家庭だった。夫を失った母親たちが競馬場の一杯飲み屋やパチンコ屋、クズ鉄集めや日雇い仕事などでわずかな日銭を稼ぎ、家とも言えない小屋に住んでいた。ジーンは進駐軍の残飯とクズを契約する。手をつけていない食事はそのまま母子家庭に分け与えた。

残飯は豚の餌として売却したが、空き瓶や段ボールもよく売れた。その利益でプレスを買い入れ、母親七〇人を雇って金属屑を加工させた。出来た金属製の板材で母子家庭の屋根がいくつも補強できた。ジーンは、町でスパイから神様になる。

油壺のウニ

彼女は油壺の実験所で学生の指導を手伝った。團の教え方は厳しく、英語で書いた論文の中の誤りをきつく叱る。ションボリしている学生を見つけると、彼女は、「論文を書くのは皆大変なのよ。私だって、子供を生む時よりも大変だったんだから」と学生を慰めた。

昭和二二年（一九四七）五月、ジーンはアメリカに里帰りする。どこに行っても、昔の仲間が歓迎してくれた。カリフォルニア大学（バークレー）で言われる。

「今こちらでは、わが軍が日本のサイクロトロンを東京湾に投げ捨てたことが大問題になっている。お詫(わ)びの気持ちを込めてプレゼントしたいんだけど……。何かほしい物はない？」

彼女は正直に応えた。

「じゃあ、位相差(いそうさ)顕微鏡をちょうだい」

動物の内臓や組織の多くは無色透明に近く、そのまま顕微鏡で観察しても何も見えない。そこで、研究者は生物を殺し染料で染めて観察していた。一方、位相差顕微鏡は細胞の中を屈折率の違いによって明暗の差にするから、染めなくても構造がわかる。したがって、生きて動いているところを研究でき、ノーベル賞に輝いた装置だった。彼らはボシュロム社と掛け合い、試作品の一台をジーンに贈った。

日本に帰って、彼女はその顕微鏡を夫に差し出す。團がそれを断ったのには魂胆(こんたん)があった。ジーンは博士号を持った立派な研究者なのに、日本に来てから全然研究をしていない。位相差顕微鏡を利用して妻を研究に引き戻そう。

夫婦の専門は発生学。たった一粒の小さな卵子がどのようにして私たちのような複雑な身体に育ってゆくのか。そんな研究には昔からウニの卵が使われてきた。お寿司の上に載っているのは卵巣だが、あれが成熟した頃、簡単な薬をかけるだけで大量に排卵させることができる。研究者はその卵に精子を混ぜ受精させる。

人間の女性は一月に一個しか排卵しないが、ウニの卵は簡単に何千個も手に入るのだ。現在も、生物の学生たちは毎年各地の臨海実験所でウニを使って実習観察している。

團夫妻もウニの卵子や精子を観察した。ジーンは、それまでただ透明に見えていた精子の先端が位相差顕微鏡で見ると構造を持っていることに気づく[15]。後に「先体(せんたい)」と名づけられたが、卵が受精する時、この「先体」が消化酵素を出して卵子の膜を溶かし、糸のようなものを出して中に侵入する。

昭和二四年（一九四九）、日本動物学会で見かけない外国人主婦が世界最新の顕微鏡を使い、受精する時の卵の変化を写真にしてみせた。そして、昭和三三年（一九五八）松山で開かれた第二九回の学会でジーンに日本動物学会賞が与えられる。

この発見は世界的な業績で、現在高校生の教科書にも載っている。ジーンはお茶の水女子大学に採用され研究者として復活した。團の企（くわだ）ては実を結んだ。

館山湾

戦争の記憶も遠くなったある冬の深夜、大潮（おおしお）の日だった。すっかり潮の引いた館山湾の浅瀬（あさせ）を、数人の娘が歩き回っていた。土地の漁師が、この季節外れの不審な若者に注意する。

「どこから来たの？」

「私たち、お茶大の学生です。実験に使う馬糞（ばふん）ウニ、集めてます」

「もう遅いから、早く家に帰んな」

娘たちは子供扱いされ、頬をふくらませて反論する。

「私たちの先生は偉いんですよ。天皇陛下の先生だから」

ジーンは、お茶の水女子大学附属臨海実験所の所長になっていた。この実験所は千葉県館山にあり、前を洲崎灯台に向かう道が走っている。それを渡るとすぐ水田地帯だ。

房総半島には高い山も大きな平野もない。しかし、夏になればホタルの飛び交う、懐かしい里山に恵まれている。裏山に分け入れば、威風堂々たるシカに出会うし、丸々としたタヌキが千葉県名産のカキやビワを求めて歩き回っている。館山市香谷も、三方を小高い丘に囲まれ箱庭のような田んぼが広がっていた。朝、霧が流れる竹林を農夫が野良仕事に向かう。

夕方になると、樹の根方に片づけた藁の山にチロチロとオレンジの炎が揺れる。そこから白い煙が一筋上がり、それをたどると青白く霞んだ山の上に大きな月が薄紅色に滲んでいた。水墨画のような幽幻郷がジーンの目の前にあった。彼女はその端正なたたずまいに息を呑む。

異邦人ではなく、自分も村人になってその風景に溶け込みたい。しかし、土地の人たちにしてみれば、彼女は生まれて初めて会った外国人さんだ。仲間になるとも思えないし、土地を分けて転売でもされたら厄介だ。

ある日、館山郵便局にジーン宛で宮内庁から分厚い資料が届く。彼女は生物学者である昭和天皇の英語論文を添削していた。村人の間で瞬く間に噂が広まる。天皇陛下の先生となると無碍にもできない。村で唯一の国立施設の先生に対し有力者の口添えもあって、丘の中腹に土地が分け与えられる。そこからは村が一望できた。

毎日彼女は実験所まで一〇分ほどかけて通う。朝な夕な、用水脇の農道に沿って自転車を漕ぐジーンの姿があった。

ジーンは野菜作りが趣味で、庭を使い丁寧に作物を育てた。金髪のアメリカ夫人が土地のお百姓さんよりもずっと見事な収穫をあげ、彼らを脱帽させた。彼女は庶民的でさっぱりしている。村人たちも親しみを込めて挨拶を始めた。

大学では、「どうせ女だから」と、正面から学生に向き合わない男性教官もいた。しかし、彼女らは日本各地からやって来た選りすぐりの娘たちだった。教えている内容も学生気質もアメリカそっくりだが、ジーンはお茶大の方が自分の知っているアメリカの女子学生より総じて優秀と感じた。

学生を評価していたからこそ、ジーンは同性として厳しく指導する。実験前に海産動物をキレイに洗うように言ったところ、ある学生が水道で洗っていたので雷を落とす。

「コノバカチン！」

板書は英語だったが、講義でも日常生活でも日本語を上手に話すようになっていた。学生は頻繁に彼女のところに相談に来た。

ほとんどが研究室の人間関係についてだが、日本女性の社会的地位の低さに内心憤慨(がい)したことも再々だった。とはいっても、日本の事情に疎(うと)い彼女は、おいそれとアメリカ式の解決策を与えることも憚(はばか)られた。ただ、学生の眼を見て心を込めて聞いた。

訪ねてくる学生の数が一番多いのが、外国人教師の彼女だった。卒業シーズンになると自分の指導した学生を引き連れ、今でいう卒業旅行に出かけている。土地の人たちは一団を見て形容した。

「でっかいメンドリにヒヨコが続いて……」

ジーンの教え子はほとんどが大学を卒業し地方に帰った。彼女らは学校で理科を教えたり家事をしたり忙しい。しかし、ジーンと心は強く結びついていた。彼女は外国人ゆえなかなか教授になれなかったが、十分に幸せだった。

夫の方は、東京都立大学に移り学長を務める。弟子は大学院に進み次々と教授になった。しかし、彼らは男のせいか冷たいほどに合理的だ。園は教育者としてのジーンがうらやましかった。

二人は想い出の海に
昭和四七年(一九七二)一一月一三日、ハイルブラン研究室で一番仲のよかったスージーが館山まで訪ねてきた。リビングでおしゃべりしながらコーヒーを飲んでいたが、ジーンはつと立ち上がって隣の部屋から電話した。持病の喘息(ぜんそく)で呼吸が困難になり、救急車を呼んでいたのである。[44] 戦争中防空壕に避難した時に咳き込んで以来、彼女は喘息に悩まされていた。しかし、頑張り屋の彼女は苦しさを周りに見せなかった。

病院に担ぎ込まれた時は、すでに亡くなっていた。千葉大で病理解剖されたが、彼女の肺は分泌物で一杯だった。これでよく生きていたと医者が驚く。

翌日暗くなってようやく山形の長女夫婦が館山に着いた。ジーンの愛犬ボナは、この二日間ご主人にかまってもらえず元気がない。そこへ暗闇の中から長女が現れた。彼女はジーンと体形が一番似ている。そのシルエットを見てボナは大喜びで走り出した。しかし、すぐに人違いとわかり、ションボリと家に戻った。[44]

三日後、納棺。小学一年生の孫の健児がつぶやく。

「おばあちゃんのエンピツ……」

ジーンの使っていた赤鉛筆と消しゴムを棺の中に入れた。[45] 健児は、日本人の英語論文を直しているおばあちゃんを見ていた。どこか遠くへ行くらしいおばあちゃんが困ると思ったのだ。

彼女のかつての学生が各地から駆けつけたが、手を取り合ってあちこちで泣いている。[45] ある卒業生は子供と職場を措いてきたのに納棺に間に合わず、先生と最後の対面ができなかった。悲しくて立っていられず葬列から遅れて道端にうずくまっていた。

上の孫である勝実がジーンの写真を胸に先頭を歩いた。時折、山の狭間（はざま）に東京湾が見える。霊柩車の待つ広場まで道端（みちばた）の草が丁寧に刈り込まれていた。昨日、しきたりにしたがい村人が総出で野辺送りの道を整えていた。村人は彼女を仲間と認めていた[44]。自分は妻を幸せにしたのだろうか？　苦労ばかりかけたように團は思った。それなのに、彼女の笑顔だけが思い出される。彼女はこの敵国で、時に激しい憎悪に会いながらも運命を受け入れた。彼女は状況がいくら厳しくなっても、アメリカに帰りたいなどと一度も弱音（よわね）を吐かなかった。全く事情のわからない東洋で、ありったけの力を出し工夫を重ねて家族を守り抜いた。

半年後、團夫婦の長男と次女がアメリカで落ち合い、ウッズホールを訪れる。次女の團まりな（大阪市立大学）は両親と同じ海洋生物学者になっていた。

ウッズホールに住んでいたスージーと一緒に、海に向かう。團夫婦の弟弟子がMBLの所長になっていて、採集船を出してくれた。ジーンの遺灰がカーネーションと共にユラユラ沈んでいった[44]。

四〇年前、彼女は仲間の大学院生とポンコツのヨットをタダ同然で手に入れた。パテを詰めたものの海水が浸入してくる。それを汲（く）み出しながら出発した。しかし、汲み出していたつもりの海水が船内に戻っていた。あえなく全員海に投げ出される。彼女たちは、自分たちでやらかした失敗に子供のように興奮した。大騒ぎして走り回ったウッズホールこそ彼女の心が残る場所だ。ジーンは思い出の海に還っていった。

任期満了そして都立大学退職の日が團に訪れる。東京大学の厚意で油壺の実験所本館の二階に小さな研究室が何十年かぶりに貸し与えられた。[44] チョコレート色の本館が、昔と変わらず荒磯に凜（りん）としている。しかし、ピカピカだったレンガは長年の潮風ですっかり傷んでいた。

若い時お世話になった教官も事務官もあの「重（じゅう）さん」も誰もいなくなった。城ヶ島行の船が出る波止場（はとば）の所に食堂の江風亭（こうふうてい）がある。顔馴染（かおなじみ）といったら、そこの次男坊だけだ。彼も二代目で、母親の女将（おかみ）さんはとっくの昔に亡くなっている。自分だけがそこにいた。

自分は一体この世に何を残すのだろうか。確かに子供にも孫にもめぐまれ、何気（なにげ）なく書いたあの置き手紙もみんなの記憶にしばらくは残るかもしれない。しかし、自分にとって生きた証（あかし）は研究だけだ。

木枯（こが）らしが木枠（きわく）の窓ガラスをカタカタ鳴らし、冬が来たことを告げていた。八〇歳に達した團がその日の研究を終え、懐中電灯を頼りに廊下を歩いていた。外に出ると、枝の間を通して月の光がさす。そのスポットライトに老人が青白くうきあがった。

坂を上った所にコンクリート作りの立派な宿舎ができた。大学院生や訪問してきた科学者はそこで風呂と夕食をとり小ぎれいな階段ベッドで休む。

彼は一人、上の台地にポツンと見捨てられたような木造平屋の「離れ」に向かう。年配の研究者はみな、青春の時から使ってきた「離れ」の方が落ち着ける。しかし、それは六畳三間のほとんど廃屋(はいおく)だ。昔は立派だったが、今は外壁のやせた木板があちこち反りかえって、北風が吹きこむ。朝になると、そのすきまから差し込む朝日がまぶしくて目が覚める。中は、裸電球に古畳、敷きっぱなしの布団。

痛む腰、丸まった背中。枯葉が踏まれてカサカサと音を立てた。「離れ」の方へ一人坂を上ってゆく小さな老人を、若者たちがガヤガヤおしゃべりしながら追い越していく。最近アメリカからやってきた女子大学院生と、彼女と仲良くなった日本の院生たちだった。これから三崎の町に遊びにでもいくのだろうか。

第Ⅲ部　負けて輝く

第8章　慶應義塾大学医学部

慶應に医学部予科を作る際、北里柴三郎は京都大学（京大）に人材をあおいだ。基礎の生理学講座には加藤元一をまねいたが、彼は北里をたすけ、後に医学部本科を開く。

京都大学と大立ち回り

加藤は白米病（脚気のこと）による神経麻痺といった、当初臨床研究を行っていたが、京都でやっていた基礎医学に徐々にもどっていく。

大正一二年（一九二三）四月、第二回日本生理学会が九州大学で開かれていた。加藤が発表を終わるやいなや、京大の石川日出鶴丸教授が顔を紅潮させてたちあがる。

「座長！……慶應の不滅衰学説とか称するかくのごとき幼稚なる理論をもって、フェルボルン教授やルーカスの広範な実験を説明できると思うか？　私に二時間を与えられれば木っ端微塵に打ち砕いてみせる。どうだ！」

恩師から予想外の言葉を投げつけられ、加藤は舞台の上でたちつくしていた。

加藤にとっては、一生に一度あるかないかの発見だった。彼が使った坐骨神経で説明してみよう。この神経は私たちの身体の中で最も長い末梢神経だ。大人の坐骨神経なら腰から足先まで一メートルにはなろう。足を動かす時は、この「電線」を活動電位と称する運動命令が走る。彼は、この長い坐骨神経を伝わっていく途中もその電圧は弱くならないという証拠を得た。彼の理論を「不減衰学説」という。

彼の発見は、神経情報の伝導に関するそれまでの大原則「減衰学説」を否定した。当時、世界中の学者が神経を本当に電線のようなものと考えていた。生命の神秘を単純な器械にまで簡単化して説明し切ろうとするのは、研究態度として決して否定されるものではない。

しかし、本当に電線なら電気抵抗があるから、電気が伝わる時、電圧はどんどん減衰する。たとえば、太平洋を横断する海底ケーブルは大変で、ハワイなど途中で何回も電圧を強化しなければならない。

ところで、運動神経を麻酔すると電気を伝えられなくなり動けなくなる。この麻痺は、減衰学説によれば電気が激しく減衰し運動命令が伝わらなくなるからだ。この学説の世界のトップがドイツのフェルボルン教授であり、石川教授はその弟子だった。

石川教授という絶対的権威に満場の舞台で痛罵(つうば)され、加藤たちは会場にいたたまれなかった。他の大学が発表していたが、目を伏せて会場をでる。その後の総会では石川教授が加藤を除名しようと提案した。

こんな情勢では、「不滅衰学説」をいくら主張しても非難の集中砲火を浴びるだけだ。加藤は東京にかえる汽車のなかで言った。

「三年後にストックホルムで第一二回万国生理学会がある。そこで我々の証拠を世界に見てもらおうじゃないか」

加藤は悔しさに涙がにじんだ。向かいに座っていた教室員も泣いていた。

国際公開実験

昔は、実験示説（デモンストレーション）といって実験を学会で実際に見せて自らの主張を証明した。加藤は、三種類の麻酔条件で麻痺を見せることを思いついた。

最初の「長短比較麻酔実験」は牧亮吉博士が担当し、まずカエルの足を坐骨神経付きでとりだし、その神経の途中を麻酔薬につける。つける範囲が長いほど興奮は弱くなり、つながっている先の足が早く麻痺すると世界中が信じていた。

しかし、加藤らが実験したところ、麻酔範囲が長くても短くても麻痺が来る時間は同じだった。麻酔による弱い興奮などありえない。興奮は常にオール・オア・ナッシングという結論になった。

二番目の「強弱麻酔実験」は三宅亮一博士が担当した。麻酔薬が濃くて強い麻酔でも、弱い麻酔でも、興奮は同じだけの距離を伝わることを証明する。

最後は内村良二博士（のちに昭和大学学長）が担当する「切断実験」だ。まず、摘出したカエルの神経を麻酔すると、麻痺して電気で刺激しても足は動かなくなる。しかし、さらに強い電流を流すとふたたび足が動く。麻酔で興奮し難（にく）くなった分、刺激を強くすれば神経は未だ興奮できるように見えた。しかし、加藤に言わせれば、刺激電流が強すぎて麻酔区間をこえて漏電し、麻酔されていない先で興奮を引き起こしたにすぎない。

加藤はそれを証明するために「神経の切断」という、電気以外の刺激をした。神経を切断することは、電気より遥（はる）かに強い刺激になる。だから、麻酔で興奮性が落ちただけなら、切断した瞬間、足はかならず動かなければならない。

ところが、麻酔した神経を切断しても、足が動くことは一度としてなかった。切断による興奮が生じても、麻酔部分でとまって足まで届かなかったのだ。麻酔は効いている。興奮性が落ちるとか、より強い切断刺激なら興奮を伝えられるといったことではない。この実験は一番むずかしいが、そのかわり一番説得力がある。

学会は、分刻みで講演や実験が続く。うまくいかなかったからもう一度やらせてくれなどとはいえない。厳しい専門家たちの前で信じられないような実験結果を一発で出さなければならない。

そのため、現地で準備や練習をしっかりやろう。当時の最短路は満州からシベリア鉄道の陸路のルートだったが一カ月を要した。彼らはそのルートでストックホルムには一カ月前に入った。

シベリアを横断中、予想外のことがあった。一つは、逆方向に走る悲惨な列車に出会う。革命に敗れた白軍の人たちがシベリアの収容所に送られるところだった。彼らは貨物車にほうりこまれ、何層にもなった棚から絶望の眼でこちらを見ていた。

もう一つは、実験に使う予定のガマが全滅したことだった。殿様ガエルや食用ガエルといった水ガエルの神経よりも、陸に棲むガマの神経の方が強いというのが日本での常識だった。都内で採集した日本特産のガマを、わざわざ特製の木製冷蔵庫の棚に並べて運んでいた。乗り換えごとに面倒をみたが、一匹また一匹と死んでいく。スウェーデンでは結局水ガエルを調達してもらう。

練習のため市内カロリン大学の研究室をかりた。三人の教室員は毎日毎日自分の担当した実験をおなじ手順で繰り返した。加藤は日本から睡眠薬を持ってきていた。部屋の机のうえに置いていたが、学会が迫ると誰が服用しているのか目にみえて減っていった。

震えるハサミ

大正一五年（一九二六）八月五日、加藤は皆より早く起きて身をきよめた。祖国と明治神宮にむかって手をあわせる。明治神宮は、大学医学部のほとんど隣といってもよい位置関係で、なにか大事なことがあるとお参りしていた。加藤の留守宅でも実験当日家族全員が早朝から明治神宮に参拝し実験の成功を祈った。

会場はノーベル賞授賞式のパーティーにも使われる市庁舎だ。四人で小さな橋を渡った。戻る時はどんな気持ちでこの橋を歩くのだろうか[47]。

午前中、加藤は総合講演をした。午後一時、公開実験開始。「実験装置にはさわらないでください」と掲示を出しておいたのに、フェルボルンの高弟であるフレーリッヒ博士がリード線をつまんで一つ一つ調べている。

学問は世界共通言語であり、研究者なら一目で装置を理解できる。まして、ドイツの生理学は世界のトップを走っているから、遅れた日本に難癖をつけることなどいとも簡単だ。

加藤は三人に注意する。

「何を聞かれても決して答えてはいけない。質問は私がひきうける。自分の実験

加藤元一と3人の研究者
（1926年6月ベルリンにて）
左から三宅亮一，牧亮吉，加藤元一，
内村良二

に集中するように」

　会場に続々と学者が集まってきた。減衰学説の大御所もすべて顔をみせている。

「長短比較麻酔実験」が始まった。麻酔薬を入れてストップウォッチをおす。五分、一〇分と時をきざんだ。神経を電気刺激しているから、それにつながっているカエルの足が一定の時間間隔でピクンピクンと動く。

　やがて、加藤教授の少し上ずったドイツ語がひびいた。

「皆さん、短い距離を麻酔した標本は、二四分一五秒、長い麻酔の方は二四分一六秒で収縮が消えました。麻酔した長さと消滅時間とは無関係です」

　二番目の実験は日本で失敗したことがない。強く麻酔しても弱く麻酔しても同時に収縮が消えた。減衰学説の守護神で世界の第一人者、ケンブリッジ大学のエードリアン教授が歩みよって加藤教授に握手を求めた。

「見事な実験です」

　エードリアン教授こそ見上げた態度だ。彼は電気生理学に関する広汎(こうはん)な業績によりこの六年後にノーベル賞を受ける。

　いよいよ最後の実験だ。神経を麻酔して足が動かなくなった。その後で、さらに強い電気をかけると再び運動が起こった。運動神経を麻酔したのに、神経が働いているのか。ここまでは誰がやっても同じだ。問題は、その神経を切断して運動が起こるかどうか。運動が起これば神経が麻酔されていない可能性が高い。後ろの観客が叫んだ。

「ここからは見えない」

最前列にいたオランダのブイテンディク教授が大声で答えた。

「動いたかどうか、私が声で知らせよう」

内村が左手をそえソロソロとハサミを近づけていたが、手がブルブルふるえている。

加藤は正視できず天をあおいだ。小さいが精一杯の声で励ます。

「静かに、静かに。落ちついて」

数秒後、ブイテンディク教授の声がひびいた。

「動かない」

加藤が視線を戻すと、内村が静かに手を引いていた。神経は麻酔されていたのだ。

「革命だ！」

誰かが叫び一斉に拍手が起こる。すべての実験が終わり、学者たちが加藤の前に列を作った。みんな握手をしながら賞賛の言葉をかけてくれたが、ベルリン大学のクレメール教授とベルン大学のアッシャー教授は加藤の肩を叩いて言う。

「公開実験というのは中々うまくいかないものだ。その点、あなたたちは本当に見事でした。おめでとう」

加藤は祖国で寄ってたかって非難の言葉を投げつけられて来た。異国で心のこもった言葉をかけられ、泣きたいような気持ちがこみ上げてきた。

会場を出る時、欧米の学者たちが遥か東洋の国から来た仲間にもう一度大きな拍手を贈った。加藤は研究者であることの幸せを身体いっぱいに感じる。石川教授に対する悔しさや日本の生理学会を見返すことなど忘れていた。

ホテルへ帰る途中、あの小さな橋を皆で渡った。喜び勇んで渡るか落胆して渡るか、どちらになるだろうかと朝は考えた。実際はどちらでもなかった。皆、黙りこくって歩いていた。

牧の家では、実験当日家族全員で氏神様にお参りしていた。家に帰って居間にそろっても皆無言だった。実験はうまくいったのか。そこに電報が届く。

「ダイセイコウ　アンシンアレ」

それでも言葉を発する者はなかった。

ストックホルムの新聞は大見出しで実験の成功を報じた。スウェーデンだけでなく、全ヨーロッパに知れ渡り、一般市民からも注目を浴びた。すでに各国の教授が加藤らを招待してくれていたので、ドイツのベルリンからミュンヘン、スイスのベルンに寄ってフランスのマルセイユから船で帰国した。

ストックホルムの会場でアメリカのゲラードは、まだ二六歳の学生だった。授業で習った大原則「減衰学説」が東洋人により目の前で引っくり返された様(さま)が、忘れられぬ光景になる。

ゲラード教授（カリフォルニア大学）は後に細胞内超微小電極を開発し、ノーベル賞に輝いている。加藤の二人の愛弟子（まなでし）、田崎一二（いちじ）と冨田恒男も彼の超微小電極を使って後に世界的な発見をする。若き日、ゲラードは一瞬の邂逅（かいこう）で加藤から多くのことを学び、三〇年後お返しに、加藤の弟子たちに革命的な実験法を伝えたのである。

モスクワからの招待状

加藤は帰国後、日本の神経生理学を力強く牽引（けんいん）した。慶應の医学部は日本中の憧れの存在になり、信濃町に全国から優秀な学生が集まった。彼らは加藤研究室で「単一神経標本」という名人芸を編み出す。

それまでは、何千本という神経線維が束になった、太さが一ミリ程度の坐骨神経をそのまま使っていた。運動神経も感覚神経も自律神経も種々雑多含まれているから、実験結果がもう一つはっきりしなくなる。加藤は、たった一本の神経にして実験しようと考えた。そのためには、顕微鏡で覗（のぞ）きながら針を使って無数の神経線維を切らなければならない。

この単一神経は有髄神経と言って、途中一ミリくらいの間隔で海苔巻（のりまき）のようにぐるぐる巻きになっている。すなわち、髄鞘（ずいしょう）と称する「さや」を被（かぶ）っている。その間の裸の部分を絞輪という。ヒトの神経は多くがこの有髄神経だ。—髄鞘—絞輪—髄鞘—絞輪—と一ミリごとに繰り返す。毒物中毒などでこの海苔巻（髄鞘）が崩れると痺れなど神経の伝導障害が出てくる。ただし、当時はこの海苔巻が一体何の役に立っているのかわからなかった。なお、この有髄神経はカエルから人間まで脊椎動物だけが持っている。

昭和一〇年（一九三五）、第一五回万国生理学会がサンクトペテルブルグで開かれることになった。会長のパブロフ博士は加藤教授に懇切なる招待状をよこす。慶應生理の評判は世界的になっていた。しかし、シベリア鉄道の悲惨な思い出もあって、加藤は一度は断った。すぐさま駐日ソ連代表部が信濃町を訪問し、何人でも国賓として招待し旅費滞在費等すべて負担すると申し出る。

結局、加藤元一、田崎一二、冨田恒男ら七名がサンクトペテルブルグを訪れ、単一神経の実験を見せた。最終日、モスクワに戻ってお別れセレモニーが開かれる。パブロフと並んで加藤は一段高いメーンテーブルに座った。パブロフは言う。

「加藤教授、私と何人かの先生が、あなたをノーベル賞に推薦しました」

福沢諭吉の播いた種子が花をつけようとしていた。

帰国後、田崎は海苔巻のなぞに挑戦した。単一神経の途中一個の海苔巻だけを空中に渡しそこだけ乾燥させた。[48] 興奮が伝わらなくなったが、元の湿った状態に戻すと伝導が戻る。

海苔巻の外側が湿っていればそこを電流が流れ次の絞輪を刺激して興奮が伝わるのだ。海苔巻は刺激電流を伝えるだけで興奮はできず、興奮は裸の絞輪から絞輪へ跳ぶ。

慶應はこれを跳躍伝導と名づけた。跳躍するから興奮はきわめて速く伝わる。私たちの最も速い神経線維の場合、秒速一〇〇メートルにもなり、現在の一〇〇メートル競走世界記録の一〇倍も越える。

神経は太いほど速く伝わるが、有髄神経は細くても速いので、脳からの無数の神経線維が通っていても私たちの首はスマートに細い。跳躍伝導の発見は、加藤研究室が世界に放った二発目のホームランだった。

加藤が外国から評価され、日本もこの同胞を評価し始める。ついに、昭和二年（一九二七）、帝国学士院は彼に帝国学士院賞を授与した。すぐさま、石川教授が公開で抗議状を送りつける。

「学士院の会員の中に神経生理学の専門家がいない。加藤に対し正しい評価はできないはずだ」

早速、有力紙がこの象牙の塔の争いを取り上げた。その後も慶應対京大の喧嘩としてたびたび世間の注目を集める。昭和天皇がある時、橋田邦彦文部大臣（第II部第6章、第IV部第13章）にきいた。

「その後、非滅衰学説はどうなったのか」

石川教授は定年後郷里の金沢に住んでいた。ある時、関西地区の進駐軍が鍼灸を東洋の迷信として否定すると、彼は軍に乗り込みそれを取り消させた。何事にも生硬な態度は変わっていなかった。

味の素が脳を動かしている

昭和五年（一九三〇）をすぎると、慶應対京大の論争は若手にかわり、一時の激しさは影をひそめていた。それでも、日本の生理学会では末梢神経が最大の研究分野であり注目を浴びていた。それゆえ、研究者たちが興味本位で会場につめかける。

討論がはじまると、慶應側の林髞助教授が京大側を鋭く攻撃し断然優勢だった。京大側は全員学究肌でおとなしく、気の毒にみえた[48]。

しかし、生理学者の興味は末梢神経から脳に移りはじめていた。昭和七年（一九三二）、加藤は林を脳研究で世界の第一人者になっていたパブロフの研究室に留学させた。

太平洋戦争が終わり、林は教授就任と同時に講座の研究を脳にきりかえる。

彼はパブロフから化学物質と脳機能との関係を研究するようにアドバイスされていた。それまで、脳の働きにどんな物質が関与しているのかなど、とても手の届かない問題だった。しかし、林は有力候補としてグルタミン酸に目をつける。グルタミン酸はアミノ酸の一種であり、筋肉などたんぱく質を構成している、人体ではお馴染みの物質で私たちの脳の中にも高濃度で存在していた。

その上、グルタミン酸は日本では大きな存在だった。日本で誕生した調味料「味の素」の本体がグルタミン酸だったからだ。グルタミン酸自体は、明治時代池田菊苗（第I部第1章）が旨味の成分として昆布から発見した。それを現在の味の素株式会社が商品化し、中国奥地まで売りさばいた。そのおかげで、中華料理の味が変わってしまったといわれる。

一方、グルタミン酸が脳に特に豊富にふくまれているということは、脳の中で働いているかも知れない。林が脳の表面に注射してみたところ、はげしい興奮が起こった。彼はグルタミン酸が神経細胞から神経細胞へ興奮を伝える化学伝達物質であると結論する。

しかし、自律神経の伝達物質としてすでに認められていたアセチルコリンやアドレナリンに比べ、グルタミン酸ははるかに高濃度が必要だった。林の時代、「伝達物質はわずかな濃度で鋭く効くべきもの」と思っていた。

ところでグルタミン酸は身体の至る所に含まれているから、それが興奮を引き起こすとなると、あちこちケイレンだらけになってしまう。したがって、多くの研究者はグルタミン酸が伝達物質であるはずがないと考えた。彼の卓見は、日本でさえ受け入れられなかった。

昭和五五年（一九八〇）頃、私は伝達物質がどんな濃度で効くのか実際に確かめてみた[49]。グルタミン酸はアセチルコリンやアドレナリンの一〇〇倍近く濃くないと神経の興奮を引き起こさなかった。となると、グルタミン酸が少々組織に含まれていても、直ちにケイレンは起きない。

当時、林自身はグルタミン酸があれば脳の回路のつながりがよくなると考えた。精神疾患患者でグルタミン酸の伝達を正常化すれば精神疾患が治るかもしれないというのが医者としての考えだった。

その後、いろいろな証拠が得られ、グルタミン酸が化学伝達物質であるとの林の主張は国際的に認められた。

それにしても、半世紀以上前に、天才パブロフは脳における情報通信で化学物質が働いていると考えた。その弟子、林髞はそれがグルタミン酸であると主張した。現在では、私たちの脳細胞の間の興奮性伝達の九割がグルタミン酸で行われていることがわかっている。学習や記憶に関係している脳の海馬でもグルタミン酸が主役を演じているから、グルタミン酸による化学伝達は脳科学者の大きなトピックスになっている。

なお、脳の中で働いている化学伝達物質はグルタミン酸以外にも種類としてはたくさんあり、五〇種をはるかに超える。[46]多種多様な伝達物質が、学習や記憶以外の論理計算や喜怒哀楽など各種の感情や本能や欲望を分担している。

冨田博士の異常な実験結果

私たちの眼がこの複雑多彩な世界をどのようにして受像し認識に至るかは、ながくの謎であった。研究者は二〇世紀に入り、そんな視覚の謎に風穴をあけた。生物学者は三原色仮説の証明に成功する。すなわち、私たちの視細胞には三種類あり、赤と緑と青の三つの色にわけて、すべての色を認識している。

一方、網膜も神経組織であるから電気的情報で動いているはずだ。医者たちは、光を受けて眼球の電圧がどう変化するか調べた。すなわち、眼球の表面から微小な電圧を検出し、光照射に伴ってその電圧が変化する道筋を詳細に分析した。

ところで、光は眼球の奥を内張りしている網膜に当たり個々の視細胞の色素に吸われて各細胞が興奮するとおもわれる。

慶應大学の冨田恒男教授は、一個の視細胞が光を受けてどのように興奮という電圧変化を生じるか明らかにしようとした。まず視細胞の細胞内電圧を検出するために、ゲラード教授が開発したガラス超微小電極を使う。

この電極は先端が目に見えないほど細いから一個の視細胞に刺さって細胞内の電圧

を検出できるはずだ。しかし、多くの研究者が挑戦していたが上手く刺さらなかった。冨田は趣向を変えて魚の眼を使う。コイの目玉は組織がしっかりしていて刺しやすかった。

さらに、冨田はスピーカーを思いつく。スピーカーは電磁石を使ってコーン紙を細かく振るわせ音をだす。人の手より細かく素早く動くから視細胞に刺さるかもしれない。彼はコイの網膜をスピーカーの鉄片に固定し、その細胞が詰まっている層に電極を押しつけた。その上で、スピーカーの電磁石に一瞬交流電圧をかけると、プスッと一回で刺さった。

モニターテレビの上で細胞内の電圧を示す光の線は細胞の外よりマイナス〇・〇四ボルト低いことを示した。通常の神経細胞内電圧であるマイナス〇・〇七ボルトより大分浅い。

一般に、新米の研究者が細胞を刺すと、細胞をいためるから電圧が浅く出る。極端な場合、細胞を刺し殺して電圧がゼロになったりする。腕を上げればまともな電圧が出るかもしれないと冨田は思ったが、いつまでたっても、マイナス〇・〇四ボルトは変わらなかった。

問題は解決しなかったが、冨田はひとまず光を当ててみた。そのとたん、モニターの光の線が下に動いた。すべての細胞は刺激されると電圧は上に動き興奮する。それが、光で刺激すると逆に動いた。翌日もまたその翌日も何度やっても、光を当てると細胞内の電圧はマイナス〇・〇四ボルトより下に振れた。理解できないが、事実は事実だ。冨田はこの結果を発表した。

案の定、世界の研究者たちは大反対か無視だった。実験が間違っているのじゃないか。一般の神経では、活動電位や興奮は脱分極と言い、膜電位が上に浅くなる。冨田の結果は逆に過分極と言って、下に深くなる。これでは神経の興奮が抑えられるから、眼で見た情報を脳に向かって送れない。

ところで、視細胞は薄い網膜の中で次の双極細胞に接続している。この二番目の双極細胞は三番目の視神経の細胞につながっており、それが目玉を出て脳に向かう。この視神経では、確かに光で脱分極性の興奮を生じていた。最初の視細胞は光によって過分極するのに、視神経では逆向きの興奮になっている。一体どこで逆転したのか。

冨田はこのクイズに日夜頭を振り絞る。最初光を当てる前に視細胞がマイナス〇・〇四ボルトということは、少し興奮していると考えられる。もし、光を当てる前に視細胞が興奮により抑制性の伝達物質を出しているとしたら次の双極細胞は抑えられる。抑制性伝達物質は細胞内の電圧をより深くマイナスにするからだ。

次に、視細胞に光を当てると視細胞は過分極し、伝達物質の放出が止まる。つながっている双極細胞は伝達物質による抑制がなくなるから脱分極する。この脱分極が次の視神経の細胞を興奮させ活動電位を発生する。その活動電位が目玉を出て脳に向かう。

視細胞は、光が当たって過分極しやすいように静止電位をあらかじめマイナス〇・〇四ボルトと浅く脱分極していたのだ。

視細胞が暗い中で興奮しているというとなにやら淫靡(いんび)だが、光が当たると双極細胞への抑制がとれ、双極細胞は脱分極できるようになる。抑制がとれれば興奮が起きる。これを「脱抑制」と称する。

ややこしい話なので、私は医学部の学生に説明する時、分かりやすくするために次のような俗なたとえを使った。ある娘は遊び好きだった。厳格なオヤジが娘を抑えている。オヤジは視細胞で、娘は双極細胞だ。オヤジからの抑えがとれると、娘は脱抑制して興奮し遊び出す。

他の感覚細胞なら、一般に刺激されると自分で直接脱分極し興奮する。しかし、網膜のように二段構えの脱抑制でも興奮は起こせる。この「脱抑制」が私たちの身体の中で次々と見つかり、しかも意外と重要な役割を果たしていた。冨田はそれに先鞭(せんべん)をつけたわけだが、最初に発表するには大変な勇気が要った。

彼は初代加藤元一教授のお嬢さんと結婚した。公私共に加藤教授の継承者であり、多くの弟子を育てた。二代目の林髞、三代目の冨田恒男以後も、慶應の生理は国際的な生理学者を多数生みだした。

第9章 京都青い季節

津の水泳合宿

セピア色の写真に、四人の兄弟が洗いたての絣(かすり)の着物に下駄履きで写っている。上の二人が袴(はかま)と学帽を着用しているところを見ると入学記念であろうか。その内、中学生と思(おぼ)しき芳樹(後に東大冶金学教授)はすでに自我を感じさせる表情で微笑し、二番目の茂樹(後の京大中国史教授)は指を精一杯伸ばし気をつけをしている。

一番幼い環樹(たまき)(後に京大中国文学教授)は、あらぬ方角を見てポカンと口を開けている。見たところ二、三歳だからそれも仕方なかろう。その傍に立つ秀樹は小学前と思われるが、独り暗く反抗的な目でこちらを睨(にら)んでいる。[30]

父親の小川琢治(たくじ)は我が国の地質学を確立した優秀な学者だ。彼は書斎の奥で本に囲まれ、いつも厳しい表情でじっと考えていた。父親が家族に目を向けることはなかった。ほかの親のように遊んでくれるなど考えられない。だいいち、秀樹は父親が笑うところを見たことがない。

ある日、秀樹が家の前で他愛(たあい)のない遊びをしている時、父が大学から帰ってきた。

その顔は言っていた。

「無意味なことをやめて、早く勉強しなさい」

秀樹は父に答えようとすると怖くて口ごもった。さらに斜視のために気後れし、父の目を見ることもできない。父親の方は、秀樹の受け応えだけでも、もう少し何とかならないかと思った。学校では、六年の担任から評された[50]。

「少しぐらいのことに泣かぬようにすること、はなはだ涙もろし」

父親が何か強く聞くと、秀樹は「言わん！」と言って黙り込んだ。面白がって二人の姉が弟を「イワンちゃん」と呼んだ[51]。それが学校でもあだ名になる。まもなく、父親と話さなくなった。外に対し、秀樹は壁を作って自分を守った。

現在でいう中学に入ると彼のあだ名は「ゴンベー」に変わった。「名無しの権兵衛（ごんべえ）」から取ったものだから、「イワンちゃん」とさほど変わらない。友達にも心を開くことはなかった。

その夏休み、津の海岸で三週間の水泳合宿があった。夜はお寺の本堂に布団を敷き詰め、二人で布団に入る。皆自然にペアになるのに、秀樹は誘うことができないし、誘ってくれるクラスメートもいなかった。幸か不幸か生徒数が奇数だったので、彼だけが一人で寝た。

来る日も来る日も何事（なにごと）もないように独り布団に潜（もぐ）り込んだ。自分は誰にも愛されない。人づき合いしなくて済むような生き方をしよう。研究者が一番良いような気がする。

府立京都第一中学（現在の洛北高校）に進んでも、事態はさらに悪化した。女の子のように色白で気弱そうな秀樹は柔道部の猛者から目をつけられる。何かというと小突かれいじめられた。

ところが、期末試験が近づくと、猛者の態度がガラリと変わる。彼は数学が全くチンプンカンプンだった。それを秀樹に聞くと、先生よりもわかりやすく教えてくれるのだ。

彼の仲間も全員同じようなもので、数学の先生が何を言っているのかまるきりわからない。言葉遣いも丁寧に、みんなで秀樹に特訓してくれるよう頼み込んだ。[8]三年生の柔道部員が机を並べ、一年生の秀樹から期末試験に出そうな問題を教えてもらう。しかし、試験が終わると両者の力関係はすっかり元に戻った。

秀樹は家に帰るとドイツ語を勉強していた。物理の原書を読むためだ。河原町通りの丸善でヨーロッパの理論物理学者が書いた専門書を買い、高校生が一人で読み進めていた。

一方、父親は厳しい学問の世界で毎日生活している。極端におとなしい息子がそんな世界でやっていけそうにも思えない。職業学校にでも入れよう。

父親は息子の成績など見たこともないが、母親の小雪の方は小学一年生の時の通信簿を忘れられない。「内、剛にして、自我強し」とあったのだ。その上、秀樹は理数科にきわだって優れていた。[51]

母親には息子の心の奥底が見えた。担任が感じたとおり、秀樹には自負があり強情で野心を秘めている。彼女は、秀樹も大学に行かせるよう夫に強く主張した。

ライバル・湯川と朝永

昭和元年（一九二六）、秀樹は飛び級して京大に進んだが、京都一中で先輩だった朝永振一郎が同級にいた。朝永の方は子供の時から父親譲りの腺病質ですぐ熱を出す。飛び級どころではなかった。

大学前期で二人ともに一番楽しかったのは数学の授業だった。特に、助教授の岡潔には凄味さえ感じる。試験になると、湯川はすぐ答えを書き始めるのに、朝永だけは腕を組んでいつまでも考えている。秋月康夫（数学科教授）がやきもきしているとようやく書き出した。途中で逡巡することもなく一気に書き終わる。奇襲戦法のようなその解答を、秋月は湯川より上と感じた。しかし、朝永の方は方で、湯川の力量に脅威を感じている。当時、朝永がイタズラ書きしたメモが残っている。

あしたはしけんじゃ
ちっともわからへん
又落第や

専門課程になると二人とも一番魅かれたのは量子力学だった。三年の時、その分野の世界的指導者であるゾンマーフェルト教授（ミュンヘン大学、ドイツ）が来日し、京大で講義してくれた。

教授は話に夢中になり、一段高くなっていた教壇から踏み外した。すかさず、世界的権威が冗談を飛ばす。

「このように、電子は高いエネルギー軌道から低い軌道に落ちるのです」

学生たちは大笑いし、二人は雲の上の人を一瞬で身近に感じた。

最終学年になった。卒業研究をしなければならないが、京大に量子力学の先生はいない。二人は学内唯一の数理物理学者玉城嘉十郎教授に指導をお願いに行ったところ、教授から言われる。

「私は量子力学は知らないよ。指導などできないが、やりたいならおやりなさい」

教授の専門は流体力学や相対性理論といった古典物理だった。二人は自分で勉強するしかなかった。

第三高等学校時代
後列右から2人目が朝永，前列右端が湯川

秀樹は勉強に熱中すると変な癖が出る。ブツブツ言いながら、熊のように何時間でも研究室の中を行ったり来たりする。それが始まると朝永は図書館に逃げた。

卒業して、二人は玉城研究室の無給副手になる。その頃、堀健夫教授（分光学、この五年前に朝永の姉と結婚）がヨーロッパに出張し、日夜奔流のように突き進む量子力学の進展を目の当たりにした。学生にその雰囲気を伝えられないものか。堀は仁科芳雄を東京から招き、一〇日間にわたって量子力学の集中講義をお願いした。

湯川と朝永はこの二年前のディラックとハイゼンベルクの講演会の時に仁科先生の顔だけは見たことがある。人柄に関しては、ボーア研究室で活躍した人ならカミソリの刃のような怖い人だろうと予想していた。

しかし、先生は小柄で農夫然とした外見同様まったく気取らない。しかも、京大の先生と違い科学者個人のエピソードや裏話もたっぷり話してくれた。思わず引き込まれる。

会う前は神経質にしていた朝永がいくつも質問した。仁科も朝永に何かを感じる。この八年前、ドイツでは学生ハイゼンベルクがボーア先生に質問し師弟関係が始まっている。同じことが仁科と朝永の間でも起ころうとしていた。仁科は朝永に対し、卒業したら理研に一度来るよう誘う。

朝永は理研を訪ねてみてビックリした。東京の連中はみんな頭の回転が速く弁舌爽(べんぜつさわ)やかで、とても太刀打ちできない。しかし、それ以上に驚いたのは仁科の態度だった。仁科は簡単なことまで気軽に部下に聞く。

「この定数はいくらだったかな」

仁科は上下の差別なく皆で力を合わせて物理学の謎に立ち向かっていた。自由な「コペンハーゲン精神」が息衝(いきづ)いていた。朝永は間もなく理研に赴任(ふにん)する。すぐに力を認められ、昭和一三年（一九三八）、あのハイゼンベルクの下に留学した。

ハイゼンベルクは次々と変なアイデアを出すので、朝永はたしなめる側に回った。ハイゼンベルクはようやく気がついた。

「君は自分で研究課題を作れる人だ」

湯川スミ

秀樹は独り大学に残った。同級生はみんな就職し給料をもらっているのに彼には給料がない。留学するでもなく指導者もなく、一人で研究を進めた。しかし、授業の方はむずかしすぎる上に声が小さくて聞こえない。当時学生だった武谷三男（たけたにみつお）は睡魔に負けた。

大阪の堂ヶ芝に湯川胃腸病院という病院がある。院長は初代の湯川玄洋から現在は二代目の息子さんになっている。夏目漱石は関西を講演中、持病の胃潰瘍（いかいよう）が悪化し、当時北浜にあったこの病院に入院したことがある。

彼の作品「行人」の前半には湯川胃腸病院での入院生活が描かれている。そこの娘スミは、その中で取り上げられたり婦人雑誌の表紙を飾るほど美しい人であった。秀樹は湯川家に養子に入りスミと結婚する。名前は小川秀樹から湯川秀樹に変わり、大学で上司から新婦のことでからかわれたりした。

スミは、大手前高校の時物理の先生から聞いた。外国にはノーベル賞というのがあるが、日本人はまだ受賞したことがない。新婚早々、夫に質問した。

「日本人はノーベル賞はもらえないのですか」

秀樹は答える。

「そんなことはない。私もノーベル賞を取るつもりだけど、他の人には言わない方が良い」

それを聞いて新婦の方針が下された。

「なら、私は家のことを全部やりますから、ヒデキさんはノーベル賞を取って下さいね」

さらに、スミは聞く。

「私は医者の家に生まれましたから医者のことはわかります。でも、研究者の妻というのはどうしたら良いか教えて下さい」

夫の答えは短かった。

「僕が研究に専念できるようにしてくれれば十分です」

秀樹は夜頭が冴える。電灯をつけるので子供が起きてしまう。仕事の邪魔にならないよう、冬の夜でも泣き出した子を背負い、彼女は京都盆地の凍てつくような寒さの中、外に出た。

ヤギ、フー？

昭和一六年（一九四一）、日本は太平洋戦争の火蓋を切った。石油を手に入れるため、最初に東南アジアに軍を進める。イギリスの植民地シンガポールを占領し、陸軍の技術将校が直ちにその軍事施設を視察した。機密資料はすでに処分されていたが、焼却場に燃え残りを見つける。その中に詳細な電気回路が載ったマニュアルがあった。どうも電探（レーダー）らしい。

そのマニュアルには盛んに「YAGI」という単語が出てくる。マニュアルにサインしていたニューマンという名前の技術者を東京の捕虜収容所から探し出し、「YAGI」とは何か尋問した。ニューマンの方がビックリする。

「本当に知らないのか？　レーダーアンテナを発明した日本人ではないか。特許料を払ったかどうか聞いているなら、私はまったく知らない」

「日本人」とは東北大学の八木秀次教授のことであった。陸軍は、ことの重大性から、いつもは角突き合わせている海軍にただちに知らせた。

八木秀次という人は明治四二年（一九〇九）、東大の電気工学科を卒業し、新設された東北大の教授になった。東北大は東大、京大に続いて三番目の帝大として誕生しているが、大きな特徴があった。初めて高等工業卒や女子学生を受け入れたのである。

八木は電波通信に興味を持ち、東北大を通信工学の牙城にした。「通信工学」という名前も彼の命名だ。

彼は当時全く使い道がないと思われていたマイクロウエーブ（超短波）に目をつけ

た。この電波は直接目に見える範囲に直進するだけだから、到達距離が短い。その点、長波や短波は、障害物を回り込んだり反射しながら地球の反対側まで届く。しかし、マイクロウエーブは、今やテレビやＦＭ放送、携帯電話、レーダー、宇宙通信、果ては電子レンジなどで大活躍だ。

第二次世界大戦を決した三大発明

ある日、八木の実験室で不思議なことが起こった[52]。電波発信機から、突然測定器の針が振り切れるほど強い電波が出た。発信アンテナを見たら、偶然金属棒が平行に置かれていて、櫛（くし）のようになっていた。八木はその櫛形のアンテナについて式を立て理論的に発射電波の強さを計算してみた。確かに強い電波が出るとの結果を得る。

発見[14]から三年後の昭和三年（一九二八）、ニューヨークで開かれた国際学会でこの櫛型アンテナを発表した。さらに、超短波を発生する革命的な真空管も公開し、さながら「ジャパン・デイ」になった。欧米は彼のアンテナを八木アンテナと呼んだ。

イギリスはそのアンテナを使って初めてレーダーを作る。それがシンガポールで見つかったレーダーであった。

レーダーは超短波の電波を発射し、船などに反射して戻ってくるのを検出する。超短波の波長が短ければ短いほど、敵の様子も細かくわかる。イギリスの場合、一・五メートルの波長を使っていた。

もっと細かい電波を使って、戦闘機が何機こっちに向かっているか等、もっと細かく敵を把握したい。イギリス政府は、レーダー委員会のアーチボルド・ヒル教授（ケンブリッジ大学、第Ⅳ部第13章）にアメリカを視察させる。彼は数学出身の筋肉生理学者で、世界に知られた俊秀だった。

ヒルはアメリカの圧倒的国力を痛感し、チャーチル首相にレーダー開発はもちろんイギリスの軍事技術のすべてを提供してアメリカと協力すべし、とアドバイスする。ヒルのこの主張がイギリスの基本方針となった。

日本に話を戻せば、原爆もレーダーもペニシリンも、戦局を左右する開発競争すべてに日本は敗れる。戦前日本の国力（GDP）は世界第六位にすぎなかったから無理もない。我が国は敗戦後持てる軍事技術をすべて造船、旅客機、新幹線など平和産業に振り向け、ついには世界第二位の国力に達した。戦いに敗れて奇跡の栄光を手にした。

学生気質（かたぎ）

ところで、本書に登場する物理学者を時代で区切ると、次のようになる。

第一世代：一九世紀中頃に生まれた　山川健次郎
長岡半太郎

第二世代：一九世紀末に生まれた　八木秀次
仁科芳雄

第三世代：二〇世紀早々に生まれた　朝永振一郎
湯川秀樹
南部陽一郎

第四世代：それより後で生まれた　江崎玲於奈
小柴昌俊
益川敏英
小林誠

この中で、教育者として後進の物理学徒に一番影響の大きかったのは長岡半太郎であろう。現代の物理学者も系譜をたどると多くが彼にいきつく。

また、第二世代の八木と仁科という電気工学出身者が湯川と朝永を育てているのが目をひく。これは偶然ではない。だいたい、理工科といっても専門によってずいぶん性格がちがう。

昔、数学の学生は影がうすくて、いるかいないのかわからなかった。「お役に立てなくてすみません」といった風情だった。物理の学生は自信が強く、理屈を考えることに頭が一杯だ。他人や社会のことにまで考えがおよばない。究極の自己中だ。

化学系は昔、石油製品の生産に邁進し、日本を経済大国に押し上げた。しかし、行きすぎて公害の元凶になる。バブルが弾けて、先輩からひどいことを言われた。

「君達には公害対策や環境事業など、私たちの尻拭いの仕事しか残されていない」

建築科は理工科の中で独り芸術家だ。真白なハイネックのセーターなどで現れてもらす。

「デッサンの授業にこれからモデルがくるんだ」

よくよく問い質すと、裸婦を描くらしい。周りの男子学生は懸命に内心を押し殺すものの、同じ授業料を払っているのに口惜しくてならない。

他方、意外とロマンチックなのは土木工学の学生である。万里の長城とかスエズ運河を造った先人たちに思いを馳せる。

一方、原子力発電所は世界中でいくつも大きな事故を起こし、原子力工学はすっかり悪者になってしまった。日本の大学でも原子力学科といった名前を表に出さないようにした。半世紀前には「第三の火」と持て囃されたのに、研究費も何もかも冷遇された。温室効果ガスの二酸化炭素を出さないエネルギーとして久しぶりに脚光を浴び始めた矢先、日本自身が世界最大級の原発事故を引き起こした。原子力工学系の教官も学生も再び卑屈な態度で引っ込んでしまった。

他方、電気工学の学生はコミックや合コンや就職先の品定めに熱心で、理工科の中で一番世慣れている。物理のような原理と同時に、人間や社会にも関心がある。彼らは物理の成果である半導体を利用して電子工学を生み出し、時代の花形になった。八木と仁科は、そんなバランスのよい人たちだから、個性の強い物理の若手を上手に育てることができたともいえよう。

学者にも営業成績

昭和七年（一九三二）、東北大学の八木秀次（現在の大阪府立北野高校出身）が新設の大阪大学に赴任することになった。その時、湯川の一番上の兄、芳樹（冶金学）が同じ東北大工学部に勤めていた。八木をよく知っていたので、弟の採用を頼む。しかし、大学院を出て四年も経っているのに、履歴書の業績欄には一篇の論文も記入されていなかった。

大学の先生というのは講師になって初めて一人前の研究者と言える。講師になるには博士号を持つことと論文を出していることが今でも条件だ。医学部の場合、さらに海外留学の経験が意識されたりする。

論文ゼロの湯川だったが、優秀な学者一家の一員であることに期待し、八木は講師として彼を採用した。

ある日、阪大の物理学教室で湯川が八木に叱られていた。同級生の朝永はすでに論文をいくつか出しているし、東大から来た若手の伏見康治[53]さえすでに論文を出版している。

学者が論文を出すのはセールスマンの営業成績みたいなもので、学者の義務である。そして、部下にそれを督促するのは上司の愛情であると八木は考えた。彼は、長いお説教の最後に、毒を吐く。

「本来なら朝永君に来てもらうことにしていたのに、君の兄さんから依頼されたので、やむなく君を採用したのだから、朝永君に負けぬよう、しっかり勉強してくれなければ困る」[54]

湯川はこの時、恩師を心の中で切った。

湯川は科学者としては例外的に多くのエッセーを残している。その中には、めぐり会った内外の物理学者の思い出も多い。しかし、八木に関しては一片の文章も残していない。

湯川の義父玄洋は開業医だが、ドイツに留学し研究の経験もあった。彼は研究者が論文を出す大切さを娘に話した。湯川は、大学では八木教授に叱られ、家に帰れば妻から論文を出してと尻を叩かれた。

彼は寝られなくなって寝室を変える。大きな家の中で養子が次々と部屋を移った。ついにある日、玄洋が秀樹につぶやく。

「もう部屋はないよ」

湯川は研究をしていなかったわけではない。原子の次の最大の課題はその芯にある原子核だ。そこに、魅惑的な問題を見つけた。

原子核は陽子や中性子が集まっているから電気的に反発してバラバラになってもよい。それなのにまとまっているためには、陽子や中性子の間で引力が働いていなければならない。この引力はすでに核力と名づけられていたが、電気的な力や万有引力とか重力のようなものでは説明できず、全く未知の力だった。彼は核力がどのようにして発生するのか解き明かしてやろうと思った。

湯川のアイデア

湯川は大阪、朝永は東京とわかれたが毎年物理学会の時に会う。昭和八年(一九三三)、二人は東北大の運動場にいた。湯川が落ちていた枝を拾い土の上に数式を書き始める。

そもそも、力が働く時はその力を仲介する素粒子が飛び交う。当時そんな例が二つ知られていた。一つは電気的な力だ。プラスの電荷とマイナスの電荷は引き合うが、この力は電波が作っている。量子力学によると電波は光子である。すなわち、電気的な力は光子のやり取りで発生している。

一方、ハイゼンベルクの不確定性関係によると、力の及ぶ範囲が広いほど、それを仲介する粒子は軽くて長い距離をすばやく飛ぶ。電気的な力の場合、二つの電荷がいくら遠く離れていても弱いながらも引き合う。電気力は最も遠くまで作用する力なのだ。それに符合して、光子は重さがない。

二つ目の例として、分子を形成する力があった。分子は原子が結合してできている。その原子は化学結合力といって、電気的に中性のまま結合していることが多い。プラスやマイナスの電荷は存在しない。この原子間力に関し、仁科の留学時代の僚友だったライナス・ポーリングが交換力なるものを主張していた。すなわち、二つの原子が自分の電子を互いに交換しながら引き合っている。分子の狭い中で発生する力だから、電気的な力と違いそれを仲介する電子は光子よりずっと重い。

では核力はどうか。原子核という、さらにずっと狭い場所で作用するから仲介する粒子があるとすれば電子よりずっと重くなるはずだ。湯川が不確定性関係で計算したところ、それは電子の二〇〇倍くらいの重さと出た。

一方、素粒子というと当時は陽子と中性子と電子の三つだけの時代だった。重さでいうと、陽子と中性子が同じくらい重く、電子だけ軽い。陽子と中性子は電子のおおよそ二〇〇〇倍の重さだ。湯川の素粒子の、重さが電子の二〇〇倍というのは、軽い電子と重い陽子や中性子のちょうど中間の重さになる。人類が知らなかった中間の重さの素粒子が存在すると言っているのだ。聞いていた朝永は「やられた」と思った[55]。

しかし、学会が終わっていつまでたってもその論文は出ない。湯川は論文の英語を何回も何回も直していた。

理論物理学者は論理に厳しい。その上、無駄を嫌って文章をどんどん切り詰める。さらに、その文章に合う言葉は唯一、一つしかないと考え、彼らは言葉を選びに選ぶ。この態度は英語の論文でも日本語の報告でも同じだ。

そうなると、出来上がった文章はどの言葉も削れないし取り替えることもできない。白刃の上を渡るようなぎりぎりの文章が出来る。湯川も朝永も後に名文家として知られるようになった。

えらく遅れたが、処女論文が出来上がった。自信作だから世界最高峰の『フィジカル・レヴュー』（アメリカ）に送ったが、東洋の無名の若者が革命的な予言を展開しているのだから当然掲載を断られる。

取りあえず日本で口頭発表するしかなかった。昭和九年（一九三四）一一月一七日上京し、午前中理研、午後は東大に移って日本数学物理学会で発表する。

　東大の会場では後ろの方で小川琢治が聞いていた。息子は話さなくなってしまったが、彼は父親として八木に頼みの手紙を書いている。それは、サムライがグイッと相手に間合いを詰めるような、有無を言わさぬ迫力だった。

　ところで、『フィジカル・レヴュー』の審査員でも理解できなかったくらいだから、日本国内でそれを期待するのは無理だった。それでなくても、日本の科学者は一般に新しい知見を評価できない。日本で量子力学を理解できるのは仁科と朝永だけだった。

　しかも、湯川の声はいつものように小さく聞きとりにくい。質問の時間になり、聴衆の一人が手を挙げて、言った。

「よく聞こえなかったのでもう一度話してください」

　それ以上のコメントはなく、後味の悪い発表になった。

　発表の二週間後、湯川は何ヵ所か訂正した上で『日本数物学会誌』という日本発の欧文誌に送り直す。彼は、自分の論文を読んで世界中が大騒ぎになると思っていた。

　しかし、欧米の大学では、東洋の雑誌などすぐ倉庫に放り込んでいた。研究者の目に触れないから海外からしばらくは何の反応もなかった。しかし、この論文が二年後世界の注目を浴び、戦争を挟んで一五年後にノーベル賞に輝くことになる。

確かな理論にするために

湯川は、理論というものは三つの要件を満足していなければならない、と考えた。第一に、関係あるすべての現象を説明できなければならない。一つでも説明できない事実や現象があれば、その理論はどこか間違っている。

第二に、美しくなければならない。神はこの世界を美しく作ったはずだ。真実は美しさに宿る。複雑で例外のある理論など美しくない。すなわち、「美しい」とは単純明快という意味である。

最後に、その理論を証明できるような実験を論文の中で提示しなければならない。実験家に向けて予言すべきだ。

「私の理論によれば、こんな実験をすればこんな結果が出るはずです」

湯川自身は粒子の重さと共に、その寿命を一億分の一秒と予言した。

湯川が理論を発表して二年後、アメリカの実験物理学者アンダーソンがそれらしい粒子に遭遇する。宇宙線が霧箱の中で見たこともない素粒子を生じていた。霧箱というのは水蒸気をたっぷり入れた箱で、放射線が通った跡に水滴が凝結し白い線になる。

宇宙線の研究者はそれを写真に撮って分析する。たとえば、一本の放射線が入ってきてある地点で分岐し二本の線に分かれたとする。霧箱の中ではそれがしばしば地磁気によって曲がる。高校の物理で習ったフレミングの法則により、粒子がどちらに曲るかで粒子の持つ電気がプラスかマイナスかわかる。

さらに、分岐する前と後でエネルギーや運動量が増えたり減ったりしないという、古典物理の原則を利用する。エネルギー保存則とか運動量保存則と称する大原則である。その式を解くと、粒子の重さも推測できる。アンダーソンによると、その粒子は電気的に中性で、重さは電子の一〇〇倍くらいだった。

アンダーソンという人はすでに陽電子を発見し、世界トップの実験物理学者であった。その時、彼はディラックが書いた反粒子を予言する論文を読んでいたので自信を持って発表できた。しかし、電子の百倍の重さの粒子については湯川の論文を読んでいなかったので発表を控えていた。

ある時、オッペンハイマーがYukawaという東洋の理論物理学者が新しい粒子を予言していると知らせてきた。慌てて図書館に急いだ時は、その奇妙な粒子を発見してから二年も経っていた。

彼は、その東洋人の論文を読んで雷に打たれたような気がした。誰一人予想もしていなかった中間の重さで、自分が見つけた粒子にソックリだ。先にこの論文を読んでいたら自信をもって発表していたのにと残念だった。

ただし、予言の中で一つだけ引っかかるところがあった。湯川が寿命を一億分の一秒としている点だ。アンダーソンはその粒子を海上で発見していた。一億分の一秒では、天空から海面まで届くはずがない。二桁くらい小さすぎるのだ。

一方、欧米の研究者にとっては、アンダーソンの発見よりも東洋の科学者がずっと前に予言していたことの方が信じられなかった。サムライがとてもスマートな洗練されたセンスで量子力学を駆使し、全く新しい粒子が存在するはずだと言っていた。

それまで倉庫の奥に積まれていた『日本数物学会誌』が、彼らの間で引っ張りだこになる。昭和一五年（一九四〇）頃には、ドイツでもアメリカでもこの東洋の雑誌が書庫の奥から閲覧室の中央の書棚に移されている。

湯川は早速、アンダーソンの粒子は自分が予言したものであると、国際誌『ネーチャー』に書き送ったが掲載を断られる。後にわかったことだが、アンダーソンの粒子は湯川の粒子と仲間ではあるが、厳密には別物であった。

湯川の粒子は、何年たっても見つからなかった。戦争をまたいで発見は戦後になる。イギリスでパウエル教授（ブリストル大学）がずっと頑張っていた。

彼は、アンダーソンと違ってユングフラウ（アルプスの四〇〇〇メートル峰）やピレネー山脈（フランスとスペインの国境）や南米のアンデス山脈といった高山の山頂で測定していた。寿命が本当に一億分の一秒なら、地上に降り注ぐ前に寿命が尽きる。だから、高い方が見つかるはずだ。

彼は原子核乾板（かんぱん）と称するフィルムのようなものを使っていた。原子核乾板とかフィルムには、光だけでなく放射線も写る。しかも、霧箱のように重くてかさばらないから高山の頂きまで持って行ける。

調べ始めてから八年目、ピレネー山脈の南岳から回収したフィルムを現像し顕微鏡で覗く。フィルムのある深さに焦点を合わせたとたん、宇宙線がそこかしこで花火のように飛び散っていた。

その中に、電気的に中性で電子の二〇〇倍の重さの粒子が飛んでいた。パイ中間子と名づけたが、これこそ湯川の粒子だった。この功績により、彼は湯川が受賞した翌年の昭和二五年度（一九五〇）ノーベル物理学賞に輝く。

第10章　敗戦国のエース

夫婦

湯川は最初の論文を発表してから、憑物が落ちたように次々と論文を出す。そんな湯川の様子を見て後輩が一緒に研究するようになる。その中でも特筆さるべきは坂田昌一の、「二中間子論」である。宇宙から降り注ぐパイ中間子が、地球の大気に突入しアンダーソンの発見したミュー粒子に変わる。湯川、朝永に並ぶ天才が日本に出現した。

最初の論文に対する海外の反響も届き始め、湯川の表情に自信がみなぎってきた。昭和一三年（一九三八）五月、玉城嘉十郎教授が急逝する。教授は湯川を後任にするよう遺言していた。

京大から教授にとの打診があった時、湯川は悩む。八木と阪大教授会が湯川の割愛を了承しない限り、自分は異動できない。正直なところ、母校の方が肌に合う。阪大は研究室のすぐ外をトラックが走っていたりして雰囲気がガチャガチャしていた。しかし、八木教授は論文のない自分を阪大に採用してくれた。辞めるとはとてもいえない。

湯川はおとなしくて、授業の時学生の顔も見られない。黒板の方を向いたまま授業をしていた。湯川自身、一生自分は独身と思っていた。スミは秀樹より三歳下だったが、対外関係では比較にならぬほどシッカリしている。

苦手な来客があると、湯川はスミにつぶやく。[52]

「君、病気になれ」

それを口実に会うのを断るのである。

プラス思考のスミの方は、夫がスランプになると次のように激励していた。

「一生懸命しはったんやから、仕様がないでしょう。クスンとならんと大いに続けてやりましょ」

辞職のことも、彼女が八木家を訪問し夫人に申し入れることになった。事情を説明し、八木教授にお伝え下さるようお願いした。

さすがのスミにとっても、八木家との接触には気が張った。それでも、彼女は夫のために一度ならず二度ならず立派に代役を果たす。そんなシッカリした妻を、亭主としてリードするなど湯川には逆立ちしても無理だ。しかし、二人は最高のペアーだった。

他方、八木にしてみれば、湯川がいなくなると、期待していた理論物理グループが消滅する。しかし、彼は若い研究者が伸びてゆくのも大事にする人だった。

八木秀次VS東條英機

日本海軍は自分からレーダー電波を出すなど愚の骨頂と考えていた。敵に見つかるからだ。実際、彼らは真珠湾攻撃のようにこっそり敵に近づき奇襲攻撃を仕かけるのが得意だった。さすがに、シンガポールの一件（第9章）で方針を一八〇度変える。しかし、もう遅かった。その四カ月後にミッドウエー海戦が起こる。

日本の空母は、攻撃する前に暗闇の中から砲弾を雨あられと撃ち込まれる。飛びたった攻撃機も途中待ち伏せされる。パイロットが命辛々戻って来ても無残な母艦の周りに次々に着水した。虎の子の空母が四隻も沈められたり大破していた。たった一度の戦いで、選りすぐりの三〇〇〇名の兵も失った。その中には一〇八名の熟練パイロットが含まれていた。日本は敗北に向かって転げ落ちてゆく。

しかし、日本のレーダー技術は、八木アンテナや朝永振一郎がレーダー波を出すマグネトロンとそれを伝える導波管の物理設計に世界で初めて成功している。ところが、日本最高のエリートだった海軍兵学校出が、それらの価値をわからなかった。

帝国海軍は日露戦争後、早くも伝統にしがみついていた。山本五十六は、新時代には航空戦が重要であることを力説したが、上層部は空母よりも戦艦を重視した。

一方、撃ち落とした米軍の飛行機を調べると、フェライトといった高性能磁石を使っていた。東京工業大学が開発したものだが、アメリカは日本側の成果も最大限利用していた。

昭和一八年（一九四三）、東條英機は軍需省新設の指示を出す。会議で東條が説明した。

「陸軍と海軍が、航空機製作のために材料や部品、人員、資金、工場などを奪い合っている。これを改めるために軍需省を新設し、一致団結して戦力を飛躍強化したい」

その場に八木がいた。彼は大阪帝大教授であるとともに、科学技術審議会第三部（電気・電波部門）会長でもあり、戦時非常動員の責任者になっていた。八木はすぐに発言を求めた。彼は、白髪の長身痩軀から眼光鋭く相手を射貫く。会った人は皆ただ者でないと感じる。

「今のお言葉は聞き捨てならない。私も常日頃、陸海の争いにはほとほと迷惑しておる。私の個人的な迷惑なら大したことではないが、お国に大いなる損失を与えていることはあきらかです。戦にはまずもって陸海の調和協力が必須とぞんずるが如何か[52]」

この二カ月前、東北大の教え子であった松前重義が一番下の二等兵として招集を受けている（第II部第6章）。八木は取り消しを画策したが、思うようにいかない。八木は卑劣な東條を追い詰め、できることなら刺し違えようと思っていた。東條も八木のことは知っている。短気な東條が仕方なくひきさがり、その場は逃げられてしまう。間もなく東條は更迭された。翌昭和一九年（一九四四）、八木は内閣技術院総裁に就任する。科学技術行政のトップだ。その時、彼は東京工業大学の学長をも兼任していた。受信禁止になっていた敵電波も耳に入り、英語が達者な八木は戦争の状況を正確に把握していた。

日本の特攻機は発進した時から八木が発明したアンテナによって敵側に丸見えになり、敵艦まであと少しの所で撃墜される。日本のパイロットも、高射砲を避け海面スレスレでなんとか敵艦に体当たりしようとしたが、多くは海に突っこんだ。

昭和二〇年（一九四五）の議会で、彼は六回にわたって政府委員として答弁に立ち、技術に疎い議員に対して懇切丁寧に説明している。一月二四日の予算委員会において、三木武夫（後に首相）の特攻に関する厳しい質問に対し、八木は次のように答弁している。

「決戦兵器に関し必死必中ということが申されますが、必死でなくて必中兵器を生み出したく念願しております。しかるに、戦局は必死必中のあの神風特攻隊の出動を待たなければならなかったことは、技術当局といたしまして全く申し訳ないことと考えております。一日も早く、必死必中でなく必中の兵器を生み出さねばならぬと考えるしだいであります」（第八六帝国議会会議録より）

特攻隊員に謝罪するあたりで、八木は声が詰まり演説が続けられなくなった。いつもの政府委員と違う。議員も襟をただし悲痛な空気が流れた。そっと涙をぬぐう議員もいた。

八木は湯川秀樹を育てたが、研究者にとって一番幸せなのは弟子を育ててあげることだ。自身が何か大発見するよりも幸せだ。多くの教授は発見もせず弟子もつくれずに定年をむかえる。八木と仁科は、湯川と朝永という自分たちより偉大な後進を残した。

アインシュタインの涙

アインシュタインと湯川（プリンストンにて）

昭和二三年（一九四八）九月、湯川はアメリカ東部のプリンストン高等研究所から招かれ日本を離れた。頭脳流出である。招かれた理由は三つあった。第一は、もちろん中間子理論。発表してから一四年、すでに欧米で注目を浴びていた。

第二は、そこの所長オッペンハイマーが湯川を陰ながら助けていた。湯川の中間子論文は一四年前『フィジカル・レヴュー』への掲載を断られている。実は、断ったのはオッペンハイマーだった。

それを悔い、彼は湯川に注目するよう世界に喚起した。その後も、湯川と朝永が受賞するまでノーベル賞に毎年推薦している。しかし、そのような援護射撃を彼は長く誰にも話していない。

理由の第三は、自分が指導して作った原爆が日本に落とされたことだった。

しかし、湯川夫婦が研究所に着いて早々、その所長より先に所員であるアインシュタインから、お邪魔したいとの連絡が入る。

約束の時間にベルが鳴った。ドアをあけると、写真でよく見るあのアインシュタインが立っていた。

スミは、彼の髪の毛がまるで犬のチンのようにモジャモジャ、手入れもしていないのにビックリした。

自己紹介と挨拶のあと、彼は怖いほど硬い表情を作る。夫婦の手をにぎり、許しを乞うた。

「私が原理を公表したために原爆が開発され、お国の広島と長崎で多くの市民を殺傷しました。私の責任はきわめて大きい。どうかどうか許してください」

彼の頬を涙が伝っていた。人類史上一番偉大な学者が、何度も詫びながら激しく泣いた。

それまでこの世から物質が消えたりすることはありえなかった。物が燃えると灰になり軽くなって何かが消えたようにみえる。しかし、発生した炭酸ガスの重さを加えれば最初の重さと同じになる。激しいスポーツをすると体重は落ちるが、滴り落ちた汗と吐いた水蒸気や炭酸ガスなどを計算に入れればピッタリ最初の体重と同じだ。

ところが、原爆や原子炉で燃えた後、核燃料は発生した物質を加えても軽くなっている。原爆では、生じた破片は猛スピードでとびちる。巨大な運動エネルギーが生じていた。アインシュタインによると、軽くなった分が巨大な運動エネルギーに変身し最後は膨大な熱（エネルギー）になる。

彼の理論によれば、物質とエネルギーは本来同じものであって互いに変身しあう。彼は、物質の質量がどれくらいのエネルギーになるかも、古典的なニュートン力学の式に基づいて示した。$E=mc^2$という有名な式のことである。

この式で、Eは生じたエネルギー、mがそのために消えた質量でcは光の速さだ。光以上に速いものはこの世になくその速度はすさまじく大きい。それを右辺で二回掛けるから左辺のエネルギーは莫大になる。これが特殊相対性理論であり、原爆の理論になる。

一方、アインシュタインは昔から日本が大好きだった。愛読する作家はラフカディオ・ハーン（第I部第1章）だった。しかも、湯川夫婦と会う二六年も前、戦前に彼は日本を訪ねたことがある。
日本に向かう途中、彼へのノーベル賞授与がスウェーデンから発表された。神戸港に着いた時、日本はアインシュタインフィーバーに沸いていた。

彼がそこで見たのは、フレンドリーでそれでいて控え目で誠実な日本人だった。その自然は美しく、芸術も極度に洗練されている。日本は彼の憧れを裏切らなかった。しかも、東北帝国大学を訪問した折、八木秀次や本多光太郎や石原純などきわめて優秀な科学者が眼前に現れた。[56]

後に、述べている。

「東北大の教授たちは脅威だった」

ドイツではなく日本に原爆が落とされたと聞いて、アインシュタインは叫んだ。

「アー、何ということを！」

戦争が終わると、彼はアメリカ政府と手を切り、死ぬまで平和運動に尽くした。

原爆の父

研究所長のオッペンハイマーのことだが、彼はニューヨークの布地商の息子として生まれた。父親が大成功し、マンハッタン西八八丁目の高級マンション一一階に住む。

エントランスではフロックコートの守衛二名がうやうやしくドアを開けてくれた。リビングルームの壁は、画家だった母親が選んだピカソ、ルノワール、ゴッホ、セザンヌの絵でうまっていた。

週末にはマンション向かいのセントラルパークで乗馬を楽しみ、運転手つきの高級車でロングアイランドの別荘に向かった。[57] マンションの西側を流れるハドソン川の波止場には一家の大型ヨットが留めてある。夏の独立記念日になると、親戚が自宅に集まってパーティーをした。窓一杯に広がるハドソン川上の豪華な花火を楽しんだ。

アインシュタイン（左）とオッペンハイマー（右）

ニューヨークはユダヤ人が多く、こんなリッチな階層も珍しくない。アメリカに亡命して来た初代が実業家として成功すると、子供にはエリート教育を受けさせる。ユダヤ人ゆえ、学長や政治家など上層部には入れないから、研究者として大成する道を選ぶ。

ニューヨークのユダヤ人と話しているとノーベル賞を受賞した親戚が自然に出てきたりする。

オッペンハイマーもそんな環境からハーバード大学に進学した。さらに、ケンブリッジ（イギリス）の大学院に進み、量子力学の勃興期に立ち会う。次いで、ボーアの研究所で学び、後に湯川中間子や、中性子星、ブラックホールの予言など、幾多の輝かしい業績を上げている。

オッペンハイマーは一九二九年に帰国し、カリフォルニア大学（バークレー校）とカリフォルニア工科大学の教官を兼任する。アメリカで初めて量子力学を講義した。同じ授業を何回でも聞こうとする学生をとめるのに苦労する。学生たちの間では、愛称「オッピー」の身振り口振りを真似るのが流行った。

しかし、原爆に関わり、そんなありふれた温かな教師人生を失う。一九四一年、コンプトンから原爆開発計画の専門委員会に招かれた。バークレー（カリフォルニア州）のローレンスとも親しく、さらに原爆計画に近づいてゆく。

彼は原爆を単純に合理化した。原爆の倫理的社会的政治的側面や、関わったら派生するであろう深刻な問題も心配することはなかった。彼はマンハッタン計画の責任者になり、四〇〇〇人の科学者技術者を指導して原爆を作る。「原爆の父」と呼ばれアメリカの英雄になった。

やがて、政府から原爆の一〇〇〇倍も強力な水爆について諮問された。ソ連に対抗して緊急開発する必要があるか。彼は一転して、スーパー爆弾は人類の道徳性の根幹に触れる問題であると主張する。その開発を秘密の内に大急ぎで決定することはきわめて危険である。

しかし、多くの民間会社が産軍複合体を通して巨額の注文をもらい、科学者たちは軍学共同によって潤沢(じゅんたく)な研究費にありついていた。彼らにとって、オッペンハイマーが独り主張する水爆開発反対は邪魔以外の何者でもなかった。

その上、折悪しく共和党のマッカーシー議員が赤狩りの生贄(いけにえ)を求めていた。超有名人になっていたオッペンハイマーは恰好(かっこう)の餌食(えじき)になる。

そんな時、決定的な一打が彼を襲う。それはFBI長官に届いた一通の告発状だった。[13]オッペンハイマーは共産党員でありソ連に核情報を流してアメリカの水爆開発を遅らせた。

同僚であったエドワード・テラー博士が物理学者の中でただ一人告発の側に立ち、オッペンハイマーに引導を渡す。

コロンビア大学のラビ教授は最後まで彼を守ろうと動いた。プリンストンの仲間たちは全員で声明を出し所長を擁護する。

「三〇カ月のマンハッタン計画で、類希(たぐいまれ)な才能と努力をささげた彼は、第一級の忠誠心と愛国心を持っている」

アインシュタインは彼に、一切の公職を辞任し自分と同じようにアメリカに背を向けるようにと忠告した。しかし、アインシュタインとオッペンハイマーは事情が違った。オッペンハイマーはアメリカを愛していた。

オッピーの晩年

事態が好転することはなかった。マンハッタン計画の時からオッペンハイマーは盗聴マイクを仕掛けられ四六時中監視されていた。[57] 核という国家機密に最も近い立場にあったからである。最後は、彼の弁護士の事務所も大統領の許可により盗聴されている。

聴聞会（ちょうもんかい）では恋人とのプライバシーまで洗いざらい公表される。一九〇センチの長身なのに体重は五〇キロにまで落ち、鶴のように痩（や）せた。

彼が共産党の集会に参加したのは本当だ。しかし、学者らしい興味で一度だけお付き合いしただけだった。追い打ちをかけて、恋人が一時共産党員であったことも暴露される。結局、共和党のアイゼンハワー大統領は彼を「アメリカ原子力委員会委員長」から罷免（ひめん）した。

オッペンハイマーは生まれた時から何不自由なく育った「おぼっちゃま」であまりに無防備だった。彼は自分を次のように評している。

「子供の頃から恵まれていて、私は世の中で出会う残酷や苦しいことに対する備えを身に付けていなかった」

　オッペンハイマー事件が落ち着いた一九六〇年、湯川は関西で開かれた理論物理の国際会議に彼を招いた。彼は学会後の瀬戸内海クルージングを楽しみにしていたが、湯川は止めた。コースの中に、宮島そして広島が含まれていた。

　日本の研究者は彼を「悪魔に魂を売った物理学者」と思った。日本の研究者も学生も「物理学者の社会的責任」の反面教師として議論した。オッペンハイマーを知らない多くの日本人研究者にとって、彼は冷たい血の流れる怪物だった。

　日本に滞在中、彼は新聞記者に対し次のように述べている[58]。

「原爆の開発に関わったことに対して何ら後悔はしません。しかし、それにもかかわらず、申し訳なく思っていないというのではないのです。時間が経つほどに私の心は痛んでいます」

　彼は日本人の尺度を超えていた。

　アメリカでは民主党のケネディーが大統領になり、オッペンハイマーの名誉が回復された。

　彼が亡くなった時、フルブライト上院議員（民主党）は議会でスピーチしている。

「彼の特別な才能が我々のために何をしてくれたかではなく、我々が彼に何をしたかを忘れないようにしよう」

日本人に初のノーベル賞

プリンストンにおける湯川の話に戻ろう。欧米では、訪れた科学者や研究室に入った新人には、それまでの自分の研究について話してもらう。湯川が話した時の様子を、アブラハム・パイス博士が次のように述べている[58]。

「湯川は内気な人だった。口調が穏やかなだけではない。聴衆に背をむけ黒板に向かって話をするのだ。聞いているこちらには拷問そのものだった」

京大で講義するのとなんらかわらない。パイス博士には受けが良くなかったが、湯川はたった一年でコロンビア大学（ニューヨーク）に教授としてうつる。

その頃、湯川スミが仁科に書いた手紙をおみせしよう。

いつしか秋も深まって参りました。当地へ参りましてから一度お便りをと心に存じながら、何かとめまぐるしく過しますばかりで本当に申しわけもなきごぶさたを致してしまいました。その後御機嫌はいかがでいらっしゃいましょうやおうかがい申しあげます。

いつかの新聞にて先生が欧州の方へお出かけあそばしました御由うけたまわり、お帰えりには当地にてお目もじがかないますことと主人ともども大変お待ち申し上げて居りましたが、先日外務省の方におうわさうかがいましたところ、早や先生には日本へおかえりあそばしていらっしゃいます御由、誠に残念なことを致しました。主人は論文の仕上げやコロンビア大学にての講義などで忙しく、私はニューヨークへの引越しや子供の学校入学のこと等でついとりまぎれて居りまして、思わぬ失礼御無沙汰を重ねましてなにとぞおゆるしあそばして下さいませ。

お陰様にて皆々元気にそれぞれのつとめに励んで居りますゆえ、他事ながら御休心下さいませ。御無沙汰は致しながらもいつも御恩になりました先生方のことは決して忘れて居りませぬ。どうぞ何か私どもでお間に合いますことができました節には御遠慮なく仰せつけ頂きたく願い上げます。御奥様や御坊ちゃま方も御機嫌でいらっしゃいますか。御多忙中恐れ入りますが、どうぞおよろしくお伝えあそばして下さいませ。

はるかに御健康を祈り上げつつ、とりあえず右申し上げます。主人よりも分けておよろしくと申し出て居ります。

かしこ

一一月一日

湯川スミ　拝

仁科芳雄　先生　御許に

（『仁科芳雄往復書簡集』より、旧仮名遣いを改変）

スミがこの手紙を認めた翌日の昭和二四年（一九四九）一一月三日、ノーベル賞決定の電話がストックホルムからかかってきた。湯川は内心「遅れたな」と感じた。日本でニュースを伝える大きな活字が新聞の一面におどったのは、奇しくも一九四九年の文化の日になった。

この三カ月前、古橋広之進と橋爪四郎がロサンゼルスの全米水泳選手権で圧倒的な世界記録を出してアメリカの選手たちに勝っている。日本人は、ノーベル賞受賞のニュースに再び晴れやかな気持ちで胸を張った。

素粒子物理学の誕生

湯川の受賞には長岡半太郎が貢献していた。彼は以前からノーベル物理学賞の推薦を選考委員会から頼まれていたが、湯川が出現するまで自国の科学者を推薦することはなかった。しかし、彼の推薦したキュリー夫人や、中性子を発見したチャドウィックら全員がノーベル賞を受賞していた。ストックホルムでは当時彼を「ミスター一〇〇パーセント」とよんでいる。

彼は阪大総長になったあたりから湯川に注目し、ノーベル賞に推薦するため八木や仁科から湯川に関する情報をあつめていた。

ハイゼンベルクは湯川の論文を読み、その深さと鋭さに驚愕した。彼自身も核力を説明しようと試みたことがある。彼の場合は陽子と中性子が電子をやり取りすると仮定して計算していた。陽子は電子を吸収して中性子に変わるから無理な仮定ではないが、発生する引力はずっと弱く、しかも原子核の外までボヤっと滲み出してしまった。

湯川の方は、ハイゼンベルクが発見した不確定性関係を利用し、核力を仲介する新粒子の重さまで算出していた。ハイゼンベルクは、この東洋人が量子力学の芯をヨーロッパの誰よりも深く理解していると感じた。

ノーベル賞授賞式での湯川

それにしても、アジアが優れた物理学者を出したことなどかつてあっただろうか。唯一、インドのラマン博士が一九年前にノーベル物理学賞（一九三〇年度）をとっていた。光が分子で散乱されるとその色が変わるという驚くべき発見だったが、実験物理に関するものだ。

仁科と違い、湯川は西洋に留学したこともない。孤絶した東洋でただひとり革命的な理論を考え出した。こんなことがなぜ可能だったのか。

なお、ヨーロッパで一番早く湯川を認めたのはオスカー・クライン（スウェーデン）である。あの「クライン―仁科の式」のクラインであるが、彼は自省の言葉をもらした。

「湯川の仕事に気づくのが遅かったことを恥ずかしく思う」

湯川は、原子核の中の引力を新しい素粒子のキャッチボールで説明するというアイデアを持ち込んだ。この手法が「場の量子論」に発展する。「場」というのは、「力の働く場」という意味だ。

それまで、ノーベル物理学賞は理論だけで与えられることはなかった。しかし、湯川の理論は、従来の考え方をはるかに超え、計算だけで素粒子を見つけられることを人類に示した。「場の量子論」が理論物理学者の間でブームになる。日本も西洋も競って湯川論文の続きを発表した。

やがて、サイクロトロン（第II部第5章）が次々と新粒子を誕生させる。ローレンスの加速器実験と湯川の場の理論を併せた「素粒子物理学」という巨大科学が誕生した。[59] 今やロケットと並ぶビッグプロジェクトである。

セミナー風景

湯川は人類史上最高度に洗練された学問を生み出した。京都大学はあわてて彼を日本に呼びもどす。

湯川は帰国の途中、五年ぶりにプリンストンに立ち寄った。そこでは中間子に続く研究について話すことにした。

湯川が切り開いた核力は強い相互作用と呼ばれる。一方、弱い相互作用というのもあって、こちらは原子核から電子を飛び出させるような核の中の力である。彼は核力とこの弱い相互作用を統一して説明できるような理論をつくろうとした。それが彼の終生の目標になる。

そのために、湯川は力の場をある一定の広さを持った単位で考えた。「非局所場の理論」と呼び、その基本的性質をまとめた。プリンストンではその第一報について報告したが、もちろんきたるべき壮大な統一理論への最初の一歩のつもりだった。

セミナー室の最前列にパウリが座っていた。彼は若い時からハイゼンベルクと親しく無二の親友である。ユダヤ人ゆえに排斥されドイツからアメリカに来ていた。

彼は物理仲間の間で法王と呼ばれるほど、批判の厳しさで有名だ。湯川が話を終えると、彼が待っていたように手をあげ、決めつけた。

「あなたの第二報は出ないと思うよ、永遠に……」

湯川はパウリと初対面ではない。この前年、全米物理学会の年会がコロンビア大学で開かれた。その日、湯川はラビ教授と一緒にランチに向かうところだった。大学前のブロードウェイを、向こうから西洋人にしては短軀でズングリムックリした男が歩いてきた。ラビ教授が紹介してくれたその人は、初対面にもかかわらず今回と同じ失礼なことを自分に言った。

湯川はプリンストンで抱いた気持ちを次のように述べている[1]。

「パウリの出し抜けの一言は図星だとおもった。しかし、彼の憎らしい言い方が癪に障ったので、こうなったら意地でも第二部はかかねばならぬとおもった。そんな事情もあって、出来上がった第二部には仕上げを急いだためにどうも無理がある。その後なんとか改良したいと、折りに触れて考えてきたが、私の非局所場理論が立ち往生している間にパウリ先生はあの世へ行ってしまった」

しかし、湯川は次のようなエピソードを知らなかった。スイスである物理学者が湯川と同じような中間子論のアイデアを話した。その場にいたパウリは、日本の湯川がすでに発表していると彼を徹底的に批判し、その学者は二度とその話をしなくなった。

第11章　夢の原子力

正力松太郎

プリンストンの研究者は、ナチスドイツに対抗するためだったとはいえ、広島や長崎の原爆を作った人たちである。全員が、湯川に対し原爆はもちろん原子核分裂の話さえ控えていた。アインシュタインだけは初対面から湯川の中に一歩ふみこんだ。心の叫びにしたがい精一杯あやまった。

一方、湯川にとってはアインシュタインがむしろ人類社会のために行動しているのが驚きだった。湯川は研究のことだけで頭がいっぱいだったからだ。

しかし、科学者も社会の中の一個の人間だ。科学者、特に核エネルギーの秘密を明かした物理学者が、社会から隔絶(かくぜつ)して生きていくことは許されない。彼はたちどまり、初めて外の社会に目を向ける。

昭和二八年（一九五三）、アメリカのアイゼンハワー大統領が国連で原子力の平和利用を提唱した。エネルギー資源の乏しい日本は、官民あげて原子力発電を夢見る。

しかし、原子炉となると、それを指導できるのは核物理学者だけだ。

原子力委員会の正力松太郎委員長（読売新聞社主）に請われ、湯川は昭和三一年（一九五六）、原子力委員に就任する。

日本の核物理学者たちは原爆はともかく、原子炉のほうには自信があった。一般に、濃縮なしの天然ウランでも効率は悪くなるがそのまま使えると考えていた。実際、彼らに馴染みのエンリコ・フェルミ教授が、原爆を実験する三年前の昭和一七年（一九四二）に世界初の原子炉を作っていた。

坂田昌一も敗戦二年後に原子力の平和利用に関する夢を語った。[60] 昭和二六年（一九五一）、武谷三男も原子力は動力源として有益であり、我が国は原子炉の設計と研究をやるべきと主張した。藤本陽一も、市民のために、分かりやすい原子力の本を出版した。[61] その「はじめに」で次のように、原子力を讃えている。

> 人間が住むこともできない砂漠地帯を緑地にかえ、わたしたちのパラダイスにすることも可能です。また巨大な宇宙船を自由に飛ばせることもできるでしょう。原子力は、このように、これまでの動力ではできなかったことをやりとげる、素晴らしい力を持っているのです。

私は、卒業研究で藤本教授の指導を受けている（一九六五）。その時、日本の重電会社は海外のメーカーから原子炉を輸入しようとしていた。その基礎を支えるのは原子核物理であり、私たちはその分野の学生だった。そう言うわけで、私も先輩に案内され原発メーカーを見学した。当時の原発メーカーは、前途洋々たる若者のように、何の心配も無く、大変元気だった。

さらに、伏見康治(こうじ)に至っては、「核分裂」の次の「核融合」(水爆の平和利用)にまで夢を広げ、名古屋大学に「プラズマ研究所」を作った。

正力も自分の新聞を使って宣伝をくりひろげ、原子力ブームを作りあげた。当時は一部懐疑的だった日本国内で原発の輸入を急がせ、邪魔する役人はどやしつける。

「木(こ)っ端(ぱ)役人は黙っておれ!」

彼は原子炉の導入とそれに伴う利権を武器に総理の座を狙っていた。

湯川の方は、高度複雑な技術ほど一歩一歩基本から積み上げるべきと主張した。学者なら身にしみついたやり方だった。外国から買って利用するのでは、原発を制御できない事態も考えられる。[62] しかし、彼はお飾りに利用されただけだった。たった一年で湯川は原子力委員会を去る。

湯川の弟子たち

湯川が去って入れ替わりに三菱や住友などの商社が顔をそろえる。原発を安全に発展させる芽はつまれてしまった。昭和三三年（一九五八）には、坂田昌一が原子炉安全審査専門部会の専門委員になったが、検討に必要な資料を出してもらえないなどで、やはり辞任している。[61]

あれほど夢を語っていた武谷三男も原子力推進の考えを捨て、高木仁三郎（じんざぶろう）と共に原子力資料情報室を設立し、原発の危険な側面を伝え始める。朝永も、日本人が原子力を利用するのは難しいと考えるようになる。ついには、人類は合目的的に発展するのではないかもしれないとまで言うようになった。[63] 南部陽一郎も後に原発に慎重な考えを表明する。

結局、世界トップレベルの日本人核物理学者のほとんどが原発慎重派になり、政治家や官僚からはうるさく厄介な存在として忌避（きひ）されるようになる。

ところが、湯川らの弟子は世間同様原子力にバラ色の夢を抱いていた。日本の原子力発電に自分たちの知識と全能力をささげようとする。森一久（かずひさ）は湯川教授に指導をうけた後、原子力産業会議に就職した。事務局長になり産業界内部のご意見番として尽くした。

湯川は原子力委員として判断に迷った時、森に相談している。なお、森の一家は広島で被爆し父親は骨になってかえってきた。母親の遺体は最後まで見つけられず、彼も半年近くを寝込んでいる。

伏見康治（大阪大学）の弟子の大塚益比古は師と共に国際的名著『原子炉の理論』を翻訳し、学生たちはこの本で原子炉の基礎を勉強した。彼も電源開発株式会社の原子力部門に飛び込んでいる。

阪大の住田健二や名大の仁科浩二郎（第II部第5章）のように、学部で物理を勉強してから原子炉工学の専門家に転身したのも典型的な例だ。

東京工業大学には大学院生を教育する原子炉工学研究所ができたが、ここで福島第一原発の吉田昌郎所長（当時）が育てられた。この研究所は、技術者はもとより、大前研一[26]など多士済々の人材を世に送り出し、福島事故の時は何人もの教官がテレビに出て状況を説明した。

核物理を出て原発に転向した若手たちは、原発に慎重になった恩師の前でも何ら差別されることはなかった。森は原発推進派と目されていたが、湯川研究室の同窓会で毎年楽しい時間をすごしている。その人柄とバランス感覚は、原発推進派からも反対派からも敬意を持って語られる。

第五福竜丸

昭和二九年（一九五四）、日本からはるか五千キロ、南太平洋マーシャル諸島の周辺におおよそ九〇〇隻の日本漁船がマグロ漁に勤しんでいた。

三月一日早朝、ビキニ環礁に巨大な炎がたちあがり腹にこたえるような爆発音が続いた。二時間くらいたって、雪のようなものが降り始め、各漁船の甲板を美しく白くおおった。

皮膚に粘り付くその白い粉をなめてみたが、雪と違って溶けることはなかった。静岡から来ていた第五福竜丸は悪い予感がして帰国を決める。しかし、延縄（はえなわ）をあげるのに手間取り、数時間、視野をさえぎるほどの白い粉を浴びながら作業を続けた。

夕方になると、漁船員にめまい、吐き気、下痢などが始まり、翌日は火傷による水泡が出て、一〇日後には髪がぬけた。大阪港で水揚げしてから焼津（静岡）についたが、みんなの顔には火傷跡がのこり、歯茎からは血が滲（にじ）んでいた。

三月一六日、大阪市立大学医学部の西脇安助（にしわきやすし）教授（生物物理学教室）が市役所から電話をうける。

「被曝した漁船がマグロを水揚げしたようです。市場に出荷して良いものか、先生、放射能を調べてください」

大阪市中央卸売市場に出向いてマグロを測ると強い放射線が出ている。これが大量の放射能マグロの廃棄につながる。西脇はジェーン夫人とその日の夜行列車に飛びのり、翌早朝焼津に着いて漁船内のそこここに残っていた灰を集めた。

漁船員たちは風呂に入れられ、あの白い粉を丁寧に洗い流していた。化学者が、雪のように見えたのは、サンゴ礁がふきとばされ砕けた放射性カルシウムであり、キレート剤（薬物、第Ⅳ部第13章）で洗い落とせるとアドバイスしていた。
西脇は大阪に戻る前に、その日の夕方毎日新聞社静岡支局から社用の便箋を借りる。それを横にして、急ぎアメリカ原子力委員会宛て、なぐり書きの手紙を書いた。

一九五四年三月一七日
アメリカ原子力委員会殿
日本の漁船第五福竜丸がかなりの量の放射性物質で汚染され、乗組員全員が放射線傷害を負ったことを確認した。彼らの証言によると、三月一日午前四時ごろ、ビキニから八〇マイルの地点で操業中に突然強い放射性のちりを浴びている。
しかし、こちらでは分析にあたっているグループの間で一致しない結果も出ている。漁船員の被害を抑えるために、放射性物質の種類を知りたい。また、除染など、傷害を小さくするための最善の方法を、できるだけ早く詳しく教えて頂きたい。
西脇安

大阪に帰ってから、医学部のインターン生（国家試験を通ったのち義務付けられていた実地研修中の医師）に彼は言った。

「福竜丸を調査して来たんだけど……、あれはえらいこっちゃで！　あんなに強い放射能、見たこともないことも聞いたこともない。あれは死ぬぜ！」

持ち帰った灰の放射線を分析してみたが、通常のヨウ素やストロンチウム由来以外に、従来の原水爆ではありえない種類の強い放射線が出た。一体アメリカはどんな爆弾を実験したのか。

四月二八日には上京し、衆議院文部委員会で次のように証言した。

「私たちが直面している憂いは、決して我々日本人だけの心配ではない。人類の将来の運命を原水爆による破壊から救うために、世界の良識ある人々にむかってこの実情を隠す事なく訴える事が、我々日本人の責任であり、義務であり、また、権利であると信じます」

ところが、浅田常三郎教授（阪大、第Ⅱ部第5章）から叱られる。西脇は阪大の物理出身で、浅田の弟子だった。

「馬鹿なことは止めておけ。放射能放射能と騒いでるが、三朝温泉（鳥取県にある世界最強のラジウム温泉）だって同じ放射能だ。身体に良いと言って皆喜んで入浴しに行ってる。温泉の湯が空から降ったってどうということはないよ」

福島事故の被曝でも、生半可な専門家が自然放射線を考えれば心配はいらないなどと無責任なことを言っているのと同じだ。しかし、西脇は悩む。

「大物の浅田教授に反対されると自分はこれ以上は動けなくなる」

大阪市大と阪大の医学部教官たちが一計を案じた。第五福竜丸事件に関する討論会を開き、そこに浅田教授を招いたのである。阪大の階段教室で、西脇は師に細心の説明をした。

「温泉に含まれているラジウムやラドンは、地上に出てきた時には短半減期の核種になっており短い時間だけ身体の外から放射線を当てます。しかし、原水爆で生じた直後の放射性物質は何千年とか何万年の間、食べ物などを通して私たちの身体の中に取り込まれて内部被曝を起こしますから、はるかに危険です」

医者たちも医者としての心配を説明し、浅田教授は渋々理解したようだった。

英国議会で演説

西脇に対し、アメリカ政府関係者からも反撃があった。

「日本人が、日本製の程度の悪い放射線計測器で妙なデータを出して騒いでいる」

ところで、各種の放射性物質がどんなエネルギーの放射線を出すのか一覧表がある。それによると、例の奇妙な放射線はウラン二三七が発していた。しかし、それまでの原水爆なら高濃縮したウラン二三五を使うから、核分裂でそれより大きな二三七ができるはずはない。

彼は、今回の水爆にアメリカの何かどす黒いたくらみを感じる。さらに、マグロを含め全地球が放射能で汚染されていることを世界に知らせたい。

西脇は自分の結果は水爆実験の当事国であるアメリカに行って発表しようと考えていた。湯川先生が帰国した直後に、彼自身アメリカ（コロンビア大学）に留学したこともある。

しかし、今回の発表で米国を刺激した。アメリカ側は第五福竜丸がスパイ船ではないかとさえ疑っている。西脇の入国が許されるかどうかもわからない。

彼は作戦を変えた。夏になったら、ヨーロッパを説明してまわろう。近畿大学理事の父親と常磐会短大理事長だった母親は、二〇〇万円という大金を息子のために集めた。大阪市大や阪大の学生自治会や教職員組合、労働組合、商工会議所、婦人団体、佐治敬三（当時サントリー会長）、森下泰（たい）（当時森下仁丹社長）など、多数の人たちがカンパに協力してくれた。

昭和二九年（一九五四）七月一七日、西脇は湯川秀樹に挨拶してから大阪を出発し、イギリス→フランス→ノルウェー→スウェーデン→ベルギー→オランダ→西ドイツ→イギリスと巡回した。

一〇月二九日、彼は帰国にあたり英国議会で演説する。それがヨーロッパ各国のラジオで放送されると共に、新聞でも大見出しで報道された。

「西脇氏は水爆の被害者を見た」

「被曝やけどの生々しい写真」

「冷静で客観的な報告が聴衆に衝撃を与えた」

等々。ベルギーの学会でイギリスの物理学者ジョゼフ・ロートブラットに測定結果を渡しておいたが、後に、米軍は水爆の外側に大量のウラン二三八を巻き付けて爆発させている事を、彼が明らかにする。

　ウラン二三八自体は爆発しないが、水爆の爆発により発生した中性子を吸収してわずかに軽いウラン二三七に変身し、強い放射線をだすのだ。この強い放射能でロシア民族と国土を地上から抹消しようとする、「汚い水爆」であった。

　ロートブラットは、新型水爆の構造と性能を公表すべきか、イギリス原子力当局のトップだったジョン・コッククロフト（加速器に関して一九五一年度ノーベル物理学賞受賞）に相談した。彼からは、英米両国からスパイ行為で告発されるから公表しないようにと強く警告される。

　しかし、このままでは米ソが競う水爆実験により大量の死の灰が降りつづく。ロートブラットは、意を決してビキニの実態を世界に知らせた。世界中で反対運動が起こったが、アメリカでは、そんな行進の先頭にライナス・ポーリング（第II部第5章）

の姿があった。

昭和三四年（一九五九）、ポーリングは一〇五〇ドルの給料付きで西脇をカリフォルニア工科大学に招いた。西脇はポーリングと共同研究していたが、新設された東京工業大学原子炉工学研究所から教授として招かれ数カ月でカリフォルニアから帰国する。

彼の転向

正力が日本初の商業発電炉として、イギリスのコールダーホール型原子炉の輸入を進め、その安全性が問題になっていた。

昭和三四年（一九五九）七月三一日、反核の英雄西脇は原子力委員会の公聴会に招致された。彼の証言は意外なものだった。同原子炉は十分に改善されており、何の心配もいらない。

もう一人の証言者藤本陽一（東大原子核研究所教授、第V部第15章）は、同原子炉の危険性を強調した。黒鉛（炭と同じく炭素で構成されており、中性子を減速してウランの核分裂を引き起こす）が積み上げられているから地震があれば崩れて燃え上がり放射性物質をまき散らす。

大阪大学の住田健二（浅田門下で西脇の一回り後輩）や慶應大学の小沼通二（こぬまみちじ）ら物理学

南仏モントンの放射能防護学会にて（前列左端が西脇）

者や医学部の仲間たちも西脇の突然の変身を奇異に感じた。

西脇は原水爆と原発をはっきり区別していた。エネルギー資源にとぼしい日本は、原子力発電を積極的に利用すべきである。

阪神・淡路大震災も東日本大震災も想像できない平和な時代だった。西脇ら多くの原発関係者が藤本と違っていたのは、理論上の巨大地震をわざわざ恐れる必要はないという一点だった。きわめて可能性が低くて実際には起こりえないに等しい。

一方、オーストリアのウイーンに国際原子力機関（IAEA）が設置されていた。米ソが協力し、核兵器をドイツと日本に持たせないための国際連合の下部組織である。

現実主義者の西脇は、米ソのかかげる核不拡散という枠組みが世界を核の汚染からすぐ唯一の道であると考え、昭和四三年（一九六八）、東工大と兼任でIAEAの原子力安全環境保護部副部長に就任した。国際公務員としてウィーンとの間を頻繁に往復する。

西脇安という生き方

昭和四五年（一九七〇）頃、ヨーロッパでは放射性廃棄物を海にすてていた。たとえば、フランスでは核燃料工場で発生した放射性廃液を海にたれ流していたし、イギリスは放射性廃棄物をドラム缶に詰めてそのまま大西洋の海底に沈めていたのである。その後、海底にも流れのあることがわかる。昭和四七年（一九七二）、西脇は、IAEAの中に諮問（しもん）委員会を作り、放射性廃棄物の海洋投棄を制限する勧告案をまとめ、ロンドンで通させた。

一方、戦後の日本は戦争も軍隊も否定した。物理学会では米軍からの経済的支援が禁止され、軍関係たとえば防衛省技術研究本部は物理学会で発表禁止だった。多くの大学からも自衛隊の専門家はしめ出された。彼らを受け入れ教育指導する西脇は珍しい大学人であった。

ところで、中国に江沢民主席が出現する前、日中国民は相手を互いに深く尊敬していたし、社会党や創価学会は日中友好に熱心だった。そんな時も西脇は感情でなく、中国の実情に注意を払っていた。中華人民共和国の科学者とも交流し、北京の書店で市販されている原子核物理学に関する専門書を集めてみたが、それは世界トップクラスの豊かさであった。

日本で科学者が原語で読んでいるような本が中国語に訳されていた。大飢饉の中で権力闘争を繰り返す中国は、科学も大変遅れているとされていたが、核爆弾やミサイルなど軍事技術はもちろん一般の最先端技術も米ソから秘かに盗んででも独り立ちし生き延びようとしていた。

「核爆弾は張り子のトラであって、世界各国が原爆を持てば米ソなど核大国から真の独立ができる」という主張は、日本人には無謀に思えた。しかし、建国以来一貫してぶれることのない、そんな主張を、西脇は額面通り理解した。

西脇は現実主義者として原発推進のために働いたが、晩年何度か心配を口にしている。

「人間の傲りが悪い結果を生まなければよいが……」

福島原発事故が起きた時、彼はすべての公職をしりぞき天王寺のマンションで日本人の奥さんと余生をすごしていた。

平成二三年（二〇一一）心配した通りの巨大原発事故を日本が起こした。来る日も来る日もテレビのニュースに見入ったまま一言も発しない。彼の背中が話しかけられるのを拒絶していたが、奥さんはたまりかねて言葉をかけた。夫から意外に強い言葉が返って来る。

「僕に何をしろって言うんだ」

口をつぐんでしまった奥さんに、彼は言葉を継いだ。

「避難区域は二〇キロでなく五〇キロまで取らなきゃだめだな。いや、こっちまでは来ないから、君は心配しなくていいよ」

彼の心はウィーンの職場に一瞬もどったようだった。しかし、この最期の言葉で自分に与えられた使命を終えるようにも見えた。

激しかった九四年の人生を全速力で走り切ったのは、事故から数えて一六日後だった。

原子力発電への道

日本の核物理学者は、原発は安全性が第一と考えた。そのために、第一に、原子炉は通産省（現在の経済産業省）ではなく文部省（現在の文部科学省）で基礎研究から統括させること。第二に、外国の作った原発を突然輸入するといったことがないよう願った。

これらの願いは次々に破られていく。昭和二九年（一九五四）、二億三五〇〇万円に上る原子力開発予算が文部省ではなく通産省についた。安全を軽視した開発路線がスタートする。

　昭和四一年（一九六六）、日本が導入することにしたコールダーホール型原子炉に関し、イギリス側は将来有り得る一切の事故に責任を持たないとの免責条項を協定に入れてきた。さらに、原子炉発電は開発途上の技術であり危険を伴うとの確認事項も明記されていた。

　後に、原発といえばアメリカ製一色になるが、そこでも「ターンキー」契約といい、「キーを回せばすぐ動く」レディーメイドのような原発が標準になる。しかし、アメリカの原発は多くが川岸に設置するので、せいぜい洪水対策が考慮してある程度であった。そのアメリカ仕様に合わせて、福島ではわざわざ崖（がけ）を削り低くして設置した。その四〇年後、津波がやすやすと原発をおそう。

　わが国では明治以来の高等文官制度が行政の背骨になっており、原発についてもおおくが法学部卒のキャリア官僚が支配している。原子力安全・保安院（経産省）にも原発の優れた技術者や建築の専門家がメーカーから引き抜かれてはいるが、法科卒のキャリア審議官の言うがままにはたらく、身分は副審議官であった。専門家を最も必要とする部所に、日本ではスペシャリストが存在しない。

　経産省の官僚たちは、ジェネラリストであるから言葉を操ることしかできない。彼らは、一定以上の震度を「残余のリスク」と称して無視できるようにした。津波は「地震随伴事象」と軽く見せて対策の中から省略できるようにした。審議委員の専門家には研究費を与えて懐柔した。

国民も、都会の人たちは自分たちから離れていれば原発は差支えないと思っている。地方も、原発に関わる助成金や、住民が関連の仕事に就いているという意味で原発にどっぷり浸かっていた。第一、欧米の人たちは放射線に神経質だが、日本人はずっと鈍感だ。このような国民による暗黙の支持があったから、電力会社も原発をひたすら作り続けることができた。

第12章　穎慧出づるところ

同級生

湯川秀樹と朝永振一郎の話に戻る。大学に入って以来、湯川は朝永にいつも後れをとっていた。理研の研究員を採用する時、仁科先生は朝永の方を選んだ。湯川は玉城研究室で講師にしてもらったが、玉城教授の第一希望は朝永だった。八木先生が大阪大学で教官を採用する時も、先生の頭にあったのは朝永だった。

声も消え入りそうで頼りない湯川より、しっかりしていて応答も明瞭な朝永の方がどこでも評価は高かった。しかし、湯川が中間子理論を発表したあたりから形勢が逆転する。

湯川はこの処女論文で昭和一四年（一九三九）、玉城教授の後任になる。教授が遺言していたのだが、初めて朝永の代わりではなかった。

朝永の方は教授になるのがそれより二年遅れ、それ以後次々と先を越される。湯川は最年少で文化勲章を受けたが、朝永は九年遅れる。ノーベル賞は一六年遅れた。

朝永は留学先で、研究者たちが盛んにささやいているのが聞こえた。

「最近、日本のヒデキ・ユカワが……」

　そのドイツ人に言いたかった。

「それ、私の親友なんですよ」

　しかし、自分の状態を考えるとジリジリと矛盾した気持ちになった。日記には絶望的な思いを繰り返し書き、仁科にも泣き事の手紙を送った。昔から朝永はやせこけて、胸の幅も厚みも仲間の半分しかなかった。あばら骨が浮き出ていたので、ついたあだ名は「シャコ」。彼は異国で夜も寝られなくなり病に伏す。そこに日本から手紙がとどいた。


　業績が上がると否とは運です。先が見えない岐路に立っているのが我々です。それが先へ行って大きな差ができたところで、余り気にする必要はないと思います。またその内に運が向いてくれば当たることもあるでしょう。小生はいつでもそんな気で当てにできないことを当てにして日をすごしています。ともかく気を長くして、健康に注意して、せいぜい運がやって来るように努力するより他はありません。

仁科芳雄

勤勉の内実

朝永が帰国して二年、東京文理科大学の教授会が彼を教授にえらんだ。朝永は仁科のもとで十分に研究できていたが、このまま研究所に居ることに不安もあった。仁科研究室は別として、日本の研究所は淀んでいるような気がする。[64]

研究所の科学者は仕事ぶりをチェックされることもない。多くの研究者が一〇時過ぎに職場に現れ、極端な人は昼食まで新聞を読んですごす。自宅研修が認められているから、早引けしたり突然無断で休む人もいる。

タイムレコーダーもなく、せいぜい月末に秘書がまとめて出勤の判を押す。国公立の研究所なら研究者は公務員であるから、よほどひどいことをしでかさない限りくびになることはない。

一般の研究所には学生も大学院生もいないから教育の義務はない。所員は競争や昇進が少なく、ぬるま湯のような環境に慣れ、同じ顔ぶれで一緒に歳をとってゆく。みんないきいきと仕事していたドイツやアメリカの研究所とは対照的だった。

大学のように学生がいれば、授業や研究指導をするので先生にとって刺激にも勉強にもなる。話す内容の一〇〇倍も一〇〇〇倍も広く深い知識経験がないと満足な指導はできないからだ。さらに言えば、研究は孤独な作業であるが、教育では生身の学生を相手にする。社会で生きている確かな手応えを感じることができる。

留学したことのある研究者がみんな言っていたが、一般に日本の研究者は仕事の効率がとんでもなく悪かった。夜遅くまでダラダラしている。

アメリカ東海岸の名門大学の場合、彼らは朝が早くて八時頃には姿をあらわすが、その時には技術員やポスドクや大学院生をどう動かすかも決めている。

彼らは休憩（きゅうけい）もとらず、昼になってもお粗末なランチをそそくさとほおばってすぐにはたらく。ランチセミナーといって、東海岸ならサンドイッチでもつまみながら講演をきく。昼食時間さえも無駄にしないのだ。ニューヨークやボストンでは、偉い人に話をさせながら若い人が食事しても無礼ではない。

その上、夕方五時頃になるとさっさと帰宅し家族とすごす。彼らにとっては結果がすべてなので、短時間でも成果をだせば誰も文句を言わない。

日本人は結果よりも途中が大事で、夜遅くまで勤勉にふるまうことが肝要だ。欧米人のような一匹狼にはなれない。遅れないように、みんなと一緒に歩く羊の群れのようである。

名学長

東京文理科大学には京大のような伝統はなく科学者の厚みもない。しかし、大学であるから、いずれ助教授や助手や大学院生を持てる。

自分なりのやり方で理想の研究室を作ろう。朝永は東京文理科大学に移ることにした。

朝永は同僚に温かいし何をやらせても無難にこなした。仲間の教授から信頼され推されて学部長そして昭和三一年（一九五六）には学長になった。

このあたりから朝永が湯川を巻き返す。朝永は会議の時も教授たちにしゃべりたいだけしゃべらせた。夜も更けて彼らが疲れ切った頃を見計らって自分の案を持ち出す。それまでの問題点を具合よく調停したものなので、教授たちは全員賛成し会議を終える、というのが通例になった。彼らはそれを「朝永裁定方式」と呼んだ。昭和三八年（一九六三）には、日本学術会議の会長に選ばれる。学者のトップになったのだ。

もちろん、朝永は仕事で厳しい面も持ち合わせている。しかし、朝永の厳しさに気づいたのは、東京教育大の教官や小柴昌俊など身近な人に限られた。多くの人はただ遠くから眺め、彼の洒脱な人柄を好もしく感じていた。

湯川の方はどこの国際舞台でも堂々たる大権威になった。彼ほどの経歴と業績があれば、大学の学部長や学長になったり祭り上げられることもある。しかし、彼は学者肌が抜けず底の方にイワンが残っていた。

学部長選挙では、多くの大学で黒板に「正」の字を書いて開票が進む。そんな時は、教授たちも小学校の時のクラス委員選挙のように自分の得票が気になる。

湯川の「正」の字はいつも完成しなかった。みんな、湯川が管理職に向いていると は思わないし、日本唯一のノーベル賞受賞者を学内政治などで疵（きず）つけたくなかった。

京都大学の中に日本初のノーベル賞を記念して基礎物理学研究所（略称「基研」）が出来たが、そこの所長が彼に与えられた最上位のポストだった。

湯川は大学も住まいも戦災にあわず、戦後すぐに新しい仕事を開始できた。スミの実家から援助してもらって、英字誌『理論物理学の進歩』を発行する。

ただし、敗戦後の日本では印刷さえ容易でなかった。湯川は天理教の印刷工場にお願いした。日本の物理学が再び海外に発信をはじめる。

焼け跡の熱気

東京の朝永は大学も住まいも焼けてしまった。義父の関口鯉吉（りきち）が当時の東京天文台長だったので、三鷹の官舎に住んでいた。まず住まいだけは、そこに居候して解決した。

しかし、義父の定年で、朝永は新たな住まいを探す必要に迫られる。新宿の大久保に陸軍第六技術研究所が焼け残っていた。連合軍に接収された後、官庁や研究所が使用していた。

朝永の物理学教室がその一画を使うことが許され、朝永はその内の弾道実験所を住

朝永の研究室を訪れた物理学者らとともに
（昭和25年（1950）頃）
前列左から坂田昌一，朝永，武谷三男，後列左から馬場一雄，皆川理，木下東一郎，早川幸男，木庭二郎，宮島龍興

まいに決めた。

　コンクリートむき出しのトンネルのような所に家族で移り住んだ[64]が、そこは連合軍がアルファベット順でI番目の建物とペンキで印していたので、朝永は「私たちのアイの家」と呼ぶ。

　連合軍は建物を二種類に分け、数字の建物は住める家だったが、アルファベットを振られた建物は住めないことを意味していた。実際、朝永ハウスは前が火薬庫の高い土手、後ろも警察の寮に続く土手で、奥は弾丸をとめるための砂山になっていた。

昔、東京の冬はさむかった。くわえて、朝永ハウスはコンクリート造りだから底冷えし、彼は昔のように熱を出し子供たちは下痢をした。まもなく手に入った朝日文化賞の賞金でようやく畳を入れることができた。

研究棟の方は数字を振った建物だからまともなはずだった。しかし、日本陸軍が作ったただけに生活への配慮がまったくない。暖房もトイレもなかった。冬になると全員外套を着たままセミナーをし、離れたトイレとゆききした。

しかし、そんな朝永ゼミに全国から三〇人近い理論物理学者があつまって熱気があふれる。彼は戦時中に完成していた「超多時間理論」を基に「くりこみ理論」を仕上げ、湯川の英字誌に掲載した。

理科系の研究者は今なら海外の専門雑誌を読み、参考にしながら研究をすすめる。しかし、当時日本の多くの物理学者に海外の雑誌など読む機会はなかった。欧米各国が日本に対し戦前からの禁輸制裁を続けていたからだ。

戦後、制裁がとけても、敗戦国にとって洋雑誌は高価にすぎた。第一、当時の日本には学術雑誌を買うドルがなかった。

そのころ、みすず書房が朝永に量子力学の教科書を書くよう頼んでいた。ある時、編集者がなにかの参考にと、アメリカの週刊誌『タイム』をとどける。その九月二七日号に載っていた物理のニュースによると、電子の磁気モーメントがディラックの予言と一致しないので科学者が大騒ぎしていた。

朝永は自分のくりこみ理論で磁気モーメントを計算してみた。その結果は実験で観察された磁気モーメントの値とピタリ一致した。

なお、みすず書房から頼まれた教科書も後に評判の名著になった。さらに、小柴が協力して英訳され世界の学生たちに量子力学の本質を教えた。

くりこみ理論

物理学は、力学、電磁気学、熱力学、流体力学、光学、統計力学など多くの分野にわかれる。しかし、何といっても「力学」と「電磁気学」が両輪だ。「力学」は革新されて量子力学がうまれ、そこから湯川が素粒子物理学を作った。

しかし、「電磁気学」には全く手が付けられていなかった。ファラデー（第Ⅰ部第1章）以来の古い電磁気学を原子核の世界でつかうと、とんでもない結果がでてきた。たとえば、電磁場の持つエネルギーは電圧で表され、電荷からの距離（r）に反比例するから1/rで表現される。したがって、一個の電子が作る電場のエネルギーは、電荷に近づくと分母の距離が小さくなりエネルギーもどんどん大きくなる。

一方、電子などすべての素粒子は大きさがない「点」と定義されている。従って、電子の位置ではr＝0だからエネルギーが無限大になる。

たった一個の極微小の電子のエネルギーが無限大になるというのは、いくら何でもおかしい。さらに、エネルギーだけでなく電荷の持つ電気の量も点電荷である限り無限大に発散する。

ファラデーの時代は、手で組み立てた実験装置を使って観察してきた。そんな手ごろな大きさの世界で得られた古典的法則は、目に見えない極微小の原子核の世界では成り立たないのである。

朝永は、従来の数学形式を使いながら電荷量発散の問題に立ち向かった。電子は電気を持っているから周りに電場を作り電波を発射している。その電波は元の電子にもブーメランのように戻ってきて作用する。

単純な計算ではこの自己相互作用の方はプラス無限大と出てくる。そこで、朝永は前述の電子のマイナス無限大と自己相互作用によるプラス無限大とを足し合わせてみた。その結果、電子の持つマイナスの単位電荷と五桁まで一致させることができた[65]。

彼はこの数学的手法を「くりこみ理論」、出て来た結果を「くりこまれた電荷」と呼ぶ。このようにして、朝永は電磁場における無限大の困難を処理し、「量子電気力学」を構築した。極微の世界における新しい電磁気学である。

ただ、素粒子を「点」として扱う数学形式にまで手を付けることはできなかった。

湯川は、真正面からこの問題に立ち向かおうとした。「点」ではなく、一定の最小有限の単位を仮定した。

これを非局所場の理論という。これなら、長さ＝ゼロという場所は考えなくて済む。しかし、彼のアイデアはすぐに行き詰まってしまう。

アインシュタインもハイゼンベルクも、無限大の困難に取り組んだが失敗した。湯川はあまりの難しさに、若い物理学者に向かって忠告する。

「現在の困難は一〇人のアインシュタインがいても解決できそうもない。一方、宇宙や生命には魅力的な問題がたくさんある。だから、君たちは天体物理とか生物物理をやった方が素晴らしい成果を出せるよ」

理論物理学者で天体の世界に転進していった中に、佐藤勝彦や林忠四郎（ちゅうしろう）という科学者がいる。二人とも東大を卒業してから湯川に弟子入りした。

佐藤はインフレーション理論を発表した。それによれば、宇宙は一三七億年前に誕生してすぐ猛烈に膨張しその後にビッグバンが起こった。

林の方は、核物理の理論を利用し赤ちゃん星の理論に到達した。生まれたての星の謎を解明し、ハヤシの名前は世界的になった。

ファインマン博士の大発見？

ニューヨークから西へ一五〇キロほどの所にポコノ山と呼ばれる高原地帯がある。

どこまでも連なる丘の間に間に無数の沼が点在し、別荘が多い。野口英世の別荘もこの近くにあった。[12] 團夫婦も新婚旅行で滞在した場所だ。

最盛期はスキーシーズンだが、ペンシルベニア州やワシントン州、そしてニューヨーク州からの家族連れで一年を通じて賑わう。

一九四八年三月三〇日、そこのホテル「マノール・イン」でシンポジウムが開かれていた。アメリカの理論物理学者だけでなく、ボーアやフェルミやディラックの顔もあった。

最初に、西海岸のファインマン教授（カリフォルニア工科大学）が傍若無人に五時間話しつづける。理論家にとって長年の頭痛の種であった無限大の発散を解決してみせた。

次に東海岸のシュウィンガー教授（ハーバード大学）が同じ問題について話を始めた時には、聴衆全員がダウンしていた。発表が終わると、他の科学者など眼中になく、二人はお互いの結果を見せ合い検討に熱中した。

その一ヵ月後、欧米の代表的な大学に、湯川の雑誌が届き始める。わら半紙のような粗末な紙質で、みすぼらしさだけが目立った。どうせ大した内容でもないだろう。科学者たちは哀れな敗戦国の雑誌など読む気もしなかったが、目次だけ目を通すつもりだった。

Tomonagaという著者までできて、その題目に目が釘づけになる。つい先日ポコノ山で話題になった、最新のトピックスではないか。彼らは本文の式を追うのに気が急いた。さらに、次のような説明によって、ファインマンとシュウィンガーが鼻高々に解いてみせた問題を、日本人がその五年も前に解決していたことを知る。

「戦争中に解いて日本語で発表したものを今回英語に訳した」

ところで、水素ガスは自然界で最も軽く単純な物質だが、放電させると多彩な色の光を出す。その色を分析する学問を分光学といい、実験物理学の最重要な分野であった。量子力学はそんな光の色を説明するために誕生したが、最初はそれらが融合した鈍い一色しか得られなかった。

イギリスでは、ディラックが理論式を工夫してそれを二色出るようにした。ところが、朝永の計算の仕方だと多数の色が出てきた。悔しまぎれに、ディラックはつぶやく。

「この東洋人の理論は形式的解決にすぎない」

ドイツでは、ハイゼンベルクが湯川秀樹のことを思い出していた。彼らはなぜこんなに才能に恵まれているのか。理論物理は日本人に任せた方がよいのか。

アメリカ西海岸では、論文を読んだファインマンが、悔しがるどころか日本のファンになる。日本訪問を待ち望み日本語の勉強を始めたが、尊敬語と謙譲語と丁寧語の使い分けまできて天才の頭から煙が上り出した。

東海岸では、大天才と誉れ高いダイソン教授（コーネル大学）が、朝永の論文を読んだ時の衝撃を雑誌『ニューヨーカー』で次のように述べた。[30]

「一九四八年四月、日本から『理論物理学の進歩』と称する二冊の雑誌が送られてきた。戦後の廃墟と混乱の中で、朝永は懸命に日本の伝統を維持していた。しかも、当時世界のいかなるグループよりも先を行っていた。シュウィンガーより五年も前に、コロンビア大学が提供していた実験の助けも受けずに。東京の灰と瓦礫の中から我々にこの感動的な小さな包みを送って来た。それは深淵からの奇跡の声のようだった」

プリンストン高等研究所所長のオッペンハイマーは、それ以上の衝撃を受ける。自分たちが悩んだ大問題に対し、完全な解答が東洋の神秘の国から突然寄せられた。湯川に続いてまたもや……。

オッペンハイマーも、もちろんポコノ山のことを思い出していた。電話で東京を呼び出し、一度も会ったことのないその日本人に、すぐ『フィジカル・レヴュー』に論文を出すよう勧める。朝永は一ヵ月で要点をまとめ、六月号に掲載された。欧米人科学者のはるか天空に、日本のもう一人の天才が出現した。

プリンストン高等研究所

一九四九年、湯川に次いで朝永がプリンストンに招かれる。もちろん、湯川が朝永を推薦している。日本で通用する人は世界のどこでも通用する。否(いな)、朝永の方がプリンストンの大抵の研究者よりはるかに力があると、湯川は感じていた。

到着してすぐ朝永は講演した。一年前、パイス博士は湯川の講演に閉口している。しかし、朝永に対しては次のような評価をあたえた[58]。

「私が覚えている朝永は、穏やかな話し方をする落ち着いた人で、容姿は苦行僧のようだ。そして、私が知っている日本人物理学者の中で一番学識の深い人だった」

当時、ボーアは二人の活躍を仁科に嬉しそうに報告している[32]。

極めて困難な状況の中で、朝永振一郎博士が打ち立てられた量子電気力学を、プリンストンの研究所全体が賞賛し、勉強しております。また、オッペンハイマーは、湯川と机を並べて研究できることがどれだけ幸せなことかといってるそうです。

欧米の物理学者の間では、「研究のタネをさがすなら日本の『理論物理学の進歩』を読め」が合言葉になる。プリンストンでは毎週一回読書会を開き、日本人の論文を手分けして勉強するようになった。わからないところが出てくるとすぐ朝永に聞きにきた。

廃墟のような日本の研究室にくらべ、アメリカの研究環境といったら朝永には夢のようだった。ただし、彼には日本酒と落語がかかせないなど、あまりに日本人だった。若い時ドイツに留学し日本恋しさのあまり重症のホームシックになったこともある。湯川の方は心身とも頑健で、生活上特別なこだわりもない。醸（かも）し出す雰囲気と相違して湯川はたくましい。朝永の方は暮らしの上で神経質な側面があった。

ある日、デンマークのボーア先生が来訪して講演をした。仁科先生の先生であるから朝永も楽しみにしていた。しかし、その話がまったく聞き取れない。講演会が終わりアメリカ人の同僚が朝永に聞いてきた。

「今の話、わかったかい？」

朝永は正直に答える。

「いやー。僕はボーア先生の英語は苦手だな」

その同僚はウインクしながら言った。

「僕はデンマーク語かと思ったよ」

朝永のほうは、先生が歳をとられたせいかと思った。しかし、後で聞いたのだが、ボーア先生の英語はデンマークなまりのつよいことで有名だった。

オッペンハイマー所長は日本人を高く評価していた。しかし、朝永は所長に対してコンプレックスをもつ。たまたま笑った顔は屈託がなくて親しみがもてるのに、朝永にとってその鋭さは経験したことのないものだった。青いすきとおった目で上からみつめられると豹にねらわれているような気がする。

ある時、オッペンハイマーが英雄として週刊誌『ライフ』の表紙をかざった。その大きな宣伝ポスターが街のあちこちに張ってあった。朝永はつぶやく。[64]

「オッペンハイマーから睨まれてるみたいで厭だな」

お正月がやってきて、彼はいつも通り食べ過ぎと飲み過ぎで体調をくずす。そのあたりから、言うことが暗くなってきた。

「食べ物にあきた」

「靴を履いたままの生活はつかれる」

「日本語で思う存分しゃべりたい」

「オッペンハイマーをアッといわせたいが、米の飯をくわないとうまい考えも浮かばない」

等々。ただ、唯一アメリカを褒めたのは、

「便所だけはくさくなくて良いね」

それにも限界が訪れ、

「便所はやっぱりくさくなければ駄目だ」

そしてホームシックにおち、日本の後輩に手紙を書く。
「なんだか、天国に島流しにあったような気分です」

新興名大の益川敏英と小林誠

昭和二五年（一九五〇）以後、名古屋や東京にも素粒子論のグループができる。すべて京大で修行した科学者たちが指導していた。とくに、名古屋大学には湯川の一番弟子とも言える坂田昌一が赴任する。

彼はそれまで封建的だった講座制を研究室に改め、教室会議ですべてを決定するようにした。その教室会議は大学院の博士課程以上の研究者で構成された。

研究費も研究室の分配もすべて教室会議で決定する。教授や助教授が地位に伴う権利を否定した。坂田はそれを教室憲章にする。この超民主的なルールのもとにそのまま現在も運営されている。

一九六〇年代、その名古屋大学物理学教室に益川敏英（名古屋市立向陽高校出身）と小林誠（愛知県立明和高校出身）が入学してくる。益川は学生時代から語学が苦手だった。当時大学生は第二外国語を勉強し、大学院の入試では英、仏、独、露語から二カ国語を受験しなければならなかった。

彼は大学院入試で第二外国語としてドイツ語を選んだが、試験時間が終わると答案用紙を高々と掲げながら、宣言する。

「俺は白紙だ」

その判定会議では、ある教授が益川を擁護する。

「ドイツ語は零点だが、専門科目が非常に良いから合格にすべきだ」

益川は御情（おなさけ）で合格になったようなものだが、研究室に入ると坂田教授に堂々と反論する。坂田はそれを気に入り、後に益川を助手に採用した。

戦争後、ドイツ語に代わって英語全盛の時代がやってきた。ところが、日本の科学者は漱石以来、変則英語の教育を受けてきたので英語を聞いたり話したりはほとんど不可能だった。

ただし、みんな専門書を読んだり英語論文を書くことは達者だった。益川も英語の論文を読むのに何の苦労もなかった。彼が特に熱心に読んだのは、アメリカで活躍していた南部陽一郎の論文であった。一行一行しゃぶるように読んでいた。

益川は後輩である小林誠との共同研究により平成二〇年度（二〇〇八）のノーベル賞に輝く。第V部第16章で扱うが、旧帝大で一番新顔の名古屋大学が、先輩の阪大も東北大も九大も北大も差しおいてノーベル物理学賞を取った。坂田が遺（のこ）した大功績である。

東京では、東京教育大、東大、早稲田、学習院、立教などに核物理や素粒子論の研究室ができる。それらの研究室も、名大同様きわめて民主的で、教員同士はもちろん、先生と学生の間にさえ上下の差はなかった。

学生が先生を「……先生」と呼ぶことなどあり得ず、「……先生」とも言わない。教授を普通「……さん」と呼ぶ。学生のそんな言葉遣いが教授の奥さんのご機嫌を損ねたりした。しかし、知的世界で自由に自在に働いている多くの物理学者たちにとって、妬(ねた)んだり威張ったり卑しいことを考えるのはプライドが許さなかった。

湯川の後輩に武谷三男(たけたにみつお)(後に立教大教授)という人がいた。彼は「三段階論」という、日本産の科学哲学を構築していた。それによれば、科学は「現象論」「実体論」「本質論」という順序を繰り返し永久に発展を続ける。左翼による、いわゆる「弁証法的発展」を科学の世界に導入したものだった。

その武谷は戦前の阪大時代に左翼思想を問われて警察に拘留され、彼をもらい受けに湯川が警察に出向いたりした。

湯川秀樹、朝永振一郎、坂田昌一にこの武谷三男を加えた四人は戦後「大ボス」と呼ばれた。彼らは全国の若手に強い影響を与え、日本の理論物理を世界に抜きん出た存在にする。

理論物理学者たちは自身清濁併せ呑む大人物たらんとした。思想も芸能もスポーツも酒の道も色の道さえも、世の中万事悠々と遊ぶことができるはずだ。彼らは時に他愛ない芸者遊びに興じたし、湯川までも黒板に温泉マーク（♨、連れ込み旅館）を描いて悪戯をした。

コペンハーゲン精神が時に少し行きすぎたが、日本中の物理学教室がその影響を受ける。封建的な日本の学会では稀有なことであった。日本の素粒子論グループは、大病もせず、頭脳はもとより家族にも経済的にもまぶしいほど人生に恵まれた仙人たちが遊ぶ楽園になった。

ふるさとの土に還らん

昭和四〇年（一九六五）、朝永、シュウィンガー、ファインマンの三人がノーベル物理学賞を共同受賞した。アメリカの二人は、朝永に敬意を表し、公式の受賞記録で朝永を最初においた。自分たちよりずっと先に理論を完成していたからだ。現在も、引用する時は朝永の名前が先頭にくる。

ノーベル賞受賞の報せを受け朝永はつぶやく。

「仁科先生が知ってくれたらな……」

しかし、彼は骨折し授賞式に行けなくなる。それに対する彼の弁明は意外と明るかった。

「ノーベル賞に決まったら、色んな人が酒を持ってくるんだなァ。ウイスキーの大好きな弟がちょうどやって来たから、家内が買い物に出たスキに大喜びで二人して飲んじゃって、風呂場で転んじゃって、あばら骨六本折っちゃって……。帰って来た家内のごきげんの悪いこと悪いこと」[64]

晩年の朝永

彼はちょっぴりホッとしていた。一二月のストックホルムなどに行ったら必ず風邪をひく。暖かくなってから東京のスウェーデン大使館でノーベル賞をうけた。

朝永はハンサムで円地文子や野上弥生子ら女性作家が好感を持った。円地は、朝永が川端康成に似ているので二番目に好きだと言い、たびたび料亭にさそう。小柴がご相伴にあずかって大喜びした。芥川龍之介にソックリという女性ファンもいた。

ある女性評論家は同意を求めて言った。

「湯川先生は長嶋選手で、朝永先生は王選手ですね」

動物的な勘を持った湯川は凡人には近寄りがたいが、朝永は修行を重ねた職人のようで人間味あふれると思ったのだ。朝永は次のように答えながら笑っていた。[65]

「僕は野球のことはわからないけれど、そうかもしれないね」

中学時代の友人が仕事で疲れ切っているのを見て、彼は励ます。

「長生きすれば必ず取り戻せるよ」

ある時は、後輩の馬場一雄（後に奈良女子大教授）が嘆いた。

「自分は壁にぶつかった」

それに対しては、次のように諭している。[64]

「研究ができるできないは、頭の良し悪しとは別だよ。シュレーディンガー（量子力学の創始者の一人）だって波動力学以外は四流の研究しかしていないんだから。ウンと博識で非常に頭が切れるが、全然オリジナルな研究ができない人もいる。まあ、観念して、望みを捨てず人生を全力でやり抜くより他ないね」

功成り名遂げたが、別れは早めに訪れた。食道癌により昭和五四年（一九七九）に旅立つ。

大輪のバラのような湯川スミに対し、朝永夫人の倫子は凛とした白百合のような人であった。その佳人が夫との別れの時を歌った。[64]

ふるさとの土に還らむ夫の遺骨列車を待つ間をわが膝に抱く

第Ⅳ部　医者対科学者

第13章　世界の筋肉研究をリードした江橋節郎

一学生の実験が

戦前、医者になれば戦争で死ぬことはなかった。しかし、昭和一七年（一九四二）に入ると、「ボカ沈」と言って戦地に向かう潜水艦や駆逐艦が次々に沈められ、多くの軍医が犠牲になる。とたんに医学部志願者は激減したが、その代り研究に憧れる優秀な若者が医学部に多くなる。

この年の夏休み、東大医学部二年生になった江橋節郎（えばしせつろう）が一号館に向かって歩いていた。[66]学生研究を始めるためである。一号館には生理系の研究室が集まっている。生理系というのは三つの分野に分かれる。生理学が最も古く、人体の働きを追究する。残る二つは薬理学および生化学で、いずれも生理学から生まれた新しい分野である。

生理学の教授は橋田邦彦（第II部第6章）といった。『科学する心』なるベストセラーを出し、「科学する」という新語を今流に言えば流行語大賞にしていた。しかし、研究室では道元禅師（どうげんぜんじ）の「正法眼蔵（しょうぼうげんぞう）」の読書会を開き、何やら神（かみ）がかっている。その上、「研究は科学者の道場である」と主張するなど、精神主義の権化（ごんげ）のように江橋は感じた。

生化学の教授は立派な学者ではあったが、そのワンマンぶりと権威主義がこわかった。江橋は、少々飲兵衛だが人間味のある薬理の熊谷洋講師にお世話になることに決める。

この頃、生理系の学問では筋肉が大きな課題になっていた。イギリスでは生理学者のヒル（第Ⅲ部第9章）が、筋肉の収縮に伴うわずかな熱発生を精密な物理計測であきらかにした。彼は数学出身だが、ヨーロッパでは数学者や物理学者が筋肉の研究に進出し、精密な収縮理論を構築していた。ドイツでは生化学者のフリッツ・リップマンが、筋肉が収縮するためのエネルギー物質のでき方をあきらかにした。

対照的に、薬理学者はどこの国でも肉眼観察に留まっていた。心臓や血管や胃腸を動物からゴロッときりだし、その収縮ぶりに対し薬がどう効くか実験していたのである。同じ生理系ではあるが、生化学者のような分子レベルの研究や、生理学者のような精密測定をやる力はなかった。

江橋節郎

それでも、筋肉収縮に対する薬の効果は確かに不思議ではあった。たとえば、高峰譲吉の発見したアドレナリン（第Ⅰ部第1章）は心筋の鼓動を激しくし、血管の壁の筋肉を収縮させて血圧を上げる。それなのに、胃腸の筋肉に対してはその動きを逆に止めたりゆるめる。同じアドレナリンが、内臓の違いでこんな正反対の効果になるのはなぜか、世界中の薬理学者が研究を競っていた。日本の薬理学者も多くがアドレナリンの作用を研究していた。

一方、学生の江橋はその前に、筋肉がいったいどのようにして収縮しているのか不思議だった。先生方はみんな、心臓や血管や胃腸や手足の筋肉が収縮するのは当たり前としている。

そもそも、すべての筋肉は電気的に興奮してから収縮する。興奮という電気的な変化がどのように収縮を引き起こすのか。いいかえれば、モーター（筋肉）の電源を入れるとなぜまわりだすのか。彼は、世界中の学者が当たり前として誰一人問題にしていなかった収縮のメカニズムに挑戦しようと思った。みんなが相手にしない路傍の石を磨き上げ、自分だけの宝石にしようと考えた。

主役はカルシウムだ

彼は軍医として上海に抑留されたが、復員してすぐに筋収縮の解明にとりかかる。

ヒントの一つは、同じ大学の理学部生物学教室の鎌田武雄教授による発見だった。教授は筋肉細胞にカルシウムを注射すると収縮が起こると報告していた。

二つ目は、授業でリンゲル液をならっていたことがある。大ケガで出血した患者には昔、血液の代りに一パーセント弱の生理食塩水を注射していた。しかし、このようなただの食塩水では患者は死にやすかった。動物実験でも、とりだしたカエルの心臓は数時間で止まってしまう。

そこで、ドイツのリンゲル博士が私たちの血の中にふくまれている各種成分をくわえてみた。その中で、カルシウムの効果は抜群だった。微量のカルシウムをくわえるだけでカエルの心臓は翌日も強く収縮していた。

現在もこのリンゲル液が患者に日夜使われている。当時、江橋はひそかに思った。カルシウムが筋肉を収縮させているのじゃないか。

三つ目は、『筋収縮の化学』を読んだ影響だった。[67] その著者セント・ジェルジ[68]はハンガリー出身のユダヤ人生化学者で、ビタミンCの発見によりノーベル賞を受賞している。

彼はアメリカに亡命してからこの本を書いた。その中に、筋線維を裸にする方法が紹介されていた。グリセリン溶液の中にウサギの背中の筋肉を入れしばらく家庭用冷凍庫に保存する。

実験当日、冷たいグリセリン液からとりだし室温に置くだけで表面の細胞膜がとけてはがれる。

このグリセリン筋は内部構造がむき出しになっているから、カルシウムをかければ直接作用して収縮を始めるかもしれない。学生の彼にもできそうだ。

宝石で作った蒸留水

グリセリン筋にカルシウム溶液をかけたら本当にギューッと収縮した。その筋肉を洗ってやり直しても何度でも収縮し、最後はプツンと切れてしまった。

研究の世界では、「新人の幸運」ということがしばしば起こる。江橋も生まれて初めて自分のアイデアで挑戦し、信じられない結果を得た。

ただし、正直にいえばカルシウムなしでも収縮することがあった。私たちの筋肉はATPというエネルギー物質を消費しながら収縮する。彼のグリセリン筋は、時たま、カルシウムなしのATPだけで収縮を始めるのだ。カルシウムは要らないのか。

彼は化学者から二つの忠告を受ける。一つは、水の問題だった。実験には蒸留水を使う。それにいろいろな試薬を溶かしグリセリン筋に掛けて収縮するかどうか観察していた。しかし、使っている蒸留水は本当に純粋な水だけなのか。

二番目は「カルシウムに興味があるなら、それを吸着するキレート剤という、特殊な薬を使ってみたらどうか」だった。

　最初の水の問題だが、今から半世紀前蒸留水はガラス製のフラスコに水道水を入れ沸騰させて蒸気から作っていた。しかし、フラスコを作る材料であるソーダガラスは窓ガラスやコップにも使われており、カルシウムを含んでいる。

　後でわかったことであるが、世界中が、極微量のカルシウムを含む蒸留水を使っていた。そんな極微量のカルシウムはどの分野でも何の作用も生じなかったし、測定しても検出できなかった。

　江橋は思いきって蒸留器を石英で作ってもらった。石英は水晶とも言われ、宝石の一種だ。カルシウムなど不純物が含まれていない。ただし、ソーダガラスと違ってとても硬い。加工するのが大変できわめて高価についた。

　さらに、江橋は実験室を徹底的に掃除する。一号館というのは東大の中でも最も古い建物で埃だらけだった。埃というのはカルシウムを沢山含んでいる。埃が入らないように徹底的に掃除してから実験したら、カルシウムなしで収縮することなど二度と起こらなくなった。

　二番目のキレート剤という薬はカルシウムと強く結合する。上野景平（九州大学名誉教授）が同仁化学研究所という会社を興し、九州の熊本でキレート剤を作っていた。

　カルシウム液とキレート剤の一定の濃さの溶液を用意しいろいろな割合で混ぜれば、

極低濃度の各種カルシウム液が作れる。それを利用すれば、収縮を引き起こすカルシウム濃度がわかるはずだ。

江橋は、苦労して作った蒸留水で言われたとおりいろいろな濃度のカルシウム液を調合した。しかし、その実験結果は訳のわからないものだった。カルシウムなんかなくても収縮できるとか、キレート剤なんかなくてもカルシウムだけで実験できるとか、江橋の頭は完全に混乱した。

徐々に筋肉のことが疎(うと)ましくなる。

一年でいなくなった愛弟子

昭和三三年(一九五八年)、三六歳の彼に遅ればせながら留学のチャンスがやってきた。熊谷先生がリップマン教授(ロックフェラー大学)を推薦してくれたのだった。リップマンはノーベル賞を受賞したのはもちろん、生化学を創始した世界で最も偉大な学者だ。江橋は、遺伝子やたんぱく合成など当時の新分野をやりたいとリップマンに手紙を書く。

筋肉そしてカルシウムの研究は止めようと決めていた。そもそも、医者たちはカルシウムを骨や歯の材料としてしか認識していなかった。死んでも残る骸骨。また、尿路結石のようにカルシウムが結晶化して石になるとひどい痛みを引き起こす。組織内で結晶化が起こるのを石灰化と言って細胞が死んでいく過程である。医者にとってカルシウムには死の臭いさえした。

ただし、欧米でもカルシウムと筋収縮に関して一度だけ論争があった。團勝磨の先生であったハイルブラン教授（第II部第7章）が、カエルの筋肉を切断してカルシウムに浸けてみた。筋肉はどんどん収縮し長さが三分の一になったのである。彼は、カルシウムが筋肉を収縮させると主張した。

しかし、この主張をノーベル賞受賞者のあのアーチボルド・ヒル教授（第III部第9章）が理論的に潰す。すなわち、細胞内の粘性は高いからカルシウムが拡散するのに一秒はかかるから、筋肉を刺激すると一瞬で収縮する事実を説明できない。

一方、江橋の手紙に対するリップマン教授の返事は意外なものだった。

「せっかくそこまでやってきたのだから、筋肉収縮とカルシウムの関係をもう少し突き詰めてみたらどうですか[69]」

江橋は余計なことを手紙に書いていた。筋肉の研究を続ける気はないが、ゆるませる過程が大きな謎と漏らしたのだ。それを読んで、リップマンにアイデアが浮かぶ。それを江橋に確かめさせるのも面白い。

アメリカに着いて、江橋はリップマンのアイデアが正しいか実験をやってみたが、ボスの予想は外れた。それを聞いて、リップマンは言う。

「そうか、私の考えは駄目か。私はカルシウムは好きになれない。しかし、多分君は正しいのだろう。君の好きなようにやっていいよ」

実は、ニュージーランドの研究者が気になる論文を昭和二六年（一九五一）『ネーチャー』に発表していた。ブルース・マーシュという科学者が、筋肉をすり潰した中に筋肉をゆるませる成分があるという。

ニュージーランドはヒツジの牧畜が盛んで、人口の数十倍の羊を飼っている。それゆえ、肉の研究所がたくさんある。マーシュ博士はそんな研究所の研究員だったが、ケンブリッジ大学に留学しこの論文を一つだけ発表して国際舞台から消えた。

実は、江橋も同じことを見出していた。江橋はガッカリするどころか、ケンブリッジの科学者と同じことをやっていたことで自信を持つ。

一般に、筋肉の研究者は収縮する方に目を奪われがちだ。しかし、自分は「ゆるめる」方から攻めよう。

一方、リップマンは、すばらしいアドバイスをしていた。江橋のいう「ゆるめる成分」が何者なのか顕微鏡で観察して明らかにした方がよい。師は学内のパラディ博士を紹介してくれた。彼は電子顕微鏡の専門家だが、電子顕微鏡はアメリカでもようやく使い始めた装置だった。

パラディが江橋の「ゆるめる成分」を電子顕微鏡で覗いたところ、そこにあったのはすでに「筋小胞体」と名づけられていた、ありふれた粒々だった。江橋とパラディは「筋小胞体」が筋肉をゆるめる役割を持っていることを発見したのである。

アッサリ面白い結果が出て、江橋は筋肉の研究に再び闘志が湧いてきた。キレート剤の実験結果にもう一度向き合ってみよう。彼は図書館に向かった。その英語の本にはキレート剤がカルシウムだけでなくマグネシウムとも結合すると書いてあった。

マグネシウムは細胞の中では必須の成分で大量に含まれている。キレート剤は実験液に含ませていたマグネシウムと結合していたのだ。そのぶん、カルシウムと結合するキレート剤は大幅に少なくなるから、結合していないカルシウムはずっと高濃度だった。

彼はマグネシウムの結合分も入れて計算し直す。その結果、収縮を引き起こすカルシウム濃度は百万分の一モルと前例のない極低濃度と出てきた。一方、骨や尿路結石は細胞の外の血液に含まれるカルシウムからできる。そんな高濃度のカルシウムなら、昔から日常測定されていた。

細胞の内部はどうだろうか。現在は、収縮する前のカルシウム濃度は何と一億分の一モルと、ゼロに等しいことが判明している。当時の化学者に検出できるはずがなかった。筋肉が収縮する時はその濃度が一〇〇倍に増える。それでもとんでもない低濃度であった。

江橋は人類に教えた。筋肉細胞の中では極微量のカルシウムが放出され私たちは動き始める。

その後、神経を含む多くの細胞でもカルシウムがミクロな動きを引き起こしていることが次々に判明した。

英語が話せない日本人

ある日、若い女性研究者が江橋を訪ねてきた[67]。アンネマリー・ウエーバーといい、ロックフェラー大学から歩いて一五分くらいの筋肉病研究所に勤めていた。彼女は、筋肉がエネルギー物質を消費するために、わずかなカルシウムが必要であることを見出していた。

当時、筋肉が働くのにカルシウムが必要などと主張するのは、世界で自分独りと江橋は思っていた。ところが、もう一人、それもニューヨークのすぐ近くに同じクレージーなことを言う研究者がいたのである。彼女はリップマンから江橋のことを聞いてやってきた。二人はこれ以後たびたび会って、互いに打ち合わせをしながら研究を進めるようになる。

そんなところに、母校から帰国命令が届いた。彼は年とってからの留学だったので、留学中に教授に昇進したのだった。二年の予定が途中一年で帰国することになったのだが、横浜港に着いた時、江橋は筋肉の研究を続けようと決意していた。

一方、一九六〇年代に入って電子顕微鏡では日立や日本電子など、日本のメーカーが世界一の性能を競っていた。さらに、形や構造だけでなくそこにどんな金属が存在するか分析できる新しい電子顕微鏡が開発されていた。

電子顕微鏡の細い電子線をサンプルに当てるとそこにある元素が独特のX線を出す。筋小胞体からはカルシウム独特のX線が強く発射された。筋小胞体の中にカルシウムが一杯詰まっていたのである。筋小胞体はカルシウムを吸い取って筋肉をゆるめ、電気的に興奮すると、筋小胞体からカルシウムを放出して収縮を起こすのである。

研究がだいぶ進んだ頃、突然全国紙の社会欄に江橋教授に関する記事が出た。教授が近々海外の学会で発表するが、英語が下手なので心配だとデカデカと書かれていた。

一九六二年、江橋はアンネマリーと共にボストン郊外の国際学会に出席した。アンネマリーの発表が終わったあと聴いていた研究者が次々に質問した。普通、発表者にとって聴衆から発言や質問が多いのはありがたいことだが、二人の場合はすべて非難だった。筋肉細胞の中に存在しないカルシウムが働いているなどと考えるのは馬鹿げている。

アンネマリーは孤軍奮闘する。江橋は、女のアンネマリーがキーキー叫んでいるのに、男の自分が黙っているのは卑怯だと思った。英語のことも考えず、とにかくすぐに立ち上がって反論した。アンネマリーはドイツからの亡命ユダヤ人だったので発音がひどい。しかし、残念なことに、江橋の発音はそれ以上だった。

議論は一向に噛み合わず、座長のハンス・ウエーバー教授がついに宣言する。

「カルシウム説は明らかに否定されました」

彼はアンネマリーの父親であり、以前からこぼしていた。

「娘が変な東洋人に引っかかって困っている」

そこに居合わせたイギリスのジーン・ハンソン女史（キングス・カレッジ）はこの時の様子をある雑誌に次のように報告した。

「座長が宣言するや、アンネマリーは絶叫し、エバシは日本語でわめいた。皆は腹を抱えて笑った」

江橋は後にこの描写に対して釈明する。[69]

「あれは大体正確だ。ただし、一つだけ間違いがある。いくら私でも日本語でわめくはずがないじゃないか。私の英語を、皆が英語とわからなかっただけだ」

ニューヨークにはウエーバー親子のようにヨーロッパから亡命したユダヤ人科学者が多い。確かに彼らの発音は時に私たちよりひどい。実際リップマン御大でさえ、何を言っているのか周りは理解するのに苦労している。しかし、いろんな人種が集まったニューヨークでは、そんな英語に誰もおどろかない。重要な発見であれば、どんなにひどい発音でも、質問がドンドン来る。

だから、当時カルシウム説が敗れたのは、江橋らの英語がひどかったからというのではない。その内容があまりに非常識で端(はな)から聞いてもらえなかったのである。

リップマン先生の心

江橋は留学当初リップマンを警戒していた。留学した先輩の中に、ボスから研究の成果を奪われた例があったのである。英語の質疑応答ができないからと、学会発表を止められてしまった日本人研究者もいた。

しかし、リップマン教授はそんな小物ではなかった。教授は江橋の主張するカルシウム説を最初こそ信じなかったが、二、三カ月もするといろんな場所で江橋を擁護していた。

日本に帰国して何年もたってから、他の大学の年上の教授がわざわざ江橋を訪ねてきた。会うなり宣言した。

「私は先生を尊敬します」

江橋は何のことかと思ったが、リップマン先生がしゃべっていたという。

「自分は思いつかなかったけれど、江橋はカルシウムだと主張して、それが本当だった」

あのリップマン先生にこれだけのことを言わせる研究者が日本にいると知って敬意を表しに来たのですと、その客は説明した。江橋が日本に帰った後も、リップマンは愛弟子にずっと心を遣(つか)っていた。

昭和五四年（一九七九）、私はコロンビア大学に留学していた。この大学はロックフェラー大学と同じマンハッタンにある。ロックフェラーから情報が流れてきた。日本から江橋が来てコロンビアにも寄るらしい。私の仲間の間で評判になっていた。彼はアメリカでもノーベル医学生理学賞の最有力候補と目されていた。当日、大きなセミナー会場は立ち見も出ていっぱいだった。

ニューヨークにはリップマンの弟子が多い。私のボスもリップマンの弟子である。となると、今気づいたが私もリップマンの孫弟子と言えないこともない。さらに、私が帰国の時に家具を譲り渡したのも、偶然だったがリップマン研究室の教室員だった。

とにかく、江橋先生にとり、聴衆の多くがリップマン研究室時代の同僚であったり後輩であったり、何らかのつながりがある。

講演前で少し時間があり、先生は何人もの顔見知りに囲まれて雑談している。すっかりリラックスし、ジョークを飛ばして笑いを誘っておられた。講演はもちろん堂々たるものだった。

欧米の科学者にとって江橋先生のカルシウム説は想像もしない大発見だった。みんながが江橋を尊敬していることは講演後に質問する彼らの言葉遣いで明らかだった。

昔、全国紙で「江橋の英語はヘタクソ」と書かれてしまったが、そんな心配はご無用。それ以前に最初は全く相手にされなかったのである。

医者対科学者

江橋の初期の論文には武田文子（ふみこ）という研究者が出てくる。これは奥さんである。彼女は博士号を取るために東京女子医大から来た研究生だった。江橋と結婚して私設秘書になる。彼女自身重要な研究を成し遂げたが、正式の職員になることはなかった。

医学部では教授の権力が絶大だ。時に教授が夫人を昇進させ教室員が絶望的な閉塞感に苦しむことが少なくない。江橋は自分に厳しく、教室員もそのことは百も承知で、職場の雰囲気は明るく生き生きとしていた。

日本では医者の自尊心がいたずらに高すぎる。東大の医学部系の研究施設で有名な話がある。医用工学では第一人者の工学部教授が、医学部に行って息子のような年頃の若手の医者から一人前の研究者として扱われなかった。教授とは言っても工学部であり、医者ではなかったからである。

こんな調子だから、日本の大学では医者と科学者の間がしっくりいっていない。医者は科学者を下に見る。逆に、理学部や工学部の年配の教授は医者を学力に乏しいと考える。教授たちが若い時は一番優秀な学生は物理や数学に進んだ。彼らは、医学の博士号を取るために医者が教室員からデータを金で買ったり他の理学博士や工学博士に比べていい加減と思っている。

しかし、今や生命科学や脳科学や医学は科学研究の花形である。実際、欧米では医者と科学者が協力し、研究をパワフルに進めている。それなのに、日本では両者が力を合わせるのは難しい。

日本では、科学者と技術者の間もしっくりいかない。この点は、アメリカのケリー博士(第Ⅱ部第5章)が見抜いている。彼は日本科学のレベルの高さに目を見張った。しかし、日本の科学者は他の分野に一切関心を示さない。産業との連携に乏しいのが日本科学の弱点と感じた。たとえば、日本国民は終戦後食べる物にもこと欠いていた。ケリー博士は、科学者もその解決に努力すべきだと説いている。

日本では科学者の間でも変な理由でよくいさかいが起こる。昔、物理学者が歴史始まって以来超高額の加速器計画を学術会議に提案した。しかし、審議途中、物理学者が生物学を軽視していると取られ潰(つぶ)れたことがある。しばらく物理帝国主義と非難された。

その物理学者同士でさえも、日本人はギスギスしやすい。教授クラスになると一緒に研究することは稀(まれ)だ。欧米だったら、ノーベル賞クラスの大物が一緒に研究するなど珍しいことではない。

医者の世界も日本は変だ。たとえば、生理学者や生化学者といった、いわゆる基礎医学者は、臨床家を尊敬できない。臨床家だって、患者も診ずにお高くとまる基礎医学者を役立たずと感じている。

しかし、臨床の研究は基礎医学者に手伝ってもらえば飛躍的に伸びる。基礎医学者も臨床研究に協力すれば発見がたくさんある。なぜなら、時代と共に人類が想像もしなかった新しい病気が出現しており、その中に大きな研究の種がいくらでも隠れているからだ。

欧米では、日本のようにあっちもこっちもいさかいということはない。あちらの医者は、自分にプラスになるなら技術者でも誰とでも手を組む。彼らがカラッとしているのは、確立した個人同士の契約という感覚が根底にあるからだ。

対照的に、私たちは上下関係を作りたがる。日本人は互いに隠してはいるが、相手に対して隠微な感情を持つ。初対面では心密かに相手との上下関係を測る。学歴や所得や地位や家柄など、どれでもよいから何とか自分より劣ったところを見つけないと気持ちが沈む。

そんなことなら、上から自分たちの上下関係を決めてもらい、定められた通り仕事をしている方がよほど落ち着く。

物理学者になった医師？

江橋は日本の医者が持ちがちな優越感にも無縁だった。彼は科学者を尊敬していた。医者の地位が高いのは、昔はアメリカとか日本といった、遅れた国だけだった[69]。先進地域であったヨーロッパでは医者より化学者、特に有機化学者が花形であった。彼らの発見した化学反応が世界第一の化学工業を興し、ドイツを大国に押し上げたからだ。もちろん、シーメンスなどドイツの電気メーカーも世界に冠たるものだった。彼らの作った発電機やモーターのおかげで、あらゆる工場が動いていた。しかし、バイエル社など有機化学工業の会社こそ国家経済の最大の柱だった。

学問でも事情は同じで、物理学は化学より下だった。ドイツではアインシュタインもハズレの若者だったのである。しかし、彼が医者にまで落ちぶれなかった点はまだましといえる[69]。

たとえ優秀でもユダヤ人は化学者のようなエリートコースから排除された。3K商売である医者になるしかなかった。リップマンは仕方なく、医者の化学、すなわち医化学、後の生化学を生み出す。しかし、医化学者は患者の血液や尿や臓器などを扱う。アカデミックな純粋化学者から見れば薄汚い「化学者もどき」だった。

江橋は、七〇年代まで長らく日本一のエリートコースであった現麴町中学、現日比谷高校を一年ずつ飛び級し、一五歳で一高（現在の東大）に入っている。森鷗外のように仲間の中でひときわ幼い容貌を隠していたが、彼のほうは世界を謙虚に深く観察していた。

江橋は後に東京大学理学部物理学科の教授も兼任するようになる。東大にも、遅ればせながら生物物理学講座が新設されたのである。すでに名古屋大学、大阪大学、京都大学、早稲田大学で生物物理学講座が軌道に乗っていた。これら先発組ではすべて物理学者としてすでに著名な研究者が生命の分野に進出したものだった。東大は、生命分野の研究者を物理講座に入れた点で革命的であった。江橋という医者が生物物理学講座の主任を務めた。

医者が理学部の教授になったり、理学博士が医学部の教授になるといった人事は日本の大学では稀なことだが、ドイツでヘルムホルツ、アメリカでフォン・ベケシー、イギリスでハックスレーとクリックなど、欧米では物理学者が生理学でノーベル賞をとるなど大活躍した例は少なくない。

心臓病患者を救う

江橋の世代には電気生理学者の萩原生長（すすむ）教授（カリフォルニア大学）もいる。彼は東大医学部で江橋と同じ昭和一九年（一九四四）の卒業年次になっているが、結核のため片肺切除という大手術をうけ、同学年だが、留年のために実際は二歳年上だった。一緒に入学した同級生が卒業の時は一割が亡くなっている時代だった。

東京医科歯科大学の教授になったが、日本の先生は雑用で忙しすぎる。片肺のため体力のない彼は、研究に専念できるアメリカに渡り、カリフォルニア大学（UCLA）の教授になった。

その頃、ナトリウムが流入して神経の興奮を引き起こし情報を伝えるとの発見がノーベル賞に輝いていた。これはイカの巨大神経を利用したもので、海産動物を使った電気生理の研究が盛んになる。

昭和四五年（一九七〇）頃、皆がイカの神経に取りくんでいたが、萩原だけはきわだって変な生き物に着目する。浅瀬の岩の表面に白い火山のような殻でへばりつくフジツボ（甲殻類）である。彼は、カリフォルニアのフジツボが日本より比較にならないくらい巨大なことに興味をひかれた。

ロサンゼルスからバンクーバー、シアトルの沿岸に生息する海産物はコンブもウニも一般に超巨大だ。ロッキー山脈からの大量の雪解け水が養分を含んで海にそそぎ上昇流を作るから混ぜ返されて海産動物が豊かな栄養をとれる。

期待通り、フジツボは筋肉細胞も巨大で簡単に電極を刺すことができた。そして、興奮の時に、外からカルシウムが流れ込んでいることを発見する。世界初のこの風変わりな実験動物を使ったごほうびは、カルシウムの通り道――カルシウムチャネルの発見だった。

神経が興奮する時はナトリウムとカリウムの二つの通り道が開くが、萩原はカルシウム専用の通り道を発見したのである。この第三の通り道は筋肉で見出された。

しかし、このニュースに対しそれほど感銘を受けなかった研究者もいた。変な生き物だから変なチャネル（通り道）をもっている。しかし、カルシウムチャネルは人間にもあり、私たちの身体の中で重要な働きをしていることが次々に判明する。

たとえば、カルシウムはプラスのイオンだから細胞の中に流れ込めば細胞の中をプラスにして電気的興奮を引き起こす。私たちの心臓や胃腸などの内臓は、この興奮により収縮している。

カルシウム電流に異常があれば病気になる。そんな循環器の病気を三つ挙げてみよう。

第一に、心臓のペースメーカーでカルシウムの流入が多すぎると不整脈になる。第二に、心筋を潤（うるお）す冠動脈でカルシウムの流入が多すぎると血管がケイレンして狭心症になる。第三に、全身の血管でもカルシウムの流入が強いと絞まりすぎて高血圧になる。

以上三つの病気のいずれに対しても、チャネルを塞（ふさ）いでカルシウムの流入を止める薬を日本を含む世界中の製薬会社がいくつも開発した。現在その薬（カルシウム拮抗薬）を飲んでいる患者は世界中で数限りない。

骨格筋、心臓、消化管、血管などすべての筋肉で収縮を引き起こすのはカルシウムである。さらに、線毛運動とか分泌とか遊泳とか、およそ動きのあるところではカルシウムが主役を演じている。

たとえば、精子の動きもカルシウムが支配していた。精子には鞭毛と称する、一本の長い毛が生えていて鞭のように振って泳ぐ。この毛はカルシウムの濃度によって前進後進を切り替えていた。この事実も日本の研究者が発見している。

神経回路でもカルシウムが重要な役割を演じている場所がある。それは神経のつなぎ目（シナプス）で、そこでは流入したカルシウムが伝達物質を放出していた。伝達物質とは神経から次の神経や筋肉に情報を伝える刺激物質のことである。

したがって、シナプスでカルシウムの流入が増えると伝達物質の放出量も増えて情報がしっかり伝わるようになる。このようにして、現在、シナプスにおけるカルシウムチャネルが学習記憶の鍵を握っていると考えられている（第Ⅲ部第8章）。

江橋は若い時ナトリウム説の論文を読み、神経の電気生理学は終わったと思った。そこで、筋肉を選びカルシウムに出会った。萩原もナトリウム電流を離れてカルシウム電流を発見した。

日本の科学者たちが、カルシウム生理学という豊穣の地を開き、カルシウム時代をスタートさせたのである。

癌でもカルシウムが一役

昭和五二年（一九七七）、江橋に偉大な後継者が出現する。一〇歳若い神戸大学の西塚泰美（やすとみ）（現在の愛知県立瑞陵高校出身）である。

彼はカルシウムに新しい役割を追加した。カルシウムで働き出すCキナーゼという酵素を発見したのである。Cはカルシウムの頭文字であり、キナーゼとは他のたんぱく質を刺激し化学反応を起動させる。この酵素はあらゆる細胞に存在し、江橋や萩原の切り開いたカルシウム生理学を革命的に拡大した。

しかも、このCキナーゼはまったくあたらしいカルシウムチャネルを開くことも見つかる。

血管や胃腸など内臓には自律神経がつながっている。その自律神経からはアドレナリンやアセチルコリンが分泌される。これら化学（伝達）物質は、内臓側のカルシウムチャネルを開いてその収縮をつよめるが、Cキナーゼがこの過程を引き起こしていた。

以上は健康で生理的なはたらきであるが、Cキナーゼがとんでもない悪さをする時もある。たとえば、神経伝達物質の一種であるセロトニンは頭部の血管をひろげ、ドックンドックンと脈拍と共に偏頭痛を引き起こす。このセロトニンの作用でもCキナーゼが主役を演じている。

他にも、くも膜下出血を起こした場合、たとえ手術で脳の出血が止まっても安心できない。一週間後くらいに判でおしたように患者の脳血管がケイレンしはじめる。脳血管れん縮（スパズム）と言って、脳の血流が止まり半数近くが亡くなる。

原因は、こびりついていた血糊（ちのり）がとけはじめ、血の赤い色素であるヘモグロビンが赤血球の外に出てきて血管を刺激するからだ。

酸素を運ぶのが仕事と思っていたヘモグロビンに、血管を収縮させるはたらきがあった。この事実を発見したのは日本の脳外科医で、ここでもCキナーゼがはたらいていた。

Cキナーゼの多様なはたらきの中でとりわけ注目されたのは発癌作用であろう。癌になると、未熟な細胞がむやみにふえるが、Cキナーゼがそれを引き起こしていた。それまでに強い発癌作用で知られた物質はCキナーゼを刺激していた。その後、正常な細胞の分裂増殖でもはたらいていることが判明する。

西塚によるCキナーゼの論文は二年間にわたり世界一多く引用され、アメリカの科学アカデミーもイギリスの王立協会も西塚を名誉ある外国人会員にする。

日本の文化勲章はもとより、アメリカ最高の医学賞であるラスカー賞も授与された。この賞を受けると遠からずノーベル賞を受賞するといわれている。実際、彼は毎年ノーベル賞候補にあがった。

ところで、大学の研究室ではセミナーと称する勉強会が毎週一回開かれる。海外の重要論文を当番の研究者が紹介し、全員で検討する。西塚研究室のセミナーでは、大学院生が紹介役で先生たち全員が寄って集(たか)って質問攻めにして鍛える。当番になった大学院生は、セミナーの前日から胃が痛くなった。答えられなくて大学院生が考え込むと、西塚教授はフッと席を外す。教授がしばらく戻ってこないと助教授がセミナー中止を宣言した。

西塚泰美

他の研究室では、しばしば教授にとっても論文の内容が難しくて説明できないことがある。教室員は白け、セミナーはそれから二度と開かれなくなる。しかし、西塚は論文の著者以上の力があった。彼は、その論文が他の論文の二番煎(せん)じだとか根拠薄弱だとか厳しく指摘した。

ある時、なりたての助手が人事のことで西塚に意見した。しばしば若手は自分こそ正義と思い込み父親ほど年の離れた教授に向かって物申すことがある。研究者の人間的成長も重視する西塚は一時その助手を遠ざける。

その若手はやがて他の大学に移ったが、それから二〇年ほどたち東海地方のある大学の教授になった。赴任後しばらくしてから、彼は西塚教授がその地方に来ていたことを知る。弟子をよろしく頼むと、わざわざあちこち回って頭を下げていたのである。リップマンが江橋を守っていたのと同じように、西塚も弟子を陰で守っていた。

西塚は医者だが、江橋と同じく科学者を大事にした。ある時、東京の若い科学者が強心剤に関する研究を発表し、全国紙に取り上げられていた。Cキナーゼの関与を考えているようなので、西塚は見ず知らずのその若者に温かい激励の手紙を書く。それは、立派な毛筆書きの封書だった。若者は感激すると共に、金釘流(かなくぎりゅう)の自分がどうお礼をしたためたものか悩んだ。

西塚は弟子に愛され神戸大学の学長になったが、平成一六年(二〇〇四)七二歳で亡くなる。

日本人にノーベル医学生理学賞

しかし、江橋、西塚にノーベル賞が与えられることはなかった。物理学賞や化学賞は珍しくなくなったが、日本人への医学生理学賞は無理と、日本人は感じるようになる。

ところが、突然昭和六二年（一九八七）、利根川進に医学生理学賞が与えられる。彼は京都大学を出てからスイスで免疫抗体がどのようにして出来るのか明らかにした。胎児にはまだ免疫がなく抗体遺伝子は要素が並んでいるだけだが、抗原が来るとその要素が動いて並び直し、抗原に対する抗体たんぱくを生み出すようになる。

江橋と西塚は薬理学と生化学の研究者だったが、利根川は生化学が発展した「分子生物学」（遺伝子の生物学）で偉大な業績をあげた。

さらに、平成二四年（二〇一二）、二個目の医学生理学賞が日本人に与えられる。山中伸弥教授（京都大学）がiPS細胞の作製に成功した。成熟し終わった大人の皮膚細胞に発癌遺伝子など四種の因子を入れるだけで、色々な細胞になれる多能性幹細胞に変身させた。この手法を使えば、従来なら一度傷むと治療不可能だった脳や心臓や神経の組織を再生できる。

山中の研究も遺伝子に関係する研究であるが、単なる自然科学を越えて難病の治療に直結する大業績である。早くもそんな試みが始まっている。

なお、山中伸弥教授は神戸大学出身であり、西塚の教え子である。

第14章　オワンクラゲはなぜ光るのか

海きらめいて

月の出ない夜の海にも光はある。クルーザーの舷側に波が当たり、夜光虫が青白い光を放ちながらサラサラとスターンに流れる。夜光虫は海を上がるダイバーの足許も照らす。海の中は、ホタルイカ、ウミホタル、発光クラゲ、チョウチンアンコウと、浅瀬から深海まで発光動物で満たされている。

里は夏の夕闇にホタルが寂し気に漂う。山奥ではツキヨタケが孤独な光を放っている。地球上には八〇〇種を超える発光生物が生きている。

彼らはなぜ光るのか。チョウチンアンコウは餌をおびき寄せるためだろう。ホタルやセキセイインコは求愛が目的らしい。クモヒトデは敵に会うと脚を切断する。その脚は切れたとたんに光りながらクネクネ動く。どうも敵の注意をそらして逃げるためらしい。しかし、オワンクラゲがなぜ光るのか、山奥でツキヨタケが光を放っているのは何のためか。いまだにその理由がわからない。

大正五年（一九一六）、エドモンド・ハーベイ博士（プリンストン大学）が新婚旅行の途中三浦半島の油壺にある臨海実験所（東大）を訪れた。彼は発光生物学の始祖であり、ウミホタルの採集を兼ねて立ち寄ったのである。

ウミホタルは小さな甲殻類で日本の海に特に豊富だ。油壺の実験所はウッズホールやナポリ（イタリア）の実験所に並ぶ、海洋生物学では世界の三大研究所と言われ、プリンストンでもよく知られていた。

昔、対岸の館山（千葉県）では生徒や市民有志がウミホタルを集めて乾燥させ大量に南方戦線に送った。[70] 兵士たちは夜間ジャングルでそれに水を加えて光らせ地図を読んだ。

学者たちは、陸のホタルもウミホタルも青白い光を出すので、生き物はすべて同じものが光っていると考えた。その発光物質を取りあえずルシフェリンと名づけ、ルシフェラーゼと称する酵素によって化学反応を起こして光を出すとのモデルを立てた。

帰国後、ハーベイは日本で集めた乾燥品から謎の物質ルシフェリンを純粋な形で抽出しようとした。不純物が混ざっていると、ルシフェリンを分析しているのか不純物を研究しているのかわからなくなる。

しかし、ルシフェリンは不安定なため、濃縮を始めてもすぐ酸化し壊れてしまった。失敗の連続で、最初の原料の二〇〇〇倍に濃縮するのが精一杯だった。これではまだ不純物が邪魔をする。ハーベイは四〇年間努力を続けたものの確たる成果はなく、定年を迎えた。

彼の後を継いだフランク・ジョンソン教授も二〇年間がんばったが、先に進むこともないまま、譲り受けたウミホタルの材料が尽きてしまった。

日本の若者がホタルの秘密を解明

下村脩（おさむ）（現在の長崎県立佐世保南高校、北高校の前身出身）は昭和二六年（一九五一）長崎医科大学附属薬学専門部（現在の長崎大学薬学部）を卒業した。日本最大の製薬会社武田薬品を受験したが面接で言われる。[70]

「あなたは会社にむきません」

昭和三〇年（一九五五）、就職をあきらめ平田義正教授（名古屋大学）の研究生になる。そこで教授から与えられた課題はウミホタルが光るメカニズムだった。

平田教授はハーベイ教授とジョンソン教授の苦闘を知っている。しかし、戦前にあつめられたウミホタル以外に自分たちでもかなりの量を採集しその乾燥品を保管していた。これだけあれば何か研究の一つでも出来るかもしれない。

そういうわけで、下村はウミホタルを贅沢（ぜいたく）に使ったが、ハーベイ同様、酸素に触れて発光物質が変性してしまう。彼は、水素ガスで空気（酸素）を追い出しながら発光物質を抽出した。

同様な手法は約八〇年前に北里柴三郎も利用したやり方だ（第I部第1章）。しかし、水素は引火しやすく危険なガスである。

下村はこの困難をのりこえ、一年でルシフェリンの構造をあきらかにする。

次いでホタルにも挑戦したが、これも同じルシフェリンが光っていた。長らく謎であった生物の放つ光を日本の一青年が解明した。ジョンソン教授は下村の論文を読み、すぐアメリカに招く。

昭和三五年（一九六〇）、到着した下村に対しジョンソン教授はオワンクラゲに挑戦させる。このクラゲはアメリカの海岸ならはいて捨てるほどいて、直径一〇センチほどのオワン形の縁が百カ所ほど強く光る。これもルシフェリンで光ると思っていた。

しかし、二人で化学抽出を進めてもルシフェリンが見つからない。日本では成功したはずなのに、クラゲで同じことができないではないか。

一方、下村の方はルシフェリンとは別物かもしれないと思い始めていた。[70] ルシフェリンにこだわる教授と気持ちが離れていく。彼は、教授と同じ実験机を使っていたが、教授に背き自分のアイデアで実験を始めた。研究室に気まずい空気が流れる。

ある日、彼は帰宅する時抽出液を流しに捨てた。そのとたん、流し全体がアルコールが燃え上がるようにパーッと青白く輝いた。海水中の何かと化学反応を起こして光るのではないか。

彼はその海水中の成分がカルシウムであることを突き止める。そして、カルシウムと化学反応する発光物質はルシフェリンではなかった。エコーリンと名づける。[71]

下村は、自分の研究成果が他の分野で利用されることなどないと思っていた。しかし、一九六〇年代に入るとカルシウムが生命科学の主役に躍り出る。前の章に出て来た萩原生長がエコーリンを使ってカルシウムの検出を始めた。

フジツボの筋肉細胞にエコーリンを注入しておいてから興奮させると光ったのである。微量のカルシウムが興奮に伴って細胞の中に流れ込むことがわかった。

なお、これほど極微量のカルシウムを検出できたのは史上初めてだった。

サンディエゴの陽光

平成一〇年(一九九八)、メキシコ湾岸のニューオルリーンズで全米神経科学会議が開かれた。日本への帰途、私は西海岸のサンディエゴ(カリフォルニア)に寄った。そこのカリフォルニア大学で最新情報を集めようと考えていた。

サンディエゴも海に臨む熱帯都市である点はニューオルリーンズに似ている。しかし、ジャズやフランス入植時代の歴史も色濃かったニューオルリーンズに比べ、サンディエゴは乾ききった人工的な軍港都市だった。

砂漠が直接太平洋に面し、目に痛いほど真白な建物が並ぶ。空港から出発したバスは、もう二時間もそんな海岸沿いの長く白い道を走っていた。

ロジャー・チャン教授（カリフォルニア大学サンディエゴ校）は、カルシウム検出色素の分野で世界トップである。一九六〇年代から、彼はカルシウム検出色素を次々に発表していた。日本人研究者も多数協力していた。

下村のエコーリンはオワンクラゲから抽出するから、量が限られ広く科学者に行きわたることはなかった。チャン教授の作った人工色素は簡単に合成できる上に、エコーリンよりずっと強く光る。エコーリンに代わりカルシウム検出色素の代名詞になる。

彼が作った色素の中で、一番良く使われたのはフラ－2である。この色素はカルシウムのない状態で照らせば青く光る。カルシウムが結合するとその分だけ緑色に光るようになる。したがって、その緑色の光の強さでカルシウムの濃さがわかる。

さらに、チャン教授はフラ－2の分子に油のような構造をくっつけた。こうすれば、油でできている私たちの細胞膜に外から溶け込み自然に細胞内に入っていく。細胞内注射という特殊技術なしで、誰でも、いかなる細胞でも、その中のカルシウムを測れるようになった。

世界中の研究者が、緑色の蛍光の強さをビデオカメラで撮影するようになった。具体的には画面上の各点における緑の強さをコンピューターで七色に変換してからカラーモニターに映し出す。緑の蛍光がない時は真っ暗、弱いときは青、次いで緑、黄色、カルシウムの蛍光が強いと赤くなり一番強い時は白くハレーションを起こす。

だから、たとえば心筋が活動する時は、心筋の一点から赤くなり、赤い波が進んで細胞全体がダイナミックに真っ赤に燃えて収縮する。心筋がピクピク拍動する度に、カルシウム濃度がそんな噴火を繰り返すのだ。

昭和三五年（一九六〇）頃から、フラ－2のおかげで細胞内カルシウムの測定がブームになった。御子柴克彦教授（東大、理研兼任）は、卵子が受精すると内部でカルシウムが急に増えることを発見した。

精子が侵入したその場所から真っ赤なカルシウムの波が発生して広がり、卵子全体が真っ赤になった。卵子はその後細胞分裂を経て胎児に発達するのだが、まず最初のステップとしてカルシウムの噴火が必須であった。

萩原によれば、フジツボの筋肉は興奮するとカルシウムが細胞の中に流れ込み収縮を引き起こす。ウミホタルや夜光虫やオワンクラゲも、まず波に揺られて刺激され興奮し、次いでカルシウムが流入して光っていた。

ネットで文献調査

エコーリンを発見したが、下村には釈然としない点があった。抽出したエコーリンは単独では青白く光るのに、オワンクラゲは緑色に光るのだ。後に彼はオワンクラゲの組織の中に、緑に光るたんぱく質を発見する。「緑色蛍光たんぱく質」と名づけられた。

ただし、これは発光物質ではなく蛍光物質だった。エコーリンの青い光を緑色の光に変えて照り返す。物理学者は、このように他から照らされて色を変えて出す光を蛍光という。

部屋の蛍光灯も、ガラス管に詰めた水素ガスが電気で刺激されて紫外線を出すが、この光は目に見えない。その紫外線が管の内壁に塗りつけてある蛍光塗料に当たって、明るい白色光などに変わり外に放射されている。

オワンクラゲは、エコーリン→青色光→「緑色蛍光たんぱく質」→緑色光、という二段構えで光っていた。

平成五年（一九九三）、下村の「緑色蛍光たんぱく質」を研究に利用しようとする科学者が現れた。コロンビア大学のマーチン・チャルフィー教授である。[71] 彼は線虫の触覚神経を調べるため「緑色蛍光たんぱく質」の遺伝子を導入し触覚神経を光らせようと考えた。彼はまず「緑色蛍光たんぱく質」の遺伝子についてインターネットで調べた。メドライン（MEDLINE）がコロンビア大学に引かれたばかりだった。

メドラインとは、アメリカの国立医学図書館のデータベースのことだ。この図書館は世界中の雑誌論文の概要を雑誌の発行と同時にコンピューターに入力している。日本やアジアの雑誌も、要約が英語になっていればただちにここに入力される。出版前の原稿から入力されることも珍しくない。

チャルフィーは、このデータベースにより、「緑色蛍光たんぱく質」の遺伝子がウッズホールの研究所で見出されていることを知る。

緑に光るネズミ

チャルフィーが早速担当者のプラッシャー博士にメールを出したところ、こころよくその遺伝子が送られてきた。彼はその遺伝子を細胞に入れ、緑色に輝く線虫や大腸菌を作った。チャルフィーの方法を知って、科学者が色々な動物に「緑色(りょくしょく)蛍光たんぱく質」を入れる。緑に光るサカナ、カエル、ネズミ、ウサギ、サル、ヤギが出現した。

チャン教授も「緑色蛍光たんぱく質」に早くから取り組んだ。下村やチャルフィーとちがい、チャン教授は有機化学出身だから、自由自在に化学物質を作れる。「緑色蛍光たんぱく質」を構成するアミノ酸を幾つか変化させ、もっと強く光るたんぱくや、青くあるいは黄色に光るたんぱくを作った。

しかし、チャルフィーの真の目的は他にあった。生体の中で特定の物質に「緑色蛍光たんぱく質」で印を付けることにあった。彼のおかげで、現在は細胞の中の重要物質のふるまいが、派手な蛍光色で手に取るように見えるようになった。

たとえば、癌学者はネズミの癌組織を光らせ、それを正常なネズミに移植した。光る癌細胞がやがて身体のあちこちに転移していった。

さらに、茨城県のつくば市に農業・食品産業技術総合研究機構という国立の研究所がある。そこの研究者がカイコに一連の「緑色蛍光たんぱく質」の仲間の遺伝子を入れた。さらに、緑、赤、オレンジに光る絹が得られている。間もなく蛍光色に美しく光るドレスが出現するだろう。

その後のニュースとしては、宇都宮大学の前田勇教授による研究があげられる。彼は「緑色蛍光たんぱく質」を有害金属と結合するたんぱく質に融合させた。このように金属で光るたんぱく質を使って公害物質を簡単に検出できるようにした。カドミウム、鉛、砒（ひ）素（そ）、水銀などが手軽に測れるようになった。

下村はいつものように自分の研究は社会で何の役にもたたないと思っていた。しかし、現代は多くの研究分野で「緑色蛍光たんぱく質」の技術がなければ、仕事にならない。

身体の中を観る

下村脩が発見したカルシウム検出色素と「緑色蛍光たんぱく質」により、顕微鏡を使ってミクロな細胞の中の様子が生きたままカラフルにダイナミックに描き出されるようになった。これを「細胞画像化」という。

一方、X線CT、MRI、X線造影、胃カメラ、PETなど、ヒトの身体の中をまるごと描き出す技術も大きく発展している。こちらは「組織画像化」と呼ばれ、体内の病変を外から描き出して多くの患者を救っている。

細胞画像化と組織画像化とを合わせて、生体画像化（バイオイメージング）という。これらの技術により医学に革命が起こる。「緑色蛍光たんぱく質の発見と開発」の功績により平成二〇年（二〇〇八）度のノーベル化学賞がチャルフィーとチャンと下村の三名に与えられた。

下村は三人の恩人を挙げている。名古屋の平田教授とアメリカのジョンソン教授と、そして長崎医科大学附属薬学専門部の安永峻五教授だった。安永教授は、就職試験に落ちた下村を研究生として四年間研究室に置いてくれた。

ところで、薬学では治療に使えるのであれば毒草や毒虫でも使う。役に立てば、そのメカニズムがわからなくてもいっこうに構わない。

だから、どんなに有用な薬を作っても薬学の研究者に対してノーベル賞が与えられることはなかった。下村はそんな実用一点張りの研究には興味がない。生き物の身体の中で働いている未知の物質の方が燃える。

医学部の薬理学者も薬作りには興味がない。彼らのいう「薬」とは、患者が飲むようなものではなく、私たちの身体の中に最初から存在し働いている生体活性物質のことだ。理学部の化学者も、効用は考えずに化学物質の本性を追求する。安永は化学方面に進むよう下村を名古屋大学に紹介してくれた。そのおかげで、薬学出身の下村が世界で初めてノーベル化学賞受賞者になった。

一方、プラッシャー博士の方であるが、彼はノーベル賞の受賞者に入っていなかった。それどころか、彼は研究者を辞めていた。実は彼自身も遺伝子を細胞に入れて光らせようとした。しかし、ちょっとしたことでうまくいかず、研究費が切れてバスの運転手になっていた。

下村脩

今は言っている。

「チャルフィーやチャンが近くに来ることがあれば、私にディナーくらいおごってもいいと思うよ」

アメリカでは八割方の研究者は、自分の給料も研究費として各種財団に申請し自分で手に入れている。日本のように大学から自動的に給料をもらえる科学者は、アメリカでは「テニア」（終身在職権）と言って、全体の二割しかいない。

テニアを持たない多くの研究者は実験に失敗すれば論文が出ないから給料も研究費ももらえなくなる。かくして、アメリカ人研究者の次のような口癖ができた。

「論文が出るか、さもなくば破滅」

大学の教官にとって、テニア制度は研究者として生存できるかどうか強烈なプレッシャーになる。

ところで、以前細胞画像化が盛んな時も、エコーリンやフラ－2の発見や実用化にノーベル賞が与えられると思う人は少なかった。ノーベル賞は真理の発見に与えられるのであって、測定技術だけでノーベル賞は取れなかった。

一方、チャルフィーは「緑色蛍光たんぱく質」の遺伝子に触覚遺伝子を導入すると四個の触覚細胞が光ることを見出し、発達段階で触覚遺伝子のスイッチが入る時期を明らかにした。[70] 彼はその後、「緑色蛍光たんぱく質」から離れ、触覚神経そのものの研究に戻ってゆく。

技術者のチャンは、技術だけでもノーベル賞に値すると考えていた。技術の影響力は科学の世界でも圧倒的だからだ。考えてみれば、園ジーン（第Ⅱ部第7章）が日本に初めて持ち込んだ位相差顕微鏡は、もともと光学による画像化技術がノーベル物理学賞を勝ち取ったものだ。昭和五四年（一九七九）の医学生理学賞も、X線CTという画像化技術に対して与えられた。

　X線CTでは人体に四方八方からX線を照射する。癌組織は岩のように周りの正常組織よりも硬く重いので、X線を強く吸収する。だから、身体を通過してきたX線の強さを計測し、コンピューターで計算し瞬時に体内の癌組織を描き出す。

　以上のように、物理学ではしばしば生体のための測定技術に対してもノーベル賞が与えられていた。今や医学生理学でも、技術革新が比類なき新発見を生み出す時代であるから、技術のみに対してもノーベル賞が与えられる。

第V部　日本人とノーベル賞

第15章　天才だってつらい

手先の不器用な科学者は

物理の研究は理論と実験の二つに大きく分けられる。湯川の時代、実験をやるには研究者が自分でガラス細工をする必要があった。たとえば、ガラス管をバーナーで溶かし水銀を入れて温度計のような物を作る。

しかし、ガラスは加熱した当座はグニャグニャしているが、まごまごしているとすぐカチンカチンになる。そうなる前に素早く形を整えなければならない。しかし、湯川は何回やっても必ずパリンと割れた。[51] 逆に、朝永振一郎は手先が器用でガラス細工を楽しんでいた。他の同級生もみんな上手なのに、湯川だけ何か大事なものが欠けていた。

ところで、オッペンハイマー（第Ⅲ部第10章）には弟がいた。兄と異なり実験物理学者になっているから実験が上手だが、兄の方は実験、たとえば電気工作が学生時代、人並み外れて下手だった。電気回路のリード線をハンダ付けする時、ハンダをいくらたくさん盛ってもすぐポロリととれてしまう。彼の絶叫が実験室の中に響き渡った。

日本では、昔物理を卒業すると電機メーカーに就職する人が多かった。彼ら新卒には工場研修が待っている。魔法のようにサッサとハンダ付けをする派遣女子社員の隣で、頭でっかちの新入社員が自信を失くして下を向いていた。

一方、パウリ（第Ⅲ部第10章）は仲間の理論物理学者が怖がるほどの切れ者だ。実験などしなくてもちょっと考えるだけで結果を予想できた。したがって、面倒な実験などやる人の気がしれない。

しかし、周りの人にしてみると彼の不器用さが信じられない。頭が切れる代わりに極端な器械音痴で、簡単な装置でも恐々近づいた。運転免許を取るのに普通の人の何倍も実技試験を受けている。彼が実験をやるなんて論外だった。

東大の小柴昌俊（現在の神奈川県立横須賀高校出身）は学部卒業の時、成績不良だった。特に数学が弱くて、講義に出てくる方程式が理解できなかった。普通、理論を勉強する時は、そこに出てくる式を自分で計算してみる。たとえば、左辺＝右辺という等式において、左辺を変形して右辺に等しくなることを自分で確認する。

一辺だけで数字やアルファベットやギリシャ文字やそのイタリック体、さらに奇妙な符号が一頁も二頁もうめつくす。それも一発で右辺になることなどなく、変形した左辺に他の式を代入したり近似したり何回も変形を積みかさねるから、ノート一冊分になることだってある。研究者の間では腕力仕事と表現される。小柴は体力的腕力は人一倍あったが、一週間たっても二週間たっても右辺に近づけなかった。それを同級生にきくと、一分もかからぬ内にすらすらと右辺の形にした。ただし、彼は実験になるとまったく問題はない。仲間は、実験装置を壊して教授から叱られるのが怖い。小柴はそんな秀才たちを尻目にスイスイと装置を動かしデータを出した。

なお、同じようなことが医学でもある。二〇一二年度ノーベル賞医学生理学賞に輝いた山中伸弥は、研修医の時、手術場で先輩のジャマになるほど不器用だった。とても使い物にならないと感じ整形外科医を二度もあきらめている。

臨床の教授の中には、診察や治療や手術をとてもまかせられず、患者を診るのを部下から止められているケースがある。しかし、その同じ人が研究になると世界的な業績をあげることもある。

日本の医学部は研究偏重で、教授は教室員に研究の種を与え医学博士にするのが最大の義務だ。だから、臨床の下手な教授にも居場所はある。

国際チームを指揮した小柴昌俊

小柴の周囲では、原子核物理は京大の先生たちのような天才でないと無理と話していた。しかし、小柴も湯川秀樹にあこがれていたので、大学院に進学したかった。そのためには論文の一つもだしていないと奨学金がもらえない。先輩にしかられながらようやく論文をまとめ大学院にもぐりこむ。

入るとすぐ武者修行が待っていた。当時、大学院生は好きな他の大学の研究室にしばらく滞在して指導を受けられる制度があった。彼は先進地の関西をのぞんだ。東大の先輩の南部陽一郎と西島和彦の勤めていた大阪市立大学が受け入れてくれた。ところが、きてみると話に参加できない。

ただ、二人の先輩とは気があって、小柴はくだらない冗談を言い一人ゲタゲタ笑っていた。客観的に見ると、もちろん武者修行にはなっていなかった。そんな痛々しい彼に、先輩の藤本陽一（後に東大原子核研究所教授、早大教授）が宇宙線の実験をすすめる。

藤本によると、日本は理論はすごいが実験が弱い。しかし、実験をやっていると理論家の考えも及ばぬような神の声が聞こえる。

貧しい日本ではアメリカのような大型の加速器は持てないが、天空からふりそそいでいる放射線は日本にもアメリカにも公平だ。そんな宇宙線は当時の加速器より桁違いにエネルギーが強いから超高エネルギーの核反応が起こり、素粒子発見のチャンスも大きい。

一九五〇年代に入り、日本でも宇宙線の研究が始まる。気球を上げて観測する方法もあるが、多くは原子核乾板を山の上にはこんで宇宙線が記録された。日本では乗鞍岳の山頂などに研究施設があり、宇宙線研究者の中には山男やら雪男やら区別のむずかしい人もいた。

彼らは山頂から持ち帰った原子核乾板を写真フィルムのように現像する。宇宙線が飛び込んでいれば、フィルムの感光層の中に飛跡が見える。研究者はその飛び方を分析して新粒子を発見する。

やがて、小柴博士に留学の話が舞い込んだ。湯川先生があちらで聞いてきた話で、乾板を使った研究では世界トップのロチェスター大学（ニューヨーク）で宇宙線の研究ができるらしい。しかし、アメリカの大学に留学するには推薦状が必須だ。自分を推薦してくれるような先生がいるだろうか。

朝永振一郎先生のところに相談に行ったところ、朝永先生はニヤリとして申し渡した。

「アメリカに行くんだったら英語が必要だろう。君自身で英語の推薦状を書いて持ってきなさい」

小柴は四苦八苦しながら自分を次の通り推薦する。[65]

「成績証明書にある通りこの男の成績はよいとは申しかねるが、それほど馬鹿ではない」

先生はこの試案を一瞥し、再びニヤッとしてそのままサインした。

自分は馬力だけが取り柄と思ったから、アメリカで小柴は精力的に働いた。その結果、今でも最短記録になっている一年八カ月で博士号を取った。シカゴ大学に就職し給料がもらえるようになったので、連日アメリカ娘とデートにあけくれる。

その頃になると、南部陽一郎が同じシカゴ大学に移ってきた。小柴にはデートの軍資金二〇ドルをかりた弱みもあって南部夫人から厳命される。

「あんた、またデート？　最後まで行っちゃダメよ」

デートから帰ってくると、訊問された。

「ちゃんと報告しなきゃダメよ。彼女とはどこまで行ったの？」

アメリカの研究室では家族を交えたパーティーが多い。ある日のパーティーで、同僚の奥さん方が小柴を取り囲んで忍び笑いをしている。日本の寄席で仕入れた艶笑小噺を英語に直して一席伺っていた。[72]

金髪の婦人方が歌麿の国の禁断の秘め事を楽しんでいた。小柴の方もツボとエチケットを心得ていたから、彼女たちはいつもドクター・コシバの話を聞きたくて欠席はなかった。

そんな楽しい生活も四年で終わりが来る。ボスのマルセル・シャイン教授が心臓麻痺で急逝し、小柴は残された国際グループを指揮する立場になる。

彼は独特の作戦を実行した。アメリカでは軍による大きな研究助成制度が各分野で利用されている。小柴はアメリカ海軍の援助を得て気球で原子核乾板を海上上空に上げた。

水の地底宮殿

日本に帰国後、小柴が持ち帰った乾板を日本の研究者が競って分析した。本人は新しい実験を考えつき、神岡鉱山（岐阜）の地下一〇〇〇メートルに潜る。

そこは江戸時代から続く銅山であったが、廃鉱になっていた。こんな地下深くなら地球の反対側から地球を貫通して来た宇宙線だけが到着する。ガンマ線や中性子、中間子などは届かないから邪魔されることもない。そして、彼が狙ったのは、ニュートリノといって桁違いに透過力が強く、地球の裏側からでも到着する。パウリが予言していた素粒子であり、自然界ではいまだ見つけられていなかった。

その検出にも新しい道具を考えた。原子核乾板ではなく光を検出する特殊な真空管を使った。そんな真空管（＝光電子増倍管）で世界トップの会社が日本の静岡県にあった。浜松ホトニクスと言って、昔高柳健次郎博士と協力し、世界初のテレビジョンの受像に成功した会社である。その社長を口説き落とし世界随一の真空管を設計してもらった。

普通の光電子増倍管は口径が五センチくらいだが、高感度にするために一〇倍の五〇センチの巨大な光電子増倍管を一〇〇〇個作ってもらった。それを値切りに値切って神岡鉱山の広々とした地下洞の壁全面に並べた。しかも、空洞のままではニュートリノがすり抜けてしまうので何万トンもの超純水を満たしてもらった。まるで、銀色の一〇〇〇個の大きな目玉が真暗な水中を睨んでいるみたいだ。小柴はカミオカンデと名づけた。

小柴だけの奇怪な装置が遂にニュートリノを検出する。それは宇宙の遥か彼方(かなた)、大マゼラン星雲から到着していた。大爆発で誕生し、一七万年間宇宙を飛び続けてきたものだった。

理論家はニュートリノには理論上、重さがないと考えていた。小柴のグループは重さがあることを見出す。その発見にあわせて理論が作り直された。小柴は極微の素粒子物理学から広大無辺の宇宙科学を開拓し、二〇〇二年度のノーベル賞に輝く。

大雑把(おおざっぱ)な理論

問題に取り組む時、理論物理学者は影響の小さなものをすべて削(そ)ぎ落とす。そんな弱い成分を式の中に入れて解いても複雑になるだけで、結論に大した違いはないからだ。主要な成分に絞って現象全体を単純化し、モデルとか模型にする。その元がアイデア（着想）であり、アイデアは数式ではなくて文章で表せる。数式を組み立てるのはその後だ。

式を組み立てたら、それを解くためにさらに近似し簡単な式に変える。小柴が学生時代苦労したのは、この近似による式の変形のところだ。変形がうまくいけば、昔からよく知られている簡単な式になり答えは数学の教科書に書いてある。

なお、近似しているからその解は大雑把な結論ということになるかもしれない。しかし、全体像を把握でき、本質に近づける。

以上のように、モデルを立て大雑把な解を考えるのを定性的な研究という。この定性的研究にはむしろ高度の理論的センスが必要だ。湯川の時代、理論研究はすべて定性的研究が主役と言えた。言い換えれば、理論物理学者にとって数式よりもアイデアを出すのが仕事だった。

具体例をあげよう。特殊相対性理論の数式自体は高校生でも理解できる。しかし、そのアイデアを思いつけたのはアインシュタイン一人である。中間子理論も、その数式が素晴らしいわけではない。中間子を仮定しそのやり取りで力が発生するという湯川秀樹の着想がすごいのだ。

山崎和夫（京大）は、晩年のハイゼンベルクと共同研究をしている。うまくいってそれをレポートにまとめると、ハイゼンベルクから注意される。[34]

「式をいっぱい書くな。言葉で説明しなさい」

本も同じで、物理の専門家は数式だらけの本を評価しない。ロシアのランダウの教科書も、日本の朝永の教科書も、イギリスのディラックのそれも、名著中の名著であるが、いずれもやさしい言葉で驚くべき真実を説明してくれる。[73]

しかし、湯川が定年になった頃、理論研究に新しい方法が出現する。手計算や数学公式では解けない式を大型コンピューターで解くことができるようになった。この手法を数値解析、このような研究を定量的研究と言う。湯川の弟子の中にもコンピューターを使う研究者が増えていった。

ところで、物理学者がコンピューターで超複雑な数式を解いているのを見て、最高度の研究をしていると思われるかもしれないが、それは間違っている。コンピューターを動かす前に、研究者は当然ながら現象を説明できるように式を選び作る。

したがって、人間の頭で予想できる通りの結果しか得られない。定量的に細かい結果は得られるが、予想もしなかったようなことが出てくることは少ない。

また、科学者はコンピューターを使って複雑な現象を再現してみせたりもする。いわゆる、シミュレーション（模擬）である。しかし、どんな式でもその中の係数や定数を大きくしたり小さくしたりすれば、お望みの答を出すことができる。

すなわち、シミュレーションも人間のやることだから、大局的には人間の頭脳を超えることはない。

湯川は得られた複雑な方程式に対して近似を入れ簡単な式に変えて解いた。近似したから有効な範囲は限られるが、解の性質を大局的に把握できる。このようにして紙と鉛筆だけで自然のふるまいに肉薄した。

湯川の時代、コンピューターを使って精密に解くなど、後で必要になった技術者がやればよいと考えていた。実際、現代は超大型コンピューターが気軽に利用できるようになり、薬物、建築、車や飛行機の設計、原子炉、宇宙論、生命、気象、海象、地震、経済変動などあらゆる所でコンピューター解析やシミュレーションがあふれている。

湯川逝く

湯川は海外の科学者と交流し、研究者には国境がないことを実感した。アメリカでも、その三年前まで国同士戦ってきたのに、彼らは自分に対して何のわだかまりも持たなかった。研究仲間として温かく接してくれた。人種がいくら違ってもそれは外見だけで、神は人の心を寸分の違(たが)いもないように創っていた。

アインシュタインは「世界連邦」の運動を創設していた。湯川は運動を受け継ぎ、自ら責任者になる。[62] 世界の国々が一つになってこそ平和を実現できる。しかし、昭和五六年（一九八二）、前立腺癌で倒れた。

　弟子の牧二郎教授（京大）と井上健教授（京大）が下賀茂の先生の自宅に着いた時、先生はすでに息を引き取っていた。朝永が逝ってから二年だった。病理解剖を了承していたので遺体は京大病院に運ばれる。

　烏丸通りから今出川通りに差しかかって、先生の体が激しく揺れた。ベルトで留めてあるから落ちる心配はない。しかし、二人は手を添え先生を一生懸命支える。その時、井上はフッと奇妙な錯覚を覚えた。湯川先生が気力を振り絞りもっと先へもっと先へ進もうとするのを後ろから懸命に支えていた、昔感じたあの感覚だった。

湯川（左）と朝永（右）

　湯川は中学生の頃から自分は人に愛されないと思っていた。学部長選挙でも自分に投票する人はほとんどなかった。しかし、日本の物理学者は湯川秀樹にあこがれ、その道に進んだ人が多い。牧や井上はおろか、父や母や、会ったこともない、とても多くの人に愛されていたことを彼だけが知らなかった。

　それは教授会で投票されるよりもずっと強く深い愛だった。湯川がこの世にいなくなり、妻のスミが世界連邦運動総裁として後を引き継いだ。彼女は夫の志を少しでも前に進めようと死ぬまで世界に働きかけている。

湯川は東京の麻布、朝永も東京小石川の生まれだが、共に京都がふるさとになった[50]。湯川は市内の知恩院、朝永も同じく東本願寺にお墓がある。互いにかけがえのない二人がすぐ近い距離で眠っている。

江崎玲於奈(れおな)の半導体

量子力学のいうことはとても奇妙だ。たとえば、原子の中で電子の位置を完全には決められない。そこに電子が来る確率がたとえば八〇パーセントなどと表現する。物理学者は森羅万象(しんらばんしょう)、確率的に起こると考えるようになった。彼らは自分が普通の人の倍の確率で自動車事故を起こすと思うと、払う保険料を倍に増やす。これは冗談だが、なんでも方程式を解けば正確に一つの値に決まる古典物理学とは大違いだった。

ところで、量子というアイデアは、アインシュタインが言い出している。すなわち、光が光子という粒々（量子）で出来ていることを発見した。その後、量子に確率解釈が加わって、量子力学が生まれた。

しかし、その確率解釈にアインシュタイン御大は同意せず、死ぬまで量子力学に反対した[50]。彼は言っている[74]。

「考えてもごらんなさい。神がサイコロを振ると思いますか？」

彼にすれば、自然現象が偶然確率的に起こるなどということはいい加減すぎる。真の物理学ならすべての現象をハッキリ決められるし、決めるべきだ。量子力学の建設者ボーアに会うたびに激しい論争を挑んだのは語り草になっている。

その後、物理学者は量子力学を手に半導体の世界を切り開く。半導体というのは、名前の通り電気を金属の半分くらいしか伝えない。一般に電気は電子で伝わるから、その伝わり方は電子のエネルギーで決まる。だから、その電子のエネルギーを量子力学の方程式に代入して解けば電子の来る場所すなわち行動や流れが確率的にわかる。量子力学を羅針盤に、どのようにして半導体が電気を伝えるか解明された。そして、真空管に代わる新時代のエレクトロニクス部品が次々に誕生した。

半導体における電子の動き方の中に、トンネル効果というのがある。喩（たとえ）になるが、電子というボールが山に突き当たるとしよう。古典力学ではボールにスピードがないと山を越えられない。ところが、電子というミクロの世界になると、量子力学が不思議な予言をする。すなわち、量子力学ではすべて確率的なのでノロノロした電子も山を越える確率がわずかでもある。まるでトンネルを通るように山の向こうに出現するのだ。そんな電子がある程度の量になれば電流として測れるようになる。

もっとも、物理学者はこのトンネル効果は小さすぎて私たちの世界では無視できるし、事実上起こらないと考えていた。江崎玲於奈（当時ソニー）は偶然できた半導体でそんな稀な現象を発見し、トンネルダイオードを生み出す[34]。

その結果を、昭和三二年（一九五七）の秋の物理学会年会で発表したが、いつもの通り日本の物理学者は全く関心を示さなかった。ところが、それを『フィジカル・レヴュー』に発表したとたん、アメリカから大変な反響が返ってきた。彼はこの業績で一九七三年のノーベル賞を受賞する。

量子力学がダイオードやトランジスターを理論的に支え、それが集積回路、コンピューター、さらにはあなたのDVDやスマートフォン、そして医用機器にも軍用機器にも取り入れられる。バブルの時、物理の卒業生の多くが真理探究よりも半導体産業に進んだ。

他にも、原子炉、電子顕微鏡、ロケット、レーザー等々、現代の技術と産業の至る所で物理学者がその屋台骨を支えている。福沢諭吉が予想した通りになった。

梅田の扇町小学校から

理論物理学者に分類される科学者は戦前から日本にも存在した。彼らは例えば相対性理論や流体力学の方程式を解いたりしていた。相対性理論は新しい物理学と思われるかもしれない。しかし、実は宇宙や光速など大きな世界を扱うから、あくまで古い物理学である。

新しい物理学はむしろ目に見えない原子など小さな世界に芽を出した。そこでは、古いニュートン力学は全く無力だ。それに代わる新しい物理学——量子力学を構築すべく、ヨーロッパの物理学者たちが苦闘した。

欧米では侃侃諤諤（かんかんがくがく）の論争と共に量子力学の研究が驀進（ばくしん）していた。一方、日本の教授たちは、そんな現場から遠く離れ、量子力学の価値を自らの頭で判断できなかった。東大にも京大にも、公然と宣言する教授がいた。

「私は量子が嫌いでね」

研究が完了したというヨーロッパのお墨付きがなければ、日本では学問と認めなかった。

もともと、誕生の時から、東大は西洋の学問を日本に移植する務めが大学令に定められていた。遅れた日本では、自分で研究するよりも新知識を輸入する方が先で、日本に紹介するだけで業績になった。

ただし、東大の学生は優秀な上に野心的だった。若手も先生なしで量子力学を勉強していた。一度は湯川が京都大学から兼任教授として招かれた。昭和一九年（一九四四）秋には彼の「原子核概論」の授業を、江崎玲於奈が聴いている。入学したばかりの江崎にとって難しかったが、大きな刺激を受けている。しかし、湯川は東大の古い体質に当惑し早々に辞任した。

南部陽一郎（現在の福井県立藤島高校出身）は戦後東大の助手になったが、三年間研究室で寝泊りしていた。机の上にゴザを敷いて布団をかぶった。どの研究室にも戦争で焼け出された教官が住みついていた。

やがて、戦後の学制改革に伴い、各県に新制大学が生まれる。それまでの高等工業学校が大学の工学部に変身したが、理学部は新たに作らねばならなかった。そんな新設理学部で素粒子論の研究室が神戸大や大阪市大など特に西日本でスタートし、東大の物理学教室から多くの人材が関西に散っていった。その内でも大阪市大には昭和二五年（一九五〇）頃、南部を筆頭に西島和彦、山口嘉夫、早川幸男が赴任する。

ある日、大阪市長が朝永を訪ねてきて聞いた。

「南部先生はまだ二八歳だそうですが、大丈夫でしょうか」

朝永は即座に答える。

「アー、この人なら大丈夫ですよ」

しかし、市長には適当な建物の腹案もなかったし作る余裕もなかった。戦災で焼け残っていた梅田の扇町小学校を割り当てる。小学生用なので、南部らには天井もトイレも机も、何もかも小さすぎた。しかし、若き天才たちにより奇跡の研究室が出来あがる。

ところが、大阪市大グループは数年で消滅してしまう。優秀ゆえに、次々に頭脳流出したのである。

まず南部が三年でプリンストンに招かれた。朝永は南部のことを、プリンストンの誰よりも優秀と感じ、オッペンハイマーに推薦していた。

オッペンハイマーは期待する。湯川、朝永に続いて、またまた東洋から俊才がやってきた。

ただし、その青年は湯川とも朝永とも違っていた。考えてみたら、湯川と朝永も全く違った個性だった。湯川は静かな中に自信があふれていた。朝永はスマートで都会的だった。南部はどちらでもなく、謙虚さだけが目立つ。こちらから聞かない限り自分のことを喋らない。

アメリカの研究者は、「俺が俺が」と主張が強い。南部の控え目過ぎる態度は目立った。彼の英語には何の問題もないし、彼と話すと随所でキラキラした知性を覗かせる。朝永が推薦した通り優秀なのは十分わかった。しかし、湯川や朝永と違って大技をいっこうに繰り出さないのだ。

第16章　日本人四人がノーベル賞を同時受賞

ユダヤの科学と日本の科学

南部陽一郎はプリンストン高等研究所に来て疲労困憊していた。所長のオッペンハイマーをはじめ、アインシュタインやフォン・ノイマン、パウリ、ダイソン、ボーア、パイスは世界トップクラスで、ほとんどがユダヤ人だ。

南部はユダヤ人社会の激しい競争のなかにほうりこまれていた。

ある日、セミナーでパイス博士が話した。パウリが最前列で聞いている。彼は首を縦に振りながら「ウン、ウン、……」とつぶやき、やがてウツラウツラするのが恒例だ。

ところが、その日は首を横に振り出した。これは危険信号だ。案の定、彼は叫ぶ。[75]

「パイス！　全くのまちがいだ。話をやめなさい」

パイスは情けない声をしぼりだした。

「パウリ教授、最後まで聞いて下さい」

パウリは立ち上がり、パイスを睨んでつめよった。

「ダメだ、ダメだ。そんな馬鹿げた話はすぐやめるんだ」

殴りかからんばかりの怒気に、全員が身をかたくした。オッペンハイマーが注意する。

「どうぞ落ち着いて下さい。司会の指示にしたがって下さい」

討論するどころではなく、それ以上セミナーを続けるのは無理だった。

プリンストンの研究者は互いに隙を見せない。まるで敵にかこまれ斬り合いをしているみたいだった。ひどく冷たい空気が流れることもある。ある時、仲間のインド人物理学者が亡くなった。アインシュタインはその夫人に対し言いはなった。

「失われたご主人のお身体に対しては心よりお悔やみ申しあげます」

南部も、今何をやっているか、どんな新しいことを見出したか、遠慮なく質問された。毎日のように彼らの新しい理論をきかされ、それに対する意見をもとめられた。

仕方なく答えたのに、それをこっぴどく批判されたりもした。

大昔イスラエルを出て以来、彼らは各地を流浪し学問でその国に根を生やしてきた。それを支えていたのは、彼ら自身の間の、神経が擦り減るほどの競争だった。南部はユダヤ人科学者の強さの理由(わけ)を理解した。

ただし、日本人科学者がユダヤ人に育てられた面もあるのは事実だ。次の節で述べるが、南部はプリンストンの後で名門のシカゴ大学にひろわれる。ユダヤ系大物の理論物理学者ゴールドバーガー（後にカリフォルニア工科大学総長）がふたたびチャンスをくれたのである。

さかのぼれば、野口英世を育てたフレクスナーも、仁科を育てたボーアもユダヤ系だ。

二〇一〇年度ノーベル化学賞は日本の鈴木章博士と根岸英一博士に輝いたが、二人を育てノーベル賞に推薦したのは、亡命ユダヤ人のハーバート・ブラウン教授（パーデュ大学）である。私の恩師もユダヤ人であり、私は多数のユダヤ人科学者に温かく見守られて留学時代をすごした。

日本人研究者は欧米で時に差別されることもあるが、そんな中でしばしばユダヤ人が偏見なしで日本人に歩み寄ってくる。彼ら自身が数千年にわたって差別されてきたからかもしれない。

物理最高峰の殿堂で

南部はプリンストンの二年間の契約期間を一篇の論文も出さずに終える。しかし、昭和二九年（一九五四）、シカゴ大学にポスドクの職を見つけた。

シカゴ大学はユダヤ系天才エンリコ・フェルミが亡命してきて以来、多くのユダヤ人物理学者が集まりノーベル物理学賞受賞者を世界で一番たくさん輩出していた。

しかも、大学だからプリンストンと違って彼は一国一城の主になり、自分のペースで研究できるようになった。

シカゴのセミナーは一風変わっていた。演者が勝手に出て来て今考えていることを自発的に紹介すると、仲間がアドバイスする。演者が出てこないと、座長が適当な人を指名して自由に話をさせた。南部にはこのスタイルが断然性にあった[76]。

その上、小柴昌俊もシカゴ大学にいた。彼は朝永の門下で南部より五歳若い後輩だ。その小柴のところにたびたび物理学科長がたずねてきて聞いた。

「南部先生のところに他の大学から誘いが来ていませんか？」

あちらは研究者の引き抜きが激しい。小柴はすぐに答える。

「来てますよ、来てますよ。実は西海岸の大学から話が来て、今度ばかりは南部先生も悩んでますよ」

学科長があわてて帰った翌日、南部が現れて不思議そうな顔をしながらつぶやいた。

「今日急に僕の給料が上がったんだけど、何でだろう」

南部は独創的なアイデアを次々に出す。やがて、彼の後ろ盾になっていたゴールドバーガー教授がプリンストン大学に移り、彼自身が教授に昇格した。

シカゴに来て南部が最初に出した予言は「オメガ粒子」の存在である。湯川の中間子は原子核のなかで引力を生じるから、いくらでも大きな原子や原子核ができてもいいことになる。しかし、自然界にはウランより大きな原子核は存在しない。ということは、原子核のなかに反発力を生じるような粒子も存在しなければならない。彼はそれを「オメガ粒子」と名づけた。

ある学会でその考えを発表したら、ファインマンが怒鳴りだした。南部には何を言っているのか英語がサッパリわからなかった。

時を経ずして、アメリカ人みんなのあざけりの的になる。しかし、「オメガ粒子」は四年後の一九六一年に発見される。

南部はその間、法王パウリの洗礼も受けている。[77]少し自分でも甘いと思った論文を出版した直後だった。シカゴでパウリを歓迎するパーティーに顔を出したら、彼が大声で南部を皮肉った。

「さあ、かの有名な南部先生のおでましだ！」

南部はやっとのことで平静をよそおった。もし次のような侮辱を言われたら精神のバランスを崩すところだった。

「あの論文は間違ってさえいない」

これはみんなが一番恐れているパウリのセリフで、その心は、「間違っていると批判する価値もない」という意味である。

南部陽一郎・素粒子物理の予言者

現在、最新の素粒子理論である「超ひも理論」も南部の「ひも理論」が始まりである[76]。昭和四五年（一九七〇）、彼が素粒子に関する新しい方程式を解いていた時、その解がまるで弦の振動そっくりであることに気がつく。

両端を固定したひもが震える時、山が一つからはじまって無数の震え方がある。南部は気づいた。その震え方一つ一つが素粒子の一つ一つに対応する。彼は、素粒子は大きさゼロの「点」ではなく、「ひも」のようなものであると提唱した。

ノーベル賞のメダルを示す南部陽一郎
(2008年12月10日)
ストックホルムでの授賞式を欠席したため，シカゴ大学で駐米スウェーデン大使からメダルと賞状を受けた

この「ひも」の長さはおよそ10^{-33}センチだが、奇妙なひもだった。ゴムひもなら伸ばすと細くなるのに、この理論的なひもは伸ばしても最初から太さがゼロで、引っ張りに使ったエネルギー分だけ質量が増える。

一〇年そして二〇年も経つと、すべてが南部の予言したとおりになっていた。カリフォルニア大学のズミノは、南部の六五歳を祝うパーティーでスピーチする。

「南部さんの考えは時代よりも一〇年進んで

いる。だから私は南部さんの論文を勉強して他の研究者より早く新しい論文を書こうと思った。そうしたら、南部さんの論文を理解するのに一〇年かかった」

ゲルマンというノーベル賞を取った教授がカリフォルニアにいた。彼はファインマンの部下であった。しかし、この人は他の科学者に対して「超」がつくほど厳格だ。上司のファインマンを、死んだ後もうらんでいた。それほどの彼が南部だけは次のように評した。[50]

「私たちは非常に多くの問題について、深い洞察をヨーイチロウから学んだ」

シカゴ大学のフロイントは、南部の考え方の特徴を指摘した。

「私は、南部が一つの問題を同時にいくつかの異なった方向から見ることができることに気がついた。彼は二つ以上の心の目を持っていて、問題を立体的に捉えることができるように思えた」

東大には原子核物理の先生がいなかった代わりに、材料の物理学（物性論）が盛んだった。この分野は半導体や超伝導などに発展する。南部は学生の時からそんな環境もあり、研究の方向が核物理だけではない複眼的な発想で彩られている。

南部による多くの予言の中で、特に有名なのが三つある。第一が、「ひも理論」、第二が、「量子色力学」、第三が「対称性の自発的な破れ」（次節で説明）だ。[11] この各々に対しノーベル賞を一つずつもらっても良いと言われた。しかし、いくら経ってもストックホルムから報せ(しら)は来ない。ある時、ノーベル賞委員会はわざわざ言明した。
「南部博士のご研究は比類のないものですが、時代が早すぎました」

私たちが今存在する理由(わけ)

約一三七億年前、宇宙はビッグバンといって、とんでもなく高密度で超高温の爆発が起こり莫大なエネルギーが物質に変わった。エネルギーが素粒子に変身する現象は、今でも宇宙線の中にいくらでも観察できる。すなわち、宇宙からのガンマ線が突然消えて常粒子と反粒子のペアーに姿を変える。逆のこともある。たとえば、反電子が周りの常電子とぶつかって消え、電磁波の放射線エネルギーに変わるのだ。

物質とエネルギーが互いに変身することはアインシュタインが予言した。各素粒子に対して反粒子が存在することは、ディラックが理論的に予言説明していた。ところで、宇宙誕生の時出来た反粒子も常粒子と衝突して消える。だから、反粒子は私たちの世界には通常存在しない。反世界は消え、私たちの常世界だけが残された。

一方、対称性の世界であれば、ビッグバンの時エネルギーから同数誕生した常粒子と反粒子が合体しすべて消えるはずだ。南部は、片方の常世界だけが今残されてあるということは、自発的な対称性の破れがなければならないと主張していた。

昭和四七年（一九七二）、名古屋大学では益川敏英と小林誠が対称性の破れを見つけるのに苦闘する。素粒子を、基本粒子であるクォーク四個の組み合わせで整理しても、対称性の破れが出てこない。益川がアイデアを出しても、冷静な小林が実験結果と突き合わせて翌日そのモデルの欠陥を指摘する。

益川はアイデアも尽き果て、敗戦処理をするしかないと思い始めていた。すなわち、四個のクォークでは対称性の破れは得られない。そんな「……では……できない」という論文もあることはあるが、「……なら……できる」という論文に比べたら、価値は比較にならないくらい低い。

諦めの境地で風呂に入っていたら、益川の頭に閃くものがあった。クォークの種類を六個にしたらどうだろう。複雑な計算をしなくても、風呂の中ですべてうまく説明できた。南部の予言が大きな結果を生んだ瞬間だった。

翌日益川が小林に話すと、小林は一瞬考えて言った。

「これでいきましょう」

益川が二ヵ月で日本語の原稿を書き上げ、それを小林が一ヵ月で英語に直した。

その内、アメリカやヨーロッパの研究所で二人が考えた六個のクォークが次々に発見される。一方、日本も世界第二位の経済大国になり、筑波にある国立高エネルギー研究所は世界でも有数の巨大な加速器を持つようになっていた。そこの研究者が益川らによる日本国産の理論を証明してやろうと努力する。

やがて、彼らは益川と小林の主張する自発的な対称性の破れの証拠を見つけた。ついに二〇〇八年度のノーベル物理学賞が南部、益川、小林の三人に輝く。

最初にマスコミで取り上げられたのは益川だった。少し癖のある受賞前の次のような発言をマスコミは面白がった。

「ノーベル賞なんて別にうれしくない！」

受賞後の会見で記者から改めて聞かれる。

「うれしいですか、ご感想は？」

その時の教授の反応は意外なものだった。発言しようとしたとたん、涙がこみ上げ泣き顔になって答えた。

「自分は南部先生を長らく仰ぎ見てきた。ノーベル賞そのものより、神様のような南部先生と一緒に受賞することが夢のようです」

東京で、大学院時代弟子だった人が朝のニュースに見入っていた。益川さんは一番大事に思っていることを話しているが、記者たちは益川の泣き顔に注意を奪われている。益川を痛切にかわいそうに思った。彼はすぐ品川駅から新幹線に飛び乗った。

昼ごろ京大に着くと、ノーベル賞受賞を記念して学生たちのために益川の講演会が開かれていた。彼は名大から京大に移り、最後に基礎物理学研究所の所長を務めた後退職していた。学生たちが会場の外まであふれている。

益川が拍手に包まれて演壇に立った。学生たちもみんな高揚しているが、ざっくばらんに質問をぶつけている。益川さんも一〇年前学生と話していた時のあの笑顔だった。何も変わっていない。朝は心配になったが、益川さんは学生の前で変わることなく幸せにすごしていた。

吉田健介・大宰相の孫

吉田茂の孫に吉田健介という理論物理学者がいた。吉田茂の長男は文学者吉田健一であるが、健一の長男である。なお、健一には妹和子がおり、彼女は九州の石炭財閥である麻生家に嫁ぎ長男の麻生太郎を生んだ。吉田健介はその麻生元首相より二歳若い従弟(いとこ)になる。

麻生太郎はクレー射撃でモントリオールオリンピックに出た。彼はその不見識で国益ばかり損しているが、弟の次郎は優秀と伝えられている。しかし、彼は昭和四〇年(一九六五)ヨットレース事故で亡くなった。

麻生兄弟が共にスポーツが得意だったのに対し、吉田健介の方は子供の時、身体も華奢(きゃしゃ)でその方面は苦手だった。小学生の時、皆で縄跳びをしたが、彼だけはタイミングが間違っていた。ひもが頭上に来たあたりで飛ぶので、いつも彼がひもを踏んづけて終わってしまった。

暁星高校（東京）に上る頃になると頑健になったものの、趣味といえば、握り飯をもって一人山に登ったり野原の花や昆虫をスケッチすることだった。

暁星の制服は七つボタンで小学生は襟元や袖口に小さな金モールをあしらっていて目立つ。学校は九段の靖国神社のごく近くだが、湘南の鎌倉や横浜から通う学生も多い。吉田健介が高校に上って早々、生徒たちが教室を出ている間に教師がこっそり持ち物検査をした。横須賀線で同高生が煙草を吸っていたと父兄からご注意があったので、それを探したのかもしれない。

教室に戻ってきてそれを知った彼は一人教壇に立ち教師を糾弾した。おとなしく繊細そうな吉田君が堂々と批判演説をしたことに同級生たちは一様に驚いた。父親譲りの堅固なリベラリズムが彼の中に生きていた。

私は数学のクラスで吉田健介君と同級だったが、ある日先生の出題した問題を解けたのが彼一人だった。当然、彼が自分の解を黒板に書いたのだが、私はそれを理解できなかった。私は、学生そして研究者と続く人生で問題を解けなかったことは数限りなくあったが、答えを理解できなかったのは後にも先にもこれ一度きりで、人一倍鈍い私にとっても大ショックであった。

私も物理学者を目指していたので高校では親しかったが、彼は現役で東大に進み、私の方は浪人になってしまった。

東大で同級だった飯高茂教授（学習院大学）が大学時代の思い出を述べている。

「一緒に帰宅の途次、トイレに寄るため軽く会釈して別れた。トイレを出たところで、吉田君がずっと待っていたのに気づいた。吉田君は気づかれて恥じるような様子を示した。私は、これは余程信義を大事に付き合わなければいけないと思った」

その後、彼が二年の夏にケンブリッジ大学に移ったという噂が私の耳にも入ってきた。

ナポリの恋

彼はケンブリッジで最優秀の成績を収め博士号を取った。その後、やはりイギリスの名門ダラム大学で研究を続ける。

ある年、日本の研究者が同大学での研究会に参加した時、そこの教授から聞かれた。

「吉田博士は日本の大変偉大な一族という噂があるが本当か？　我々が聞いても口を割らないから君が聞き出してくれないか？」

寡黙な吉田君は高校の時から私事を話すようなことはなかった。その日本人は研究者としての付き合いしかなく、「吉田」という名前から候補を思い浮かべて吉田君に質問した。

「君のご父君は英文学者でしたよね？」

彼は控え目に答えた。

「そうです」

念のためさらに確認の質問をした。

「お祖父さんは駐英大使でしたよね？」

「ええ」

意外と短時間に聞き出すことができた。

その後、イタリアのナポリ大学に移ったが、そこで、地元名家のガブリエラ・イニルチ嬢とめぐり合う。熱い恋に落ちて二年、帰国した時、高校の時の同級生にもらす。

「イタリアの女の子には、すごいきれいな子がいるぞ」

その同級生に、間もなくイタリアから結婚式への招待状がとどいた。

その後、彼は若くしてミラノ大学の教授になった。私は脳神経に関する国際学会でミラノに出張したことがある。貧乏教員の余裕のない旅程だったので、同地にいた彼を訪ねる時間もなかった。

その後も、イタリアを訪ねるチャンスはいくらでもあると私は泰平楽に思っていた。しかし、吉田君がローマ大学の教授に栄転して間もなく、私は研究のピークをすぎたようで、イタリアを訪ねる機会も少なくなっていた。

ところで、彼は自分の職業選択について考えを述べたことがある。

「僕はオヤジみたいな三文文士にはなりたくないよ」
そのオヤジさんは、吉田茂の後援者から政界に進出しないか打診され、激怒したという。日本では世襲議員や二代目社長や芸能人二世が多いなか、吉田家三代はたがいに全く異なった分野で世界トップクラスになった。

再会

吉田健介君も小林誠先生も私も昭和一七年（一九四二）から一八年（一九四三）にかけて生まれている。私たち世代の研究者は例外なく湯川秀樹先生にあこがれてこの道に進んでいる。しかし、私たちが大学院生になった時代、湯川先生や朝永先生は「発散の困難」（第III部第12章）という大きな壁にぶつかっていた。

私はそれを口実に素粒子論を離れたが、吉田君は果敢に挑戦していた。場の理論そして重力の量子論と最先端の領域で活躍した後、量子色力学や対称性の自発的破れといった南部の思想を追求していった。南部がアメリカで指し示した道をイタリアで受け継ぎ成果を連発する。

湯川の後継者たちは「発散の困難」にとらわれず、別の方向から素粒子の驚くべき真実を解明していった。

吉田君はローマ大学に移った頃から毎年秋になると一カ月ほど帰国し、セミナー講演をしたり昔の同級生に会ったりしていた。あの時は、暁星小学校以来幼馴染（おさななじみ）の先代松本幸四郎や古屋善範（デパート松屋）と会食し楽しい時間をすごした。

ある年、身体の不調をうったえ慈恵医大で診察を受ける。上咽頭癌の手術を受けたが、味覚を失い苦しんだ。数年後、肝臓に癌がみつかる。

彼は自分のことより指導していたローマ大学の大学院生のことを心配した。「イタリアでは指導教授をうしなった大学院生は悲惨な目にあうんだ」とつぶやく。彼は平成二〇年（二〇〇八）八月二九日、東京聖路加（せいろか）国際病院において肝臓癌で亡くなった。奇しくも麻生太郎氏は翌九月に総理総裁に就任している。

吉田茂は昔もらしたことがある。

「こう一代ずつ、やることが違っていちゃあ、四代目は河原乞食（かわらこじき）だな」

吉田君はエレナというお嬢さんを遺した。[78] そのエレナさんが吉田家四代目になるが、彼女は娘さんとご主人と現在イタリアで幸せにくらしている。

彼の死後、飯高教授がインターネット上で吉田健介君を偲（しの）ぶサイトを開設した。そこに日本各地の大学教授たちが思い出を寄せている。

吉田君の祖父は世事を好み、父親は人事を好み、彼は自然を愛した。イギリスやイタリア、そして日本の多くの研究者は、彼の自然な人柄を忘れられない。

彼の分骨が横浜市西区の久保山墓地に眠る。[79] 私の実家の近くである。生きている間に再び会って話をすることはできなかった。しかし、近いうちに彼の墓を訪ね、聞いてみるつもりだ。

「吉田君、素粒子の芯（しん）が見えたかい？」

科学者にとって国家とは

南部がアメリカに来て半世紀もはるかに超えた。その間、彼は生き方として注意深く権力から距離をとっていた。日本でも長岡半太郎や東大物理の大物に近づくことはしていない。日本の物理学会からは、南部が日本を捨てアメリカ寄りだと、特にベトナム戦争の時代には敵意を持たれた。

しかし、彼はその時アメリカで理不尽（りふじん）な政治の力を見せつけられていた。ベトナムへの反感が自分を含めアジア人全体への敵意にかわった。シカゴ大学のエドワード・テラー教授がオッペンハイマーを追い詰めた事件もけっして遠い出来事ではなかった。

彼は政治には背を向け、できる限り自由人としてふるまおうとした。日本を誇りにしてはいたが、自分の国籍をアメリカにかえる。彼にとって、国籍は意味のない色あせたレッテルにすぎなかった。特定の国籍に縛られない生き方が彼の望みだった。彼の生き方を余りに純粋と評する人もいた[80]。

日本人には長く誤解されていたが、南部にとって日本はだいじな存在であった。特に朝永先生と湯川先生に対する思いは変わることなく強いものであった。二〇代の時湯川先生がノーベル賞を受賞しておどろかされた。その後、朝永先生には研究室のセミナーに参加させてもらった。ちがう大学なのに先生はわけへだてなく議論してくださった。

自分の師は朝永先生と湯川先生を措(お)いてないとの気持ちは変わらない。自分は日本の二人の先輩を仰ぎ見ながらがんばってきた。

南部は、母国における理論物理学の青春時代と先輩たちへの熱い想いを、日本の雑誌に何度も書き送る。

一方、同じ二〇〇八年度ノーベル賞に輝いた下村脩の方は永住権を取っただけで国籍は変えていない。日本や長崎を捨てる必要はないと思った。彼は現在の佐世保南高校の時、長崎に原爆が落とされるのを諫早(いさはや)から目撃した[70]。直後に放射能の灰を含んだ黒い雨を浴び、翌日は長崎市内に学生援護隊として派遣された。アメリカに来てもしばらくは口にできない気持ちを抱いていた。

一九六〇年代ベトナム戦争の時は、突然軍の訪問を受ける。夜のジャングルの中、エコーリンや「緑色蛍光たんぱく質」などでベトナム兵を光らせ追跡できないかとの相談だった。

下村と共にノーベル賞を取ったチャン教授も国家というものに複雑な思いを抱いて

いた。彼の叔父に、銭学森というミサイル技術者がいる。流体力学の碩学フォン・カルマン博士（カリフォルニア工科大学）の愛弟子であり、彼と共に高速飛行体の翼の形状理論を完成させた。アメリカのロケット開発を引っ張っていた。

しかし、オッペンハイマー同様、赤狩りで拘束され、共産主義者と疑われる。朝鮮戦争で中国との捕虜交換に利用され、アメリカ政府は銭学森を中国に差し出した[81]。マンハッタン計画の時からアメリカに尽くしてきたのに裏切られた。彼は、中国に渡りミサイル開発を指導する。

二〇〇八年、中国の国際宣伝雑誌『人民中国』の正月号に突然病床の彼が胡錦濤主席（当時）の見舞いを受けている写真が掲載された。中国の英雄として賞賛されていた。九七歳だった。

中国は叔父を国に連れて行って利用し宇宙大国になった。その後、中国人スパイをアメリカ核開発の心臓部に送りこみ核情報を盗ませ核大国になった。国家は個人を踏み台にするのか。

中国政府はチャン教授のノーベル賞受賞の際も奇妙な報道をしている。彼のノーベル賞受賞は中国人の受賞、下村や南部はアメリカ人の受賞と報道した[81]。それに対し、チャン教授は自分は「一〇〇パーセントアメリカ人です」と、わざわざ記者会見で表明した。

実際チャン教授はニューヨークに生まれ、ハーバードで物理と化学を修めた。国外滞在と言えばケンブリッジ（イギリス）の大学院には行ったが、中国には行ったこともなければ中国語も話せない。中国との関わりは一切ないと言ってもよい。下村や南部と違い、一〇〇パーセントのアメリカ人とも言える。チャン教授は物静かな紳士だ。しかし、中国政府には当惑を感じていた。

超巨大加速器

平成二二年（二〇一〇）三月三〇日、スイスのジュネーブで人類史上最強の加速器が運転を開始した。ヨーロッパ合同原子核研究機構（略称「セルン」）の大型ハドロン衝突型加速器（LHC）だ。[82] それまでの円形加速器では、固定した標的にぶつけ素粒子を反応させていた。今回の新型加速器では、素粒子同士を逆向きに加速して正面衝突させる。対向車との衝突と同じで、すさまじい衝撃エネルギーになる。すなわち、大変な高エネルギーの反応を起こせる。

この加速器は山手線とほぼ同じ大きさだ。所在地はジュネーブとなっているが、国境を越えてフランスの方が大きな面積を占めている。その全貌は航空写真で紹介される。

セルンというのはヨーロッパ諸国合同の研究組織だ。戦後、原子核研究の主導権はアメリカに移ってしまった。セルンはそれを再びヨーロッパに取り戻すための、ボーアの仕掛けだった。ただし、ヨーロッパを超え世界の数十カ国、数千人の研究者が協力している。

そのアメリカでも、セルンに対抗してとてつもない超伝導加速器が計画されたことがある。その大きさは山手線の倍もあった。しかし、一兆円という巨費のため一九九三年のアメリカ議会で廃案にされた。現在、アメリカの研究者も「セルン」で研究している。ボーアの仕掛けは成功した。

科学者たちがこの巨大加速器に一番期待しているのは、ヒッグス粒子の発見だ。この粒子はイギリスのヒッグス博士が一九六四年の大論文で提唱したもので、宇宙が始まった時万物に重さを与えたとされている。ただし、この考えは、ヒッグス論文の四年前に南部陽一郎が最初に示唆していた。すなわち、光子など質量のない素粒子も磁場の中で質量を獲得するようになると論文で予言していたのである。

オッペンハイマーがシカゴにやって来て、南部に言った。[76]

「ヒッグスの論文を見て初めてお前の考えがわかった」

いずれにしても、ビッグバンの時の高エネルギー状態が今回の巨大加速器なら実現できる。

この巨大加速器は一七〇〇個の強力な電磁石から出来ている。一つ一つの電磁石は大きな鉄の塊に電線を巻いたものだ。しかし、強力な磁石にするために強い電流を流すと電熱器のようになって熔けてしまう。

一方、摂氏マイナス二七〇度といった極低温に冷やすと、電線の電気抵抗がなくなる。超伝導という最新トピックスの物理現象だが、抵抗なくスイスイ流れるから熱が発生しない。だから遥かに大電流を流せる。ただし、その時使う超伝導コイルの線材は銅線と違って、ボロボロ崩れやすい合金になる。電線に成型するのがきわめて難しい。物理学者の頭痛の種だった。

しかし、ようやく日本の古河電工がこの超伝導コイルの製造に成功し納入した。他にも、石川島播磨は極低温に冷やすためのポンプを納入した。日本製鉄も磁石を供給している。[76]

メーカーだけでなく、日本の大学院生もこのプロジェクトに参加している。彼らは特殊な放射線計測器を手作りした。心臓部の検出装置アトラスを日本が担当しているからだ。湯川、朝永の後継ぎが、ジュネーブで深夜まで調整に励んだ。

相対性理論によればこの世の最高速度は光速だ。今回は陽子を光速の九九・九九九九九九パーセントまで加速する。したがって、最終速度と言ってもよい。その意味では、セルンの加速器は究極のものだ。

それにもかかわらず、科学者はこの巨大装置の限界がわかっていた。陽子一個はクオーク三個とグルーオンからなる混ざりものである。最新理論によれば複合粒子なのだ。そのエネルギーの内訳まではわからないから、反応後の個々の粒子のエネルギーも決められず、分析計算ができない。

そこで、物理学者はすぐ次の加速器を考えた。[83] 今度は電子と陽電子とを高速で正面衝突させる。電子や陽電子は陽子よりずっと小さくてこれ以上分けられない単一粒子だ。[6] だから、衝突後の新粒子のエネルギーも計算できる。

ただし、「セルン」の陽子と同じスピードまで電子を加速しようとすると、直径一〇〇キロを超えるお化けのような円形加速器になる。東京と神奈川を合わせた位の敷地が必要だ。物理学者は円形加速器を諦め、昔の直線加速器に戻ることにした。

直線型には他にも良いことがある。あなたにも経験があると思う。運動場のトラックを走る時、丸いところは走りにくく無駄なエネルギーを使う。素粒子を走らせる時も、円形加速器では周りに強烈な放射線が出てその分エネルギーを余計に食う。まっすぐ走るなら放射線も出さず、その分エネルギーも失わず、消費電力が小さくて済む。と同時に、技術的にもずっと容易になる。全長三〇キロも走らせれば光速に近いところまで持っていける。「国際直線衝突型加速器」(ILC)と呼ばれている。[83]

それを動かす研究所として、新しい国際組織ができた。その設置場所は候補として三つ挙がっている。「セルン」すなわちジュネーブ(スイス)と、シカゴ(アメリカ)、あるいは日本のどこか山岳地帯だ。現在世界中の素粒子物理学者が協力し設計を進めている。

そして宇宙へ

他方、現代の理論物理はさらにはるか先を進んでいる。五〇億光年という気が遠くなるような宇宙の果ての観測から、革命的な物質——暗黒物質が存在することを読み解いた。

ビッグバン以来宇宙は膨張している。しかも、その膨張は加速していた。私たちの世界では物質の間で四種類の力が働いているが、いずれも物質が互いに遠くなるとその間の力は弱くなる。したがって、現在の理論では宇宙の膨張は常に減速して行く。加速しているということは、銀河系を飛び出した遥かかなたの宇宙では、押し広げる力というかエネルギーが存在していることになる。

理論物理学者は、宇宙のエネルギーの内訳を計算してみた。私達にはお馴染みの重力や電気的な力など通常のエネルギーは四パーセントにすぎなかった。二三パーセントはダークマター（暗黒物質）、そして残りの七三パーセントは押し広げる性質のダークエネルギーらしい。なお、相対論によれば物質とエネルギーは同じだ。暗黒物質とは光など電磁波を出さず、だから観測写真には写らない、真っ暗な物質を意味する。

宇宙の果てに桁外れの物質とエネルギーを仮定しないと、観測結果を説明できなかったのである。

考えてみれば、宇宙物理学は湯川が示唆し、小柴が開いた分野である。現在、東京大学の村山齊(ひとし)教授や京都大学の川合光教授ら、多くの後進が世界の最前線で日本の伝統を守っている。

ところで、昭和二四年(一九四九)湯川のノーベル賞受賞までの四〇年ほど、日本科学の星は圧倒的に野口英世であった。昭和二四年から、それが湯川秀樹に交代した。しかし、現代の日本人にとって湯川秀樹の名前は遠い存在になっている。私たちの新しい星として、一体どんな科学者が出現するのであろうか。

終章　ノーベル賞の先へ――フクシマを越えて

ＪＣＯ事故

平成一一年（一九九九）九月三〇日、東海村（茨城）で原子力事故があり日本で初めて死者を出す。

会社ＪＣＯの核燃料加工施設で技術者三人がウラン溶液を沈殿槽に注いでいたが、その手順は規則を二重三重に破り、いっぺんに大量の高濃度溶液を作ろうとしていた。七杯目の黄色いウラン溶液をバケツから注いだとたん、静かに青白い光が走った。彼らは体調に異常を感じ、その場から離れたが、放射線計測器が警報を知らせていた。

青白い光というのはチェレンコフ光といい、核燃料プールなどで見られるもので、物理学ではよく知られている。この時も、大量の核燃料がまとまったために、ウランの連鎖反応が始まり、臨界に達したのである。事故後、日本人の間で「臨界」という言葉が流行（はや）った。

東京にいた原子力安全委員会委員長代理の住田（すみだ）健二にも、技術者が国立病院機構水戸医療センターに運ばれたと知らせが来る。しかし、行政権限のない安全委員会は情報通達の優先順位が低かった。彼は東海村に急いだ。現場では、現地対策本部長である稲葉大和政務次官（文部省科学技術担当）から指揮を依頼される。

「自分たちが全責任を持つので、先生が一番いいと考える方法で進めて下さい」

東海村の各所で依然として中性子検出の異常警報が続いており、沈殿槽の臨界状態が続いていた。後でわかったのだが、作業員を救助した救急隊員も近所の住民も被曝していた。一刻も早く連鎖反応を止めなければならない。

住田は専門家を集め協議した。東海村は日本原子力の中枢であり、原子力技術者が多数いる。普通だったらすぐには参加不可能な専門家たちがすでに顔をそろえていた。しかも、彼らは職務でないにもかかわらず、日本初の重大原子力事故に対し自分の全力を尽くそうとする強い男気が全員の顔を見てすぐにわかった。

連鎖反応を止めるために、ある技術者はホウ素を沈殿槽に放り込んで中性子を吸い取ると言い出した。しかし、臨界状態の沈殿槽に近づくので放射線被曝が極端に大きくなる。

住田自身は中性子工学が専門であるから、コンピューターを使って沈殿槽の中で連鎖反応が続いている様子を理論計算してもらっていた。それによると、沈殿槽の周りを流れている冷却水が、中性子を反射して沈殿槽の中にもどしている。この中性子が連鎖反応をさらに引き起こす。

もし、冷却水を抜くことができれば、中性子が外に逃げて連鎖反応は止まる。そのためには、建物の外壁を走る冷却水の配管にボンベを接続しガスで水を吹き出させる。これなら外からの作業になるので被曝はずっと少ない。ただし、最初から直接ホウ素をぶち込む方法に比べて、間接的な分だけ連鎖反応が確実に止まるか、少し不安なところもあった。

実際、計算を担当した田中俊一（東海研副所長）は近似による概算である事を心配していた。

住田は阪大の浅田研究室を出てから、原子力の大学院で吹田徳雄教授（後に初代の原子力安全委員会委員長）に育てられていた。住田は吹田教授から言われた言葉をおもいだす。

「ためらわず進め、けっして逃げてはならぬ」

彼は、自分を見つめる専門家たちにむかって方針をくだした。

「近似とはいっても摂動論だから十分精度はあるはずです。やはりまず冷却水を抜きましょう」

風呂のお湯よりかなり熱い水が吹き出してきて連鎖反応はとまり、ホウ素も安全に投入できた。

しかし、連鎖反応は止まっても、ウラン燃料は放射性物質であるからガンマ線が出ている。最後に、そのガンマ線をさえぎるために土嚢を積んだ。六〇〇〇個の重い袋を二五〇人の科学者や役所の事務員たちが手渡しして積んでいた。慣れない手つきで力仕事をしているのを見て、住田は気の毒に感じ、口を滑らせる。

「あとは会社（JCO）にまかせましょう」

斎藤伸三東海研所長が住田をキッとみつめて言った。

「いや、これは職務上命令されてやっているわけではありません。東海村の村民の信頼をつなぎとめるためには、できることなら何でもやらなければなりません。黙ってみていてください」

この事故の後、多くの反省が表明されたが、日本の原子力安全委員会は相変わらず諮問委員会のまま無責任な指針を打ち出し、逆に福島原発事故の要因を積みかさねていく。

事務局官僚との闘い

平成七年（一九九五）の阪神・淡路大震災では、安全だったはずの阪神高速道路の高架が横倒しになり新幹線の太い支柱がこわれた。原子力安全委員会に「新しい耐震指針を作るための分科会」が設置された。[84] 原発の設計指針も見直しが必要だ。平成一八年（二〇〇六）三月の第四〇回の会議は津波対策をどうあつかうかで紛糾し、原子力安全委員会の片山正一郎事務局長が次のように発言した。

「地震随伴事象（津波のこと）に対する考慮は大事なことだと思うが、耐震設計の観点から議論するのは有益ではない。全体の指針をまとめるにはコストパフォーマンスが悪い。後にするか、止めるかしていただいた方が我々にはありがたい。これ以上続けてほしくない」

翌月の第四二回には、やはり事務局の水間英城課長が、

「長期間の電源喪失（に対する対策）の必要が無いのは、送電線の復旧が期待できるとか、非常用交流電源設備の修復が期待できるから。これで本当にいいのかどうかは、個別の事業者に対して求める範囲の外側の災害対策という領域で対応を求めるべきだ」

と発言し、専門家の委員二人が反論した。

事務職が会議に参加し技術的な内容でその道の専門家に口を挟む上に、委員長を差し置いて会議をコントロールしていた。

その後、島根原発周辺で活断層の見落としが発覚する。平成一八年（二〇〇六）八月の分科会では、石橋克彦教授（神戸大学）が指針案を修正するよう発言した。しかし、それは通らず、石橋は次の発言と共に委員を辞任した。

「社会に対する責任が果たせない。この分科会の本性がよくわかった。日本の原子力行政がどういうものかも、よくわかった」

会議の後、住田健二のところに、何人かの学者がやってきて言った。

「自分は少数派だから、意見が通らないと思って強くは発言しなかったが、基準は見直すべきだ。それは、あなたの心に留めておいてください」

結局、それまでの基準に問題はないとなり、翌月原子力安全委員会は見直しのないまま新耐震指針を決定した。東日本大震災はその新耐震指針が全く無責任であったことを明らかにした。

平成一四年（二〇〇二）、地震本部（文科省）の長期評価部会で島崎邦彦教授（当時東京大学地震研究所所長）は福島沖に存在する空白域（過去に地震を生じていない震源域）が巨大地震を生じる可能性が高いと主張した。しかし、文科省の担当者がその表現を弱め、内閣府の事務職はその結論を利用し、過去に起こっていてずっと弱い塩屋崎沖地震に対処できる程度の対策を採用した。

事務職の言い分は、限られた予算を効率的に使うというものだった。彼らにとっては、国民の生命よりも事務を消化することの方が大事だった。しかし、この九年後、問題の空白域が東日本大震災を引き起こした。

奇跡

東日本大震災の直後、ワシントンでは、福島原発の四号炉に対してただちに行動が必要と感じていた。平成二三年（二〇一一）三月一六日大震災の五日後、キャンベル国務次官補が日本の藤崎一郎大使を呼びだし、「英雄的な犠牲」を要求する。

四号炉は運転を休止していたものの、四、五階部分を貫くプールに一三〇〇本もの使用済み核燃料をかかえていた。使用済みの方が使用前よりもはるかに高熱で、技術者の言い方だと「ホッカホッカ」だ。運転で大量に発生した放射性物質が崩壊熱を出しているからである。

原子炉の中の核燃料なら圧力容器と格納容器で二重に密封されているが、使用済み核燃料の方は飛び込み用プールのような中に並べられているだけだ。

そんなプールが電源を失って冷却水が回らなくなった。しかし、プールの水がどこまで蒸発したか確認する水位計もモニターカメラもない。

三月一五日朝六時一四分、その四号炉の建屋が水素爆発した。屋根が吹き飛び、プールの状態が上から見えるようになった。

なんと、プールの水は燃料の上四、五メートルまであった。四号炉は定期点検のため原子炉本体を満水状態にしてあった。点検作業が遅れ、残っていた水が偶然プールの方に流れ込んでいたらしい。

東京電力の技術者たちも、これだけ水が残っていれば、蒸発して危険な状態になるまであと四日は猶予があると、他の原子炉に戻って行った。

同じ朝六時一四分頃、二号炉格納容器の圧力が突然落ちはじめる。どこかに穴があいたのだ。プスッと蒸気がもれ、福島事故で最大の汚染を生じたものの、二号炉は大爆発だけは免れた。

なお、四号炉に関する重大事は隠され、国民は休止している炉だから大丈夫と思っていた。

対峙する意味

福島事故の時の原子力安全委員会委員長班目春樹は、元は東芝の技術者であった。母校東京大学の教授になり、平成一九年（二〇〇七）の浜岡原発訴訟では原発を作る側に立って口走った。

「複数の機器が同時に機能喪失することまで想定したのでは原子炉など作れないから、どこかで割り切らなければ原子炉の設計ができなくなる」

平成二二年（二〇一〇）四月、その人物が一晩で規制する側のトップに就いた。その後、福島事故直後の参院予算委員会で、先の失言を撤回している。

原子力安全委員会のトップと言えば、万一の時の司令塔であり、国民にとって最後の頼りと感じる。ところが、彼は福島事故直後の一二日間国民の前に姿を現さなかった。理由は、諮問委員会の委員長であるから官邸に対して責任は持つが国民に対しては一切義務を持たないとの故だった。しかし、安全委員会のホームページには、国民への献身を誇らかに大書していた。

三月一二日朝六時過ぎ、原発は爆発などしないと、彼は菅直人首相に説明したが、その日の午後三時三六分水素爆発が起きた。さらに、海水注入によって再臨界する可能性があると、彼は初歩的ないくつもの誤ちをおかした。それに基づき海水注入の停止が福島の現場に指示されたが、吉田昌郎所長はそのきわめて危険な命令を無視して海水注入をつづけた。

旧原子力安全委員会の廃止後、彼は日本の法体系には不備があると言い訳をした。JCO事故では稲葉―住田のラインが連鎖反応を止めたが、フクシマでの菅―班目のラインは原子炉を冷温停止する必死の努力に対し邪魔にしかならなかった。

平成二五年（二〇一三）五月一七日には、日本原子力研究開発機構の鈴木篤之理事長が突然引責辞任している。高速増殖炉「もんじゅ」で一万点に上る点検をおこたり、原子力規制庁長官から改善策を指示された際に、「事故は常に起こりえるもの、ミスは起こりえるもので、形式的ミスが出るのはやむをえない」と発言して批判を浴びてのことであった。

彼は、平成二二年（二〇一〇）八月、原子力安全委員会委員長からこの理事長に就任している。規制する立場から推進側のトップに就いたことで、当時すでに批判を浴びている。

鈴木理事長の跡を継いだのは、松浦祥次郎といい、やはり元は安全委員会委員長であった。しかも、福島事故直近の二〇〇六年まで原発安全のかじ取りをしていた人物であり、福島事故の責任をとわれている。

彼は安全委員会委員長の前は日本原子力研究所の理事長であり、推進側と規制側を行ったり来たりしている。松浦祥次郎も班目春樹も鈴木篤之も、推進と規制との対峙関係、生物学なら拮抗調節、あるいは社会における利益相反という基本的ルールを理解していない。

福島事故では、アメリカのヤツコ前委員長（原子力規制委員会）が、日本のためにも貢献した。彼は、事故が一段落した後も日本を訪ねるなど、事故のことを忘れていない。彼は素粒子物理学者であるが、日本では湯川秀樹や朝永振一郎や藤本陽一のような、公正厳格な高度の判断ができる素粒子論の学者は原発から遠い昔に離れてしまった。表舞台に出てくるのは、倫理規範など理解できない原子力村の小粒な技術者だけである。

フィルターベント

東電に対し、東芝がフィルターベントを提案したことがある。これは万一原発が爆発しそうになったとき、フィルターを通して原発格納容器の圧力を逃がす。外に出る放射性物質は一〇〇分の一以下に激減する。

東芝のフィルターベントは設計の段階で排気管の直径が一〇から二〇メートルに達し、ビル一つ分の大きさになった。見積書も提出したが、東電はそんな物が必要になるような過酷事故は起こりえないし、費用がかかりすぎるとして拒絶した。提案者の方は、巨大な構造物が外見的に安全神話に反するのがまずいのだろうと思った。

一方、広大なアメリカではフィルターベントよりも、川の洪水に備え、重要な建屋の出入り口がまるで大金庫のような重く分厚い耐圧扉になっている。日本の規制機関は、フィルターベントも耐圧扉も各電力会社に任せ、責任を逃れていた。

東電社内でも、平成一八年（二〇〇六）には高さ二〇メートルの巨大津波に対し八〇億円をかけて防潮堤を造る案が出ていた。さらに、福島第一原発が一五・七メートルの大津波に襲われるとの想定が平成二〇年（二〇〇八）に報告されていた。

地震学者や技術者や東電の担当者さえ、津波を想定し警告し、フィルターベントや耐圧扉など具体策まで提案していた。

しかし、現実には、想定された通りの津波が薄っぺらな扉を破り、ディーゼル電源が水没した。アメリカの設計なので、竜巻の方を恐れ、すべて地下に設置されていた。電源を失ったために、次のステップの旧式ベントの操作にも手間取り、世界的な大事故がはじまった。

福島原発事故の津波は決して「想定外」ではなかった。

技術者たち

事故から数ヵ月たっても、市民のクレームはとぎれる事がなかった。原子力安全・保安院は自らの職員だけでは処理しきれず、事故後ただちに放射線関連の民間会社に外注したり、原発に関係する独立行政法人などに依頼し、専門家をコールセンターに詰めてもらった。

文部科学省が小中学生への緊急時の暫定的な被曝上限を「二〇ミリシーベルト／年」に設定したとたん、市民の非難はさらに凄まじくなった。電話で対応していたある専門家は、その根拠を丁寧に説明していたが最後は怒鳴られた。

「自分の子を郡山に来させろ。バカヤロー」

この怒鳴られた専門家は、原発メーカーを定年退職し保安院から電話番を頼まれた元設計者であった。彼は、スリーマイル島の事故後、電気事業者に対してフィルターベントの設置を提唱し、スマトラ沖大津波の後は原子力安全委員会に対し、建屋の扉を耐圧・水密にするよう勧めていた。

その専門家はさらに、ソ連のチェルノブイリ原発事故が契機となって構築した我が国における原子炉の安全審査手順をヨーロッパで称賛されるなど、原発の安全性向上に懸命に尽くした人であった。

一方、日本原子力学会には退職したエンジニアも含む組織がある。これはベテランの原子炉技術者が集まり、原子力村中枢の講演を聞く。

平成二三年八月六日、その第一二回シンポジウムで、電気事業連合会（東電、関西電力など電気事業者の団体）の原子力部長が福島原発事故後の考えられる改善項目を百をはるかに越えて羅列した。しかし、その中にフィルターベントはなかった。

フィルターベントを勧める大学教授に対し、「では、設置している国を挙げてみなさい」などと、議論に勝とうと必死だった。

原子力村ではすでにフィルターベントは目の敵だった。その高額の設置費用が赤字をさらに拡大し、その上東電などの沸騰水型原子炉では、フィルターベントの別棟工事に二年を要し、その間は再稼働できない。

原子力村の中ではフィルターベント設置を一致団結して阻止するのは了解事項であった。世界最大級の原発事故を起こしても、彼らにとっては、安全性よりも依然として経済性が大事だ。無謬原則など原子力村の体質は変わっていない。

原子力部長の後も、別の若い技術者が講演したが、

「世界を見ると、原発なしでやれるのは、お金持ちの国か、石炭など他のエネルギー源に恵まれた国だけである。日本はそのいずれでもなく、原発を増やすという今までの政策を続けるしか道はない。もし少しでも変更を考えるなら、原発を完全に止めるしかない」

と叫び、すさまじい形相で技術者たちをねめまわした。

全人生を原子力に捧げて来た父親のような年回りの技術者に対し、原発を一切止めるという言辞は十分恫喝になると思ったのであろう。原子力村の引き締めを図っていたのである。

しかし、原子力はきわめて複合的なエネルギーだけに、国の裕福さと他のエネルギー源を持っているかどうかという以外に、もっと大事なたくさんの条件を慎重に計算に入れなければ国運に関わるような結論は導き出せない。

前の原子力部長もこの技術者も経歴が似ている、原子力村生え抜きの人物であった。後者の著書の中には「自分は原子炉のために前のめりで仕事をしてきた」と自省とも取れる言葉があるが、実は自賛の弁であった。

日本原子力学会誌の巻頭言も、会長たち首脳陣が毎号「日本にとって原発は欠かせ

ない」一辺倒である。仙谷由人元官房長官が民主党の政権末期に叫んだ「脱原発は日本の集団自殺」も、「組合のためにみんな突撃せよ」としか聞こえない。

私たちのリーダーは、英知も、自省も、具体的な提案も、誓いといった類も持ち合わせていない。

さらに、多くの人がオピニオンリーダーのつもりで、大所高所から日本のエネルギー政策を心配する。

「一人も犠牲者が出ていないのだから、この程度の事故でひるむな！」

「自動車は多数の事故犠牲者を出しているのに、やめようという話などないじゃないか！」

「貴重な経験を生かして世界一安全な原発システムを構築しよう！」

エリートは福島や沖縄や市民や患者など仲間を無意識に犠牲にしながら事を進める。だから、原発でも自分や家族が一市民として犠牲になる恐怖など想像すらしない。

日本のシステム

事故後、政府にも原発事故調査委員会ができたが、その事務局には法学部出を中心とする官僚が集められていた。その事務局から審議前に「責任追及は目的としない」と釘を刺される。

審議を始めてみると、複数の委員が行政のシステムに欠陥があり事故につながったと感じた。もちろん事務局は、仲間である規制官僚の失態解明を許さない。委員長は、行政の欠陥を明らかにするのは自分たちの事故調では不可能と感じた。

ある調査委員は欧米で実施されている具体的な対策をいくつも挙げたが、事務局からは事故の原因究明に限るように指導された。

委員は調査内容のあらましを指示するだけで、事務局がそれを確認実証し調査書を作文した。主役は事務職になっていた。委員が実際に文章を書いたのはまとめにあたる提言だけであった。

さらに、国会の事故調査委員会というのもあったが、一段落して委員が将来に向けた総括を行おうとするのを国会議員らは止めた。

議員も原子力安全に本気で向き合う気はなかった。

日本は、反省できない、勇気がない、すぐに事故を忘れる国であった。

一方、原子炉技術者は原発停止による電力料金高騰が産業の空洞化をさらに進めないか深刻に感じていた。しかし、そのような原発の必要性や高度の技術力だけで問題は解決しないことを痛感した。

日本では本来は存在すべき中立派や条件派が存在しない。原発推進派と反対派の議論も粗略だ。推進派は、健全な原発行政というものもきわめて重要であるのに、その部分がわが国では致命的に欠落していることに目をつむっている。

反対派のほうは、原発技術世界最高レベルと内外で認められているこの国で原子炉は危険と主張するだけでは説得力に欠ける。

それにしても、わが国にも欧米並みの原子力規制があれば、国民の信頼を勝ち取り原発の議論も大きく変わるであろう。

しかし、日本の現実はすべて逆になっている。たとえば、環境省は、汚染されないように環境を守る砦（とりで）である。日本の環境省は、汚染された福島において、良い加減な除染作業や、除染予算の執行を四割に抑える（平成二四年度）など、汚染側の小間使い、尻拭いをやっている。

さらに、平成二五年二月、民間団体でエネルギー・原子力政策懇談会なる団体が、安倍晋三首相に提言書を手渡し、原発再稼働や原発輸出推進を訴える。ところが、同五月、その提言書は経産省の資源エネルギー庁が作成していたことが報道された。最重要の行政行為に、監督官庁と政府の間で民間のサクラを仕込み、堂々と国民を欺いていたのである。

「科学革命」との調和

事故の最中、福島第一原発の中央制御室は戦艦大和の最期のようだった。冷却ができなくなり技術者はパニックを起こした。原子炉が次々に爆発した時、吉田所長らは死を覚悟した。

部品点数の膨大なこと、動作環境の厳しさはもとより、制御系統の複雑さから、以前から彼らは原発を戦艦大和よりもずっと手強い（てごわ）と感じていた。

実際、技術者たちは一号機の緊急冷却装置の弁の動き方を把握しておらず、メルトダウンを引き起こした。しかも、それは二、三号機の高圧冷却装置と方式が異なっていた。

なお、福島第一には合計六基の原子炉があったが、一時は「フクシマ・フィフティー」と言われる五〇人ほどの技術者で闘った。アメリカ側はその一〇倍の人数は必要だと思った。しかし、東電本社にも同時事故に対応できるような国際レベルの体制はなかった。

古い法体系や官僚システムは、近代の「産業革命」で生まれた技術に対しては有効に働いた。しかし、原子力や生命技術などの影響は従来とは比較にならぬほど巨大だ。そんな現代の「科学革命」に適応するような科学哲学が必要である。

例えばフィルターベントなどでは、巨額の支出を迫られる。事業会社が収益を目的とするのは当然で、規制側によるルール化が必要になる。

また、東電内部でも福島に対する巨大津波が予測されていたが、こういった事案に関する内部告発者を守るルールも必要になろう。

原発行政の根幹を決めるような上級公務員に関し、英国では政治家が「公職任命コミッショナー」制度を新設し審議委員の人選を革新している。また、「科学審議官」を設置して官僚に影響されることなく、科学者の立場から政府に対し助言を行えるようにした。

ドイツのメルケル首相は元物理学者で、原発を復活させる考えだったが、福島事故を契機に「倫理委員会」を作り、哲学者など中立の委員を集めて原発の是非を論じさせ、脱原発に決した。

日本人は変われるか

福島事故から三日もたつと、東京駅の新幹線ホームに、西へ避難しようとする外国人家族が目立つようになる。父親たちは大きな二個のトランクを引き、子供はみんなリュックをせおっていた。

日本人の方は、最悪の場合首都圏の数千万人の避難が必要との試算結果は隠され、避難を考えたのは福島県民と、関東でも妊産婦くらいであった。

その同じ三月一四日の夜一一時、アメリカのルース駐日大使と枝野幸男官房長官が電話口で大喧嘩をしていた。大使がアメリカ側の原子力専門家を官邸に常駐させてほしいと要求したのに対し、枝野は国家主権を盾に拒絶した。

アメリカにしてみると、日本に在留する約五万の自国民の生命を守らなければならないのに、状況を問い合わせても責任者がハッキリしない。枝野にしてみれば、国家一大事の時に「お前たちには無理だ。後ろに下がって、俺たちにまかせろ」といわれているような気がした。

ワシントンには、福島事故は東電一企業の能力を越えていることは明らかだった。日本にも、我が国の英知を結集して対処すべしとの論調もあったが、定常的に東電に集められていたのは、福島第一に納入した原子炉メーカーの東芝、日立と、関電工など電気設備の施工会社くらいであった。

一方、同盟国から見捨てられそうな瀬戸際で、尖閣諸島など海洋への膨張を続ける隣の大国が、弱った我が国にどう出てくるか予断を許さなかった。さらに、原発テロを仕掛けられる可能性さえいわれた。

菅首相は、国家存亡の時であることを国の最高責任者としてようやく悟る。ルースと枝野が喧嘩した翌日、東電本社にのりこみ、福島第一原発からの撤退はゆるさないと幹部を怒鳴り上げた。

アメリカの国防省では駐留米軍を日本から避難させるとの主張もでてくる。それに対し、国務省は日米同盟の崩壊をおそれ、総動員の大規模な「トモダチ作戦」を継続させた。そのおかげで、グローバルホーク（最新鋭の無人偵察機）が数十回飛行し、原発の上空から炉の温度や放射線をモニタリングし値千金の情報を日本に伝えた。

ところで、いかに大きな事故が起こっても、日本人の大部分、そして時に直接の被害者さえ、事故の責任をとらせることなどには反対する。事故の原因究明そして将来の改善も困難になると彼らはいう。

したがって、「この際、責任を問うのはやめて、未来のために皆で力をあわせて改善に取りくもう」となる。

それゆえに、日本は無責任社会を脱することができず、官僚の暴走も続く。これは、聖徳太子による「十七条の憲法」いらい、日本人にしみついた「和をもって尊しとなす」、すなわち、たがいの批判をひかえる「和の精神」である。

平成二三年（二〇一一）九月一九日、福島事故後初の原子力学会が北九州市で開幕した。その特別シンポジウムで、標準委員会委員長が事故の原因について力説した。「原子力安全の確保は規制も事業者も変わりなく、目標とするところは同じであるにもかかわらず対峙してしまい、結果として安全確保からは遠ざかってしまった」

日本の原子力技術者を代表するようなベテランが、「規制する側も規制を受ける電力会社もみんな仲良く一心同体で」という、異様なほど幼い感覚しかもたず、さすがに座長からも参加者からもあきれられていた。彼は、有力な学閥の先輩にでもあたるのか、二〇二三年現在も、福島原発を処理する重要な委員会を指揮している。

そんな日本人の特性を、「原発事故は日本文化によって起こった」と、国会事故調査委員会の黒川清委員長が表現し欧米から批判をあびる。先進国からみれば、具体的に原因を分析しないかぎり、事故調査にならない。

しかし、黒川委員長が言ったのは、日本人の真面目さや権威への服従や仲間とおなじようにふるまう性質や島国根性が、福島原発事故につながっているということであった。

長く強固な封建時代をとおして、多くの日本人は、「長いものには巻かれろ」、「我慢しよう」、「仕方がない」となった。

たとえば、島根原発は松江市という県庁所在地の中に建てられ、中心市街地からも八キロという立地になっている。しかし、おとなしく穏やかな県民性もあって、原発の隣といってもよいような自宅で、「出来たものは仕方がない」と受け入れている住民も少なくない。

その老人は、もし原発が爆発したら奥さんを逃がし、自分はペットと一緒に留まりたいといった。見上げたものである。

ところが、原発など極端に発達した西欧技術は、その基底の考え方を学ばないかぎり、超絶の牙をむいて世界まで滅ぼす。利の論理から理の論理に重心をうつし、困難な条件にも正面から立ち向かわないかぎり悲劇しかない。

極東中国のかげに隠れていた、ちいさな貧しいサムライの国がおおきく成長し、いまやアメリカやヨーロッパにならんで世界の科学研究をひっぱっている。

それにともない、私たちはできるかぎり日本の特質を残しながら西洋化してきたが、社会の、あるいは個人の心のグローバリゼーションがさらに要求されている。現代技術の前では日本人も西洋人も変わらないのかもしれない。

福沢諭吉（第I部第1章）は、わが国が外にむかって歩み始めたとき、有形の学問の中で物理を特に重視した。しかし、その心は、学生の中に無形の思想性を育てることにあった。ひいては、日本人がお上（かみ）に甘えない独立自尊の心をもつことを望んでいた。

そんな福沢諭吉から「官僚などつまらん」といわれて育った慶應ボーイに、松永安左エ門[85]（現在の長崎県立壱岐高校出身）という人がいた。諭吉から自由経済と資本主義の精神をたたき込まれ、戦前に東京地区をはじめ各地の電力会社を経営した。

彼は戦争せずとも我が国は存立しえると考えていた。軍閥に尻尾（しっぽ）を振る電力官僚を「人間の屑」と切り捨て、天皇にそむくものとしてブラックリストに載ったが、その剛腕から「電力の鬼」とか「電力王」と呼ばれている。

老齢により引退したが、昭和二六年（一九五一）請われて業界にもどってきた。彼のパワーは進駐軍総司令部を魅了し、熱意は池田勇人通産大臣を動かした。全国の電力会社を分割民営化し九電力体制を発足させる。さらに、福沢の娘婿の福沢桃介や吉田茂の娘婿の麻生多賀吉や側近の白洲次郎らを日本各地に配置し、電力業界の経営確立はもちろん、七六歳の老実業家が国の舵取りに奮闘した。

しかし、翌年の講和条約発効に伴い、電力会社も通産行政に組みこまれた。福沢諭吉ゆずりの民間主役のシステムは打ち消され、電力官僚が復活した。彼らはやがて原子力村官僚に変身し原発事故を続発拡大させる。

アジアの国は西洋のような歴史や経験から遠く、中国は共産党独裁に、日本は官僚独裁に苦しんでいる。両者共に根は同じ国家資本主義という遅れた体制にある。

開国から一世紀半、明らかになったことがある。サムライ科学者にとって有形文化の数理学――今でいう物理学を学ぶのは決して困難ではなかった。現代の日本の科学者も毎日毎日西洋とふれ合っているので、欧米の科学者から物の考え方をふくめて西洋人と何一つ変わらないといわれる。

しかし、日本人が西洋における思想や哲学や道徳や習慣や宗教を真に理解することは、物理などにくらべて極めて難しかった。私たちがこれから学ぶべき西洋の知恵は、社会なら民主制度とか個人なら独立自尊といった無形文化のように私には思われる。

あとがき

二〇一二年、山中伸弥教授のノーベル賞受賞に日本中が沸いた。我が国の理科系受賞者は合計一六人に上り、今や全ヨーロッパにも匹敵する数のノーベル賞を取るようになった。

二千年にわたる西洋の長い伝統の分野で、開国からわずか一四〇年の辺境アジアの国が世界をリードしている。なぜ、我が国が短期間にこのような長足の進歩をとげることができたのか。本書では、開国からサムライたちがひたすら前進する様を描いた。日本が科学大国になった理由が自ずと明らかになったと信じる。

最近私たちを明るくするのは、スポーツの話題以外では、宇宙探査機「はやぶさ」や山中伸弥教授や相次ぐ国際建築賞受賞などになろう。今も昔も理科系はマイノリティーではあるが、これからも変わることなく日本に希望を届ける。

なお、私は湯川秀樹博士に憧れて理論物理学を学んだ。その後、博士が若い人に生物物理学の研究を勧められたこともあり、原子核工学の大学院で放射線生物学を学んだ後、脳神経科学を専門とした。したがって、下村脩先生がノーベル賞を受けられた時は蛍光トレーサーを使っていたし、山中伸弥教授が話題に上ったときは神経細胞の培養を専門にしていた。

そんな経験もあり、日本の科学者が歩んできた軌跡(みち)を、生命、医学、物理、化学にわたって描いてみたいと思った。私が直接見聞きした話により、皆様に科学者の世界をリアルに感じてもらえたとすれば真に幸いである。

最後に、恩師の藤本陽一先生(早稲田大学)、西脇安先生(東京工業大学)、賀田恒夫先生(国立遺伝研)、ジミー・シュワルツ先生(コロンビア大学)、アネット・ドルフィン教授(ロンドン大学)、そして、小柴昌俊先生、小林誠先生、下村脩先生、大槻磐男先生、川島幸希先生(秀明大学)、川合光教授(京都大学)、西脇栄様、横山ムツ様、播磨良子先生、播磨益夫先生(元参院法制局)、團まりな先生、飯高茂教授(学習院大学)、木下健教授(東京大学)、村山齊教授(東京大学)、朝野富三教授(宝塚大学)、高山正之先生、本田宏先生(北海学園大学)、宮脇敦史先生(理研)、早川廣中様(白虎隊記念館理事長)、柴田隆三様、吉田暁子様、福田佳織先生(東洋学園大学)、仁科浩二郎先生、大門建夫先生、ウッズホール海洋生物学研究所、コロンビア大学神経行動科学研究センター、三崎臨海実験所(東京大学)、館山臨海実験所(お茶の水女子大学)、港区役所、広島平和記念資料館、東京医科歯科大学図書館、日野市立中央図書館、都立多摩図書館、多磨霊園、第五福竜丸展示館、宮沢賢治記念館、宮澤賢治センター、石川啄木記念館、野口英世記念館、JT生命誌研究館、伊東昭子様（図書館司書）、相川綾子様、大前研一先輩、鶴田隆雄先輩、同級の広瀬正雄氏、森昭彦氏、小玉剛氏、宮澤信太郎氏、古屋善範氏よりいろいろと教えていただきました。心より感謝申し上げます。

なお、本書の出版を計画され舵取りして頂いたミネルヴァ書房の梶谷修様と編集を担当し力を尽くされた岩崎奈菜様に謝意を表します。

平成二五年一月一日　油壺から富士山を眺めながら

後藤秀機

文庫版あとがき

筆者は、二〇一三年、本書と同じタイトルの旧著をミネルヴァ書房より出版した。本書は、それを文庫化したものである。旧著は、注釈が詳細に過ぎ、読み難い恨みがあった。本書は、注釈はもとより、年表も削除し、読み易くした。しかし、本書を読んで、詳細に触れたい方もおられるかと思う。そのような方には、各地図書館に置いてある注釈付きの旧著を紐解(ひもと)かれることをお勧めしたい。

ところで、本年は、旧著の上梓から十年を経過した年である。この間に、わが国の大学は色々な面で大きく姿を変えた。

第一は、二〇〇四年の国立大学の独立行政法人化から始まった。大学は、毎年予算を削減され、国立大学への運営費交付金はこの十五年間で約一割減った。教官数は切り詰められ、若手のポストも任期付きが多くなった。それを見て、多くの学生及び大学院生は、研究者になることを諦めた。

第二は、教官が競争で研究費を獲得する方式が進められた。これは、財務省の官僚が、大学の先生にも競争させた方が、アメリカのように一生懸命仕事をすると考えたのであろう。かくして、日本の研究者はすぐに結果が出るような軽い研究しかしなくなった。結果として、世界で引用されるような重要論文の発表数が激減した。すなわち、二〇二三年の発表では、日本はイランに抜かれ、世界十三位に落ちてしまった(文科省)。世界各国が研究力増進に躍起になっている中で、日本の大学だけが、教官数も研究費も削減したのであるから、その貧弱さが際立つのは当然だった。日本政府は、研究力を躍進させようと、色々と標榜実行して来たが、逆に徹底的に破壊してしまったのである。

第三は、大学に対する運営方針が、自民党で大きく変わったことが挙げられる。二〇一四年のOECD閣僚理事会で、安倍首相（当時）は、「学術研究を深めるのではなく、もっと社会のニーズを見据えた、もっと実践的な職業教育を行う、そうした新たな枠組みを、高等教育に取り込みたい」と演説した。このような薄っぺらな考え方が、菅義偉首相による学術会議の会員候補任命拒否など反アカデミズム行政にまで繋がった。

しかし、現在の反アカデミズム行政も突然出現したものではない。源をたどれば、二十一世紀に入ってからの森内閣成立があるが、森首相は、学問や研究に無縁な人だった。そんな人が先ず文部大臣になって以来、大学や学問に対して配慮が無くなった。森首相に続き、麻生首相も、漢字が読めないと言われたほどで、学問を勉強する経験は無いように見えた。そして、遂に安倍首相に至って、大学や研究を敵視するかのような先の演説につながった。

実は、これも日本だけの動きではなく、世界を席巻（せっけん）した新自由主義の流れではある。しかし、これからは日本の理系ノーベル賞受賞も無くなるだろうと言うのが、今や専門家の共通認識になっている。

ところで、福島事故の後、民主党も自民党も、原発は出来得る限り利用を抑制する方向で進んできた。しかし、そんな原発政策にも、最近大きな方向転換が起こっている。岸田政権は、何の説明も無く、突然再稼働の方針を打ち出した。これは、電気料金の高騰による国民の動揺を利用したものだ。

日本でも、再生可能エネルギーの開発プロジェクトが、過去にいくつも政府に提案されていた。しかし、他国と対照的に、我が経産省は、原発だけを優遇し、原発以外のプロジェクトを冷遇却下してきた。それゆえ、事故後もわが国には、再生可能エネルギーの選択肢が無かった。政府は、電気料金の高騰に伴う世論の変化を見て、いち早く原発の再稼働を打ち出した。しかし、国の指導者と言うのは、あるべき未来像を示し準備し、「易きに付く」国民をたしなめるのが務めなのだが。

一方、原子力村にとって心強い合言葉も生まれている。それは、「原発は炭酸ガスを発生しない貴重なエネルギー源」と言うもので、今でも原子力村が最も頼りにしている宣伝文句ではなかろうか。しかし、この原発の利点も、最近疑問になってきた。なぜなら、福島事故以来、原発の稼働が世界各地でストップし、稼働するとしても安全改良型で稼働するまで何年もかかるからだ。世界の温暖化は待ったなしで、原発で脱炭素を図るにしてもとても間に合わない。時間的な問題だけでなく、原発の電力は安上がりと言われて来たが、安全改良のために、今や目の飛び出るほど高価に付く。この点からも、原発より再生可能エネルギーの方が救世主とみられている。

日本の原子力村は、何度も事故に直面して来た。その度に声を掛け合って耐えて来た。たとえば、「世間の批判が過ぎ去るまで、みんな頭を下げて耐えよう」とか、「原発に必ず追い風が吹く」と言った掛け声である。さらに、本文で述べた通り、「安全思想の確立を！」と言った決まり文句も何度も飛び交ってきた。しかし、日本の原子力安全には、安心でき胸を張れるような進展は遂になかった。

福島事故から暫くしたところで、原発関係者は、今迄とは一風変わった新しい合言葉を一斉に唱えだした。すなわち、「この世に、絶対安全と言う事は有り得ない」との主張だった。

事故が起きるまでは、「原発は絶対安全」と言っていた人たちが、突然居直った。いつもの通り、原子力村が知恵を付けているように見えた。しかし、「この世に絶対安全はない」と言う考え方そのものは当たり前で、良い大人たちが今更鬼の首を取ったように言い募るのは、大変幼稚に見えた。そんな幼稚な言い草で、福島事故を国民に理解納得してもらえると思ったのだろうか。

今私たちが盛んに聞くのは、「我が国の原発の規制基準は世界一厳しい」と言う宣伝文句である。原発を再稼働させてもらうために、原子力村が頼りにするセリフのようだ。しかし、「世界一厳しい」は、嘘である。たとえば、住民の避難計画が日本では審査に含まれていない。先進国では、当然基準に入っている。狭く密な日本では、事故の際の市民の避難が容易でない。しかし、避難計画こそ、住民の生命を守る最後の砦である。他にも、事故の時に、消防車の体制を検証する規制も、日本では十分ではない。消防車は、原発を冷却する最後の頼りなのだが。

規制基準の作成にかかわった、原子力規制委員会の前委員長更田豊志氏も、この「世界一厳しい」に根拠はなく、むしろ、再びの安全神話を作ろうとしていると言う。

原発は、今まで人類の経験しなかった原子核分裂の連鎖反応を利用しているのであるから、徹底した合理的科学的態度で問題に立ち向かわなければならない。しかし、昔から、技術には誤りや事故が付きものとの考え方があった。特に、日本の一部の技術者は、事故に甘えていたように見える。原発のような巨大な技術は、事故に伴う被害も超巨大になる。水力発電や火力発電では許されても、原発における失敗は、同じ様に許されるものではないと考えるべきであろう。結局、地震や、技術者を含む国民性や、歴史や、国の仕組みなど諸条件の悪い日本では、原発は我々の特性や能力を超えていると考えるべきなのかも知れない。

一方、何時の時代も、日本に天才、異才が突然出現し、世界的な困難を解決したり、飛躍をもたらした。たとえば、物理学における湯川秀樹や、スポーツ界における大谷翔平のことである。アートの世界、あるいは音楽界などからも、多くの星が出現した。しかし、沈没しかけた日本と言う国を救うとなると、同列には論じられない。政界や官界や経済界と言った広い分野における奇跡的な天才、異才の出現活躍と共に、日本の構造改革と国民の意識改革が必須に思える。

最後に、角川ソフィア文庫の伊集院元郁編集長が、旧著の文庫化を企画された。そのお蔭で、拙著は新しい本に生まれ変わった。同氏及び本書を担当された江川慎様に深く感謝申し上げたい。また、私の妻の後藤千代枝は、旧著を一生懸命周りに献呈し、図書室に置いてもらったりして、広めてくれました。彼女の努力が、旧著を支え、本文庫版の誕生に結実したと、私は思っている。彼女は三年前に病を得て亡くなったが、ここに深い感謝の気持ちを表したいと思います。

二〇二三年九月一日

後藤　秀機

引用文献・参考文献

［1］「湯川秀樹博士［人と学問］」『自然』四三〇号　一九八一
［2］福沢諭吉『福翁自伝』慶應義塾大学出版会　二〇〇七
［3］丸山眞男『福沢諭吉の哲学』岩波書店　二〇〇一
［4］『夏目漱石全集』第一〇巻　筑摩書房　一九七二
［5］『漱石全集』第一九巻　岩波書店　一九七六
［6］辻哲夫『物理学史への道』こぶし書房　二〇一一
［7］コリン・ジョイス著、森田浩之訳『驚きの英国史』NHK出版　二〇一二
［8］山田大隆『心にしみる天才の逸話二〇』講談社　二〇〇一
［9］田中聡『怪物科学者の時代』晶文社　一九九八
［10］福田眞人『北里柴三郎』ミネルヴァ書房　二〇〇八
［11］宮田親平『科学者たちの自由な楽園』文藝春秋　一九八三
［12］飯沼信子『野口英世とメリー・ダージス』水曜社　二〇〇七
［13］吉原賢二『科学に魅せられた日本人』岩波書店　二〇〇一
［14］志村幸雄『誰が本当の発明者か』講談社　二〇〇六
［15］左巻健男『素顔の科学誌』東京書籍　二〇〇〇

[16]『日露戦争』（歴史群像シリーズ二四）学習研究社　一九九一
[17] 北篤『正伝野口英世』毎日新聞社　二〇〇三
[18] 太田雄三『英語と日本人』TBSブリタニカ　一九八一
[19] 近現代史編纂会『面白いほどよくわかる日露戦争』日本文芸社　二〇〇四
[20]『激闘旅順・奉天』（歴史群像シリーズ五九）学習研究社　一九九九
[21]『図説 日露戦争 兵器・全戦闘集』（歴史群像シリーズ特別編集）学習研究社　二〇〇七
[22] 佐藤弘子『会津藩士の娘たち』月刊会津人社　二〇〇六
[23] 星亮一『山川健次郎伝』平凡社　二〇〇三
[24]『科学の世紀を開いた人々』上・下　ニュートンプレス　一九九九
[25] 前田宣裕『会津戦争の群像』歴史春秋出版　一九九六
[26] 大前研一『原発再稼働「最後の条件」』小学館　二〇一二
[27]『ノーベル賞受賞者人物事典　物理学賞・化学賞』東京書籍　二〇一〇
[28] 科学朝日編『ノーベル賞の光と陰』朝日新聞社　一九八一
[29] 玉木英彦、江沢洋編『仁科芳雄』みすず書房　一九九一
[30] 南部陽一郎「南部陽一郎が語る　日本物理学の青春時代」『日経サイエンス』二九巻三号　一九九九

〔31〕湯川秀樹『物理学に志して』養徳社　一九四四
〔32〕仁科芳雄往復書簡集編集委員会『仁科芳雄往復書簡集』みすず書房　二〇〇六
〔33〕NHKスペシャル『封印された原爆報告書』NHK　二〇一〇
〔34〕石田寅夫『あなたも狙え！　ノーベル賞』化学同人　一九九五
〔35〕常石敬一、朝野富三『細菌戦部隊と自決した二人の医学者』新潮社　一九八二
〔36〕浦辺登『霊園から見た近代日本』弦書房　二〇一一
〔37〕常石敬一『医学者たちの組織犯罪』朝日新聞社　一九九四
〔38〕日野原重明「あるがまま行く」『朝日新聞』二〇〇五年一二月一〇日付
〔39〕「誰にもわかり筋が通っていること」『ミクロスコピア』六巻三号　一九八九
〔40〕「横山正松先生の思い出」『ミクロスコピア』一〇巻二号　一九九三
〔41〕末永恵子「生理学者横山正松と戦争（下）」『日本生理学雑誌』七一巻七・八号　二〇〇九
〔42〕「横山正松先生をかこんで」『ミクロスコピア』三巻一号　一九八六
〔43〕小林英夫『昭和をつくった男』ビジネス社　二〇〇六
〔44〕團勝磨『ウニと語る』学会出版センター　一九八七
〔45〕加藤恭子『渚の唄』講談社　一九八〇
〔46〕後藤秀機『イカの神経ヒトの脳みそ』新潮社　二〇〇九

[47] 加藤元一『科学者の歩める道』思文閣出版 一九九一
[48] 冨田恒男「減衰不減衰学説論争以後の神経生理学の発展」『日本生理学会誌』四六巻一号 一九八四
[49] 後藤秀機『神経と化学伝達』東京大学出版会 一九八八
[50] 竹内薫『闘う物理学者!』日本実業出版社 二〇〇七
[51] 湯川秀樹『遍歴』(湯川秀樹自選集五) 朝日新聞社 一九七一
[52] 松尾博志『電子立国日本を育てた男』文藝春秋 一九九二
[53] 伏見康治『研究と大学の周辺』共立出版 一九六九
[54] 内山龍雄「湯川博士と大阪」『適塾』一五号 一九八二
[55] 東電福島原発事故調査委員会『国会事故調報告書』徳間書店 二〇一二
[56] 「日本の科学者一〇〇人一〇〇冊」『考える人』二九号 二〇〇九
[57] カイ・バード、マーティン・シャーウィン著、河邉俊彦訳『オッペンハイマー』上・下 PHP研究所 二〇〇七
[58] アブラハム・パイス著、杉山滋郎、伊藤伸子訳『物理学者たちの二〇世紀』朝日新聞社 二〇〇四
[59] 『素粒子論の一世紀』(『別冊日経サイエンス』一六五) 日経サイエンス社 二〇〇九

[60] 小沼通二「坂田昌一と原子力」『科学』八〇巻九号　二〇一一
[61] 藤本陽一『原子力への道を開いた人々』さ・え・ら書房　一九六六
[62] 湯川秀樹『現代科学と人間』岩波書店　一九六一
[63] 朝永振一郎『プロメテウスの火』みすず書房　二〇一二
[64] 松井巻之助編『回想の朝永振一郎』みすず書房　二〇〇六
[65] 金谷和至「「くりこみ」が拓く量子の世界」『日経サイエンス』三六巻一一号　二〇〇六
[66]『朝日新聞』二〇一二年一〇月九日付
[67] 丸山工作『筋肉のなぞ』岩波書店　一九八〇
[68] ラルフ・モス著、丸山工作訳『朝からキャビアを』岩波書店　一九八九
[69]「江橋先生大いに語る」『生物物理』二四巻一号　一九八四
[70] ビンセント・ピエリボン、デビッド・グルーバー著、滋賀陽子訳『光るクラゲ』青土社　二〇一〇
[71] 石浦章一監修『光るクラゲがノーベル賞をとった理由』日本評論社　二〇〇九
[72] 原賀真紀子『「伝わる英語」習得術』朝日新聞出版　二〇〇九
[73] ポール・ディラック著、朝永振一郎、玉木英彦、木庭二郎、大塚益比古訳『量子力学』岩波書店　一九五四

[74] ニールス・ボーアほか著、林一訳『アインシュタインとの論争』東京図書　一九六九
[75] 南部陽一郎「物理は楽観主義で」『科学』七五巻三号　二〇〇五
[76] 南部陽一郎「対称性の自発的破れとひも理論」『日経サイエンス』三九巻三号　二〇〇九
[77] 山崎和夫「ハイゼンベルク先生と統一理論に挑んだ10年」『日経サイエンス』三七巻四号　二〇〇七
[78] 「結婚／イタリア娘と結ばれた吉田茂の孫」『週刊新潮』一九七四年六月一三日号
[79] 吉田暁子「墓の引っ越し」『文藝春秋』二〇一一年六月号
[80] 西村肇「南部陽一郎の独創性の秘密をさぐる」（1）－（3）『現代化学』四五五～四五七巻　二〇〇九
[81] 宮脇敦史「GFPをめぐる半世紀の歴史」『科学』七九巻一号　二〇〇九
[82] 「革命前夜の物理学」『日経サイエンス』三八巻六号　二〇〇八
[83] 『素粒子とは何か』（『ニュートン』別冊）ニュートンプレス　二〇〇九
[84] 住田健二「私とその世代の責任」『アエラ』二〇一一年四月一八日号
[85] 橘川武郎『松永安左ェ門』ミネルヴァ書房　二〇〇四
[86] 山田一郎『寺田寅彦』岩波書店　二〇〇六

〔87〕竹内誠監修『外国人が見た近世日本』角川学芸出版　二〇〇九
〔88〕小山慶太『異貌の科学者』丸善　一九九一
〔89〕マイケル・ガーデナ著、村里好俊、杉浦裕子訳『トマス・グラバーの生涯』岩波書店　二〇一二
〔90〕中野剛志『日本思想史新論』筑摩書房　二〇一二
〔91〕アーミン・ヘルマン著、山崎和夫、内藤道雄訳『ハイゼンベルクの思想と生涯』講談社　一九七七
〔92〕「脱原発骨抜き 自民党が狙う規制委支配」『アエラ』二〇一三年二月一八日号
〔93〕佐藤一男『原子力安全の論理』日刊工業新聞社　二〇〇六
〔94〕砂川幸雄『北里柴三郎の生涯』NTT出版　二〇〇三
〔95〕木村直樹『〈通訳〉たちの幕末維新』吉川弘文館　二〇一二
〔96〕山嶋哲盛『日本科学の先駆者高峰譲吉』岩波書店　二〇〇一
〔97〕笠井尚『山川健次郎と乃木希典』長崎出版　二〇〇八
〔98〕早川廣中、木下健『東大総長山川健次郎の目指すべき国家像と未来』長崎出版　二〇一一
〔99〕湯川秀樹『創造の世界』（湯川秀樹自選集四）朝日新聞社　一九七一
〔100〕エドワード・アンドレード著、三輪光雄訳『ラザフォード』河出書房　一九六七

[101] ステファン・ローゼンタール著、豊田利幸訳『ニールス・ボーア』岩波書店　一九七〇
[102] 矢崎為一「ローレンス教授の来訪」『科学』二二巻七号　一九五一
[103] 保阪正康『あの戦争は何だったのか』新潮新書　二〇〇五
[104] 大谷栄一『近代仏教という視座』ぺりかん社　二〇一二
[105] 『物理を創ったアインシュタインと天才たち』（『別冊日経サイエンス』一四八）日経サイエンス社　二〇〇五
[106] 『福島原発事故独立検証委員会調査検証報告書』ディスカヴァー・トゥエンティワン　二〇一二
[107] 西谷正『坂田昌一の生涯』鳥影社　二〇一一
[108] 増田美香子編『町人学者』毎日新聞社　二〇〇八
[109] 坂田昌一『原子力をめぐる科学者の社会的責任』岩波書店　二〇一一
[110] 有馬哲夫『原発・正力・ＣＩＡ』新潮新書　二〇〇八
[111] 有馬哲夫『原発と原爆』文春新書　二〇一二
[112] 原康夫『トップクォーク最前線』ＮＨＫブックス　一九九一
[113] 高橋国太郎「萩原生長先生を偲んで」『日本生理学雑誌』五一巻七号　一九八九
[114] 江橋節郎「カルシウムと私」『生命誌』一二号　一九九六

〔115〕アミール・アクゼル著、久保儀明、宮田卓爾訳『ウラニウム戦争』青土社　二〇〇九
〔116〕バーバラ・クライン著、柴垣和三雄、杉元賢治、新関章三訳『現代物理学をつくった人びと』東京図書　一九七七
〔117〕飯高茂『いいたかないけど数学者なのだ』NHK出版　二〇〇六
〔118〕吉川圭二『超ひも理論と宇宙』裳華房　一九九八
〔119〕竹内薫『超ひも理論とはなにか』講談社　二〇〇四
〔120〕南部陽一郎『素粒子論の発展』岩波書店　二〇〇九
〔121〕福井新聞社編著『ほがらかな探究』福井新聞社　二〇〇九
〔122〕田坂広志『官邸から見た原発事故の真実』光文社　二〇一二
〔123〕菅直人『東電福島原発事故』幻冬舎　二〇一二
〔124〕住田健二『原子力とどうつきあうか』筑摩書房　二〇〇〇
〔125〕新藤宗幸『司法よ！　おまえにも罪がある』講談社　二〇一二
〔126〕辻井喬『叙情と闘争』中央公論新社　二〇〇九
〔127〕船橋洋一『カウントダウン・メルトダウン』上・下　文藝春秋　二〇一二

図版提供

p.13, 43, 63, 67（加工して作成）：国立国会図書館「近代日本人の肖像」

p.59：会津若松市

p.85, 277, 301, 315：朝日新聞社

p.111：公益財団法人仁科記念財団

p.119：東京大学医科学研究所

p.145：東京大学大学院理学系研究科附属臨海実験所

p.155：團まりな氏

p.173：加藤元一『科学者の歩める道』思文閣出版　1991

p.193, 257, 272：筑波大学朝永記念室

p.217, 229, 331：京都大学基礎物理学研究所湯川記念館史料室

p.221：ニューズコム＝共同

p.245：西脇栄氏

p.343：シカゴ大学＝時事

本書は、二〇一三年九月にミネルヴァ書房から刊行された『天才と異才の日本科学史　開国からノーベル賞まで、150年の軌跡』を加筆修正のうえ文庫化したものです。

天才と異才の日本科学史

後藤秀機

令和5年 9月25日　初版発行

発行者●山下直久

発行●株式会社KADOKAWA
〒102-8177　東京都千代田区富士見2-13-3
電話　0570-002-301(ナビダイヤル)

角川文庫 23832

印刷所●株式会社暁印刷
製本所●本間製本株式会社

表紙画●和田三造

●お問い合わせ
https://www.kadokawa.co.jp/（「お問い合わせ」へお進みください）
※内容によっては、お答えできない場合があります。
※サポートは日本国内のみとさせていただきます。
※Japanese text only

ISBN 978-4-04-400780-5　C0140

角川文庫発刊に際して

角川源義

第二次世界大戦の敗北は、軍事力の敗北であった以上に、私たちの若い文化力の敗退であった。私たちの文化が戦争に対して如何に無力であり、単なるあだ花に過ぎなかったかを、私たちは身を以て体験し痛感した。西洋近代文化の摂取にとって、明治以後八十年の歳月は決して短かすぎたとは言えない。にもかかわらず、近代文化の伝統を確立し、自由な批判と柔軟な良識に富む文化層として自らを形成することに私たちは失敗して来た。そしてこれは、各層への文化の普及滲透を任務とする出版人の責任でもあった。

一九四五年以来、私たちは再び振出しに戻り、第一歩から踏み出すことを余儀なくされた。これは大きな不幸ではあるが、反面、これまでの混沌・未熟・歪曲の中にあった我が国の文化に秩序と確たる基礎を齎らすためには絶好の機会でもある。角川書店は、このような祖国の文化的危機にあたり、微力をも顧みず再建の礎石たるべき抱負と決意とをもって出発したが、ここに創立以来の念願を果すべく角川文庫を発刊する。これまで刊行されたあらゆる全集叢書文庫類の長所と短所とを検討し、古今東西の不朽の典籍を、良心的編集のもとに、廉価に、そして書架にふさわしい美本として、多くのひとびとに提供しようとする。しかし私たちは徒らに百科全書的な知識のジレッタントを作ることを目的とせず、あくまで祖国の文化に秩序と再建への道を示し、この文庫を角川書店の栄ある事業として、今後永久に継続発展せしめ、学芸と教養との殿堂として大成せんことを期したい。多くの読書子の愛情ある忠言と支持とによって、この希望と抱負とを完遂せしめられんことを願う。

一九四九年五月三日

角川ソフィア文庫ベストセラー

角川ソフィア文庫ベストセラー